Ouvrage publié
sous la direction de Pierre Astier

PASSAGERS CLANDESTINS

DU MÊME AUTEUR

GUERRES, Fayard,1979 ; Le Serpent à Plumes, "Motifs" n° 13, 2000.
LE GRAND ELYSIUM HÔTEL, R. Laffont, 1986 ; Le Serpent à Plumes, 2005.
LE DERNIER DES FOUS, Le Serpent à Plumes, 1994 ; "Motifs" n° 34, 1999.
LE CHASSEUR DE TÊTES, Le Serpent à Plumes, 1996 ; Gallimard, "Folio", 2001.
NOS ADIEUX, Le Serpent à Plumes, 1998 ; "Motifs" n° 104, 2000.
LA FILLE DE L'HOMME AU PIANO, Le Serpent à Plumes, 1999 ; Gallimard, "Folio", 2001.
PILGRIM, Le Serpent à Plumes, 2001 ; Gallimard, "Folio", 2002.
LE VERGER DE PIERRES, Le Serpent à Plumes, 2001.
LES ROBES BLEUES, Le Serpent à Plumes, 2003.

Titre original :
Not Wanted on the Voyage
Editeur original :
© Pebble Productions, Inc., 1984
Publié avec l'accord de Westwood Creative Artists Ltd

© ACTES SUD, 2008
pour la traduction française
ISBN 978-2-7427-7993-2

TIMOTHY FINDLEY

Passagers clandestins

roman traduit de l'anglais (Canada)
par Isabelle Maillet

ACTES SUD

Et toi, es-tu toujours là,
Ballotté dans cette arche échouée,
Aveugle et pourtant capable de voir
dans le noir.

PHYLLIS WEBB, *Leaning.*

PROLOGUE

*Et Noé entra dans l'arche avec ses
fils, sa femme et les femmes de ses fils,
pour échapper aux eaux du déluge.*

Genèse, VII, 7.

Rien ne s'est passé comme on nous le raconte,
tout le monde le sait.

D'abord, on voudrait nous faire croire qu'il n'y a
jamais eu de querelles ni de mouvements de panique – personne n'aurait été piétiné, aucun animal
n'aurait hurlé, aucun être humain n'aurait poussé
de hauts cris. On voudrait nous faire croire que les
seuls à vouloir embarquer étaient le docteur Noyes
et sa famille ; en théorie, tous les autres (le reste de
l'humanité, en somme) auraient agité gaiement la
main à distance, derrière une barrière – LES SPECTA-
TEURS SONT PRIÉS DE NE PAS FRANCHIR LA LIGNE JAUNE
ET MERCI DE VOTRE COMPRÉHENSION. Et tous les
bagages auraient été soigneusement étiquetés : A
EMPORTER OU A EXCLURE DE LA TRAVERSÉE.

On voudrait aussi nous faire croire qu'il n'y a
pas eu le moindre sentiment d'effroi – que Noé
et ses fils, détendus à la poupe, sirotaient du porto
et fumaient un cigare sous un auvent de toile
rayée de bleu et de blanc, arborant probablement
casquettes de yachtmen, pantalons de coutil blanc
et blazers. Que Mme Noyes et ses belles-filles re-
montaient la passerelle à pas légers, apprêtées,
pomponnées et bien au sec sous leurs parapluies,
se retournant pour crier : "Au revoir, tout le
monde !" Et tous leurs amis de répondre : *"Bon*

voyage* !'" pendant que les belles-filles tendaient leurs billets, entre rires et sourires, leur arrivée étant saluée au sifflet tandis qu'un orchestre jouait *Rule Britannia !* et *Over the Sea to Skye*. Drapeaux, bannières, coups de canon assourdissants… comme pour une croisière.

Sauf que ce n'était pas une croisière. C'était la fin du monde.

Mme Noyes courait à perdre haleine le long des couloirs de plus en plus sombres, jupes et tabliers retroussés au-dessus des cuisses, en proie à la terreur indicible d'une mère hagarde, incapable de retrouver ses enfants alors même qu'elle les entend appeler au secours. La fumée déferlait dans la maison, d'une ouverture à l'autre, et si Mme Noyes pensa au début que le feu avait pris à l'intérieur, elle ne tarda cependant pas à apercevoir le bûcher embrasé au-delà de la porte ; elle comprit alors que ce n'était pas la bâtisse qui brûlait mais quelque chose d'autre – quelque chose de vivant.

Elle ne s'arrêta qu'une seconde – juste le temps de lever les bras pour se protéger de la chaleur et d'enrouler un tablier autour de sa tête, car l'air grouillait d'étincelles grosses comme des oiseaux et elle avait les cheveux aussi secs que de l'amadou –, avant de reprendre sa course à travers les tourbillons de fumée, essayant désespérément de découvrir la source de ce gémissement suraigu qui était – sans être – un cri familier. Elle tentait également de distinguer et de dénombrer les formes qui se déplaçaient avec elle au milieu de la fournaise – l'on se serait cru dans une fournaise, à présent – et de déterminer s'il s'agissait de silhouettes humaines – ses fils, son mari, ses belles-filles…

* En français dans le texte. *(N.d.T.)*

14

Rien de ce qu'elle voyait bouger n'avait de pattes ou de jambes, mais juste des bras, des cous et des têtes qui flottaient parmi les vagues de fumée, pareils à des créatures émergeant de flots bouillonnants, replongeant puis refaisant surface. Et encore, avant de disparaître.

Immobile, comme enracinée sur place, Mme Noyes scruta les alentours en plaquant une main sur sa bouche. Peu à peu, alors qu'elle regardait et écoutait, une certitude effroyable s'imposa à elle. Elle savait désormais ce qui se passait, et la panique suscitée par cette révélation pétrifia ses jambes autant qu'elle amollit son esprit, la paralysant sous l'emprise d'une seule pensée.

Noé !

Ça suffit ! Arrête !

LIVRE UN

*Dieu regarda la terre, et voici, elle
était corrompue ; car toute chair
avait corrompu sa voie sur la terre.*

Genèse, VI, 12.

La nouvelle se répandit comme une traînée de poudre : la messagère arrivait.

On l'avait tout d'abord vue au loin dans la vallée, au-dessus de la rivière dont elle suivait le tracé afin de trouver son chemin. Des bateliers qui s'évertuaient à en remonter le cours s'étaient arrêtés pour la montrer du doigt et admirer ses couleurs merveilleuses. Portée par les courants aériens – car ses forces commençaient à décliner –, la messagère cherchait désespérément des repères en contrebas lorsqu'elle aperçut enfin les nuages de poussière signalant la présence de chariots et de cavaliers sur la piste qui faisait le tour de la montagne. Les journaliers en route vers le sommet s'immobilisèrent à mi-parcours au moment où la messagère entamait son ascension. Leurs larges chapeaux de paille – des inventions récentes nommées *parasols* – leur donnaient l'apparence de champignons en mouvement et elle songea à manger. Mais bien qu'affamée, elle restait disciplinée : elle avait volé toute la nuit et une bonne partie de la matinée, ne s'arrêtant qu'une fois au lever du jour pour se désaltérer à la mare d'une ferme.

Son voyage touchait désormais à sa fin. Le soleil qui cognait sur son dos étroit projetait au sol son ombre semblable à quelque animal bleu détalant sur le chemin. Charretiers, cavaliers et journaliers renversèrent tous la tête, et, une main au-dessus des yeux, la regardèrent passer. Certains, qu'elle entendit à peine, lui crièrent : *"D'où viens-tu ? Où vas-tu ?"* Les autres cependant, qui connaissaient la signification de ses couleurs, ne posèrent aucune question. Les réponses, en des temps pareils, ne pouvaient qu'être perturbantes ; mieux valait donc les ignorer.

En haut de la montagne, la vue du pin, de la véranda de pierre brute et de l'autel avec son large plateau taché lui apprit qu'elle était parvenue à destination. Alors qu'elle descendait, elle distingua aussi la piste de terre battue menant à la propriété. Murs effondrés, bâtiments blottis les uns contre les autres, parcs à moutons et enclos à bestiaux formaient un patchwork en dessous d'elle. La fumée s'échappant des cheminées lui révéla où se trouvaient les cuisines et les potagers. Les tas de fumier encore chaud, les ruches tressées coniques, le verger, les bains et les pelouses jaunies, assoiffées par l'absence de pluie – tous ces indices l'incitèrent à aller de l'avant jusqu'au moment où, enfin, elle découvrit le noyer aux immenses branches noires et aux feuilles pennées – le dernier signe qu'elle cherchait, l'emblème de la famille qui résidait sur ces terres.

Exténuée au point de risquer la chute, elle fournit néanmoins un ultime effort pour annoncer sa présence. Tout en se maintenant au-dessus de la propriété, elle battit des ailes afin de produire un son aussi fort qu'un claquement de porte ou un fracas de verre brisé. Lorsque le bruit atteignit sa pleine puissance, un vieil homme quitta la tonnelle sous le noyer, puis s'avança à découvert en direction de l'endroit qu'elle survolait. C'était certainement lui qu'elle était venue voir de si loin, à en juger par son air étonné, comme s'il la reconnaissait. Lentement, il leva un bras pour la saluer avant de lui offrir sa lourde manche en guise de perchoir.

A peine la messagère eut-elle déposé sa missive dans les mains du docteur Noyes qu'elle s'envola par-dessus sa tête, poussa un grand cri et tomba telle une pierre à ses pieds.

Ils accoururent de toutes parts : Sem de la montagne, toujours muni de sa faux, et Mme Noyes de la cuisine ; Emma et son chien de l'arrière-cuisine ; Japhet – bleu et ruisselant – des bains et Hannah du verger. Seul Cham, parti dans la cédraie avec l'espoir de voir apparaître Mars, manquait à l'appel.

"Quoi ? Que se passe-t-il ?" demanda Mme Noyes de son habituelle voix éraillée à force de houspiller Emma.

Le docteur Noyes n'avait pas brisé le sceau. Il contemplait toujours la colombe rose et rubis sur le sol, ses ailes encore frémissantes et la poussière qui se déposait sur son œil voilé. Tout en attendant la mort de la messagère, il marmonnait ce qui ressemblait à une bénédiction, mais il tremblait de peur et ses paroles n'étaient pas audibles.

Durant un moment, sous le regard impatient des autres, il demeura figé sur place, incapable de bouger malgré son désir de s'éloigner.

Enfin, n'y tenant plus, Mme Noyes lança : "Qu'y a-t-il dans cette lettre, Noé ? Que dit-elle ?"

Le docteur Noyes brisa le sceau et, les paupières plissées, parcourut la page.

Sem, Hannah, Japhet, Emma, Mme Noyes et même le chien d'Emma ne le quittèrent pas des yeux pendant qu'il lisait et relisait chaque mot, les mâchoires remuant lentement à mesure qu'il prenait connaissance des phrases. Tous s'efforçaient de déchiffrer les mouvements de ses lèvres mais sa barbe était si épaisse et broussailleuse qu'elle lui dissimulait presque entièrement la bouche.

"Alors ? le pressa Mme Noyes.

— Il arrive, répondit le docteur Noyes. Ici.

— Qui ? demanda Emma, un doigt fourré dans le nez.

— Arrête de faire ta bête !" la tança Hannah.

Le visiteur ne pouvait être qu'un seul Etre. La colombe rose et rubis à leurs pieds était un signe aussi évident qu'un autographe tracé dans la poussière – l'un des dix mille noms de Dieu. Dans les quarante-huit heures à venir, ici même, Yahvé en personne descendrait de Son char.

"Oh, misère ! s'exclama Mme Noyes en regardant la cour d'un air abattu, comme si elle déplorait de ne pas avoir assez de temps pour réorganiser la disposition des arbres.

— Oh, Seigneur…, fit Hannah, un sourire aux lèvres, en portant une main à sa poitrine.

— Oh, non !" s'écria Emma avant de se laisser choir sur le sol en gémissant. Ce n'était pas la perspective de voir Dieu qui la bouleversait, mais plutôt celle d'être vue par Lui.

Tout ceci se produisit en milieu d'après-midi, alors que le soleil venait de dépasser son zénith. Dans la cour régnait une chaleur intense, presque blanche, dont l'éclat aveuglant était réfléchi par la terre desséchée, foulée aux pieds. Le docteur Noyes et sa famille se tenaient en plein milieu de ce flot de lumière, éblouis et en apparence paralysés par la nouvelle qu'ils avaient reçue. Il faisait cependant frais sur les bordures, sous les arbres où le chien d'Emma était allé se coucher, la langue pendante. Seuls résonnaient désormais ses halètements et le bourdonnement des insectes. Même les animaux réfugiés dans l'ombre des granges restaient tranquilles – tous, y compris les moineaux, les étourneaux et les quinze cigognes sur le toit.

Un paon, prenant peut-être ce silence pour une sorte d'encouragement à se manifester, se mit soudain à parader dans la poussière et déploya sa queue d'un coup sec. Tous se tournèrent dans sa direction. En voyant ses plumes, Noé songea à l'œil de Dieu et fut convaincu qu'il s'agissait encore d'un signe.

L'oiseau gratta la poussière puis fit deux pas en avant, un en arrière et deux de côté, ébauchant une élégante pavane.

Comme s'il avait engagé un dialogue muet avec lui, Noé le gratifia d'un hochement de tête en effleurant la lettre dans sa main. Enfin, il reporta son attention sur les autres. "Il y aura un sacrifice, déclara-t-il. Ce soir."

Ce fut Sem qui donna le signal du départ.

Avant l'arrivée de la messagère, il était occupé à faucher le pré à mi-hauteur de la montagne, et il portait toujours sur son épaule la faux dont le poids lui rappelait qu'il n'était pas à l'ouvrage. Or rien, pas même la visite de Yahvé, ne devait retarder les récoltes, car la pluie souhaitée depuis si longtemps pouvait survenir brusquement et les gâcher en les couchant sur le sol. Elle amènerait également les paysans à délaisser les champs pour rentrer dans leurs foyers lointains d'où, il le savait bien, il serait impossible de les déloger. "Nous avons fini de travailler pour toi, maître Sem, diraient-ils. Aujourd'hui, la pluie est là et nous avons l'intention de passer le reste de nos journées à nous réjouir." En ce moment même, ils se prélassaient certainement au soleil, ronflant sous leurs chapeaux, profitant de l'absence de maître Sem et le retardant d'autant dans sa tâche.

Sem, le fils aîné de Noé, avait toujours été surnommé le Bœuf. C'était le plus grand et le plus fort de tous les enfants nés du docteur Noyes et de sa femme, et également le premier à avoir survécu. Les cheveux châtains, le visage lunaire et les yeux clairs, il ne faisait que manger, travailler et dormir. Privé de la capacité de s'émerveiller, il n'avait que ces trois préoccupations en tête. Tout ce qu'il demandait à la vie, c'était une charrue derrière laquelle marcher et une faux affûtée comme un rasoir. Dans son esprit, les victuailles étaient placées sur la table afin qu'il pût se restaurer, et les lits avaient été inventés pour lui permettre d'y étendre confortablement ses longs membres avant de réclamer les services de son épouse. Pour Sem, le Bœuf, le monde n'allait pas au-delà de ce qu'il voyait et les êtres qui le peuplaient existaient seulement lorsqu'ils entraient dans son champ de vision.

Il s'adressa à son père. "Que dois-je dire, père ? Que devrais-je dire aux paysans ?

— Rien, répondit le docteur Noyes. Ne dis rien à personne.

— Ils sauront que nous avons fait un sacrifice, lui rappela Sem. Ils entendront. Ils verront… et ce n'est pas un jour saint."

Mme Noyes, qui détestait les sacrifices rituels, ouvrait la bouche pour soutenir son fils quand Noé reprit la parole.

"Tant pis, déclara-t-il. Qu'ils pensent ce qu'ils veulent, un sacrifice est requis et ordonné.

— Bien, père." Sem avait déjà presque atteint les portes, où les loups de Japhet dormaient à l'ombre près des abreuvoirs. Il avait hâte de partir mais le docteur Noyes avait encore une chose à ajouter :

"Je veux que tu prépares l'autel."

Cette requête déconcerta quelque peu Sem. Il était l'aîné, et la préparation de l'autel comptait parmi les tâches les moins honorables du rituel. Il l'avait fait pour la dernière fois quand il était petit. Aujourd'hui, c'était à Japhet, le benjamin, de s'en acquitter.

Comme s'il répondait à l'appel de son nom, Japhet s'avança en serrant son méchant pagne de flanelle autour de sa taille. Tout juste sorti des bains, il sentait le savon à la soude et ses cheveux retombaient devant ses yeux trop brillants, comme enfiévrés par des espérances grisantes.

Le docteur Noyes savait bien ce que voulait Japhet ; pour autant, il n'avait pas l'intention de lui donner satisfaction. L'événement était beaucoup trop important pour prendre le risque d'en gâcher une étape. La dernière fois que Japhet avait été autorisé à brandir le couteau, l'entaille n'avait pas été nette, et l'animal – la plus commune des créatures (un simple lapin) – avait failli s'échapper. Par chance, il s'agissait d'une célébration banale – l'un des jours saints mineurs –, aussi les conséquences n'avaient-elles pas été désastreuses. L'expérience avait toutefois suffisamment renseigné le docteur Noyes sur l'incompétence de son plus jeune fils pour l'empêcher de lui accorder sa confiance en de telles circonstances.

A présent, Japhet l'implorait : "Je t'en prie, père.

— Non, décréta Noé. Tu pourras tenir la coupe, si tu veux."

L'imposant corps plat de Sem frémissait d'impatience. Les conversations le déroutaient. Pourquoi ne pas se contenter de *faire* les choses ? Parler ne coûte pas cher, disait le proverbe. Pas pour Sem, cependant. Non, pour Sem, parler revenait à gaspiller du temps et de l'argent. Il voulait s'en aller et ne se priva pas de le dire.

D'un geste, Noé lui en donna l'autorisation. "Mais n'oublie pas : personne ne doit rien savoir.

— Oui, père."

Lorsque Sem franchit les portes, les loups levèrent tous la tête pour le suivre du regard. Ils tiraient une langue pâle à force de haleter sous la chaleur, et leurs chaînes traînaient dans la poussière.

Prêt à se retirer dans l'intimité de la tonnelle sous le noyer, le docteur Noyes replia la lettre puis la glissa à l'intérieur de sa manche. Plongé dans ses pensées, il se détourna pour partir.

"Je sais ce que tu comptes faire", déclara soudain Mme Noyes, rompant le silence d'une voix si douce que son époux dut scruter la cour, une main au-dessus des yeux, à la recherche de sa source.

Mme Noyes se tenait près d'Emma toujours prostrée, accablée par la perspective de se retrouver en présence de Yahvé. Hannah, qui s'était écartée d'un pas, l'air absent, semblait ailleurs. Elle contemplait le verger au bas de la pente.

"Pardon ? demanda le docteur Noyes.

— J'ai dit : «je sais ce que tu comptes faire» et je te demande de t'abstenir.

— Tiens donc.

— Oui.

— Eh bien, vas-y, dis-moi ce que je m'apprête à faire au juste.

— Tu vas demander à Cham d'accomplir le sacrifice."

Le docteur Noyes garda le silence. Elle avait raison.

"Ce n'est pas bien, reprit Mme Noyes. Ce n'est pas juste. Il n'a jamais rien tué de toute sa vie."

Son époux fourra les deux mains dans ses manches et referma les doigts sur ses coudes. Ainsi, il réussit à offrir une apparence de calme et à s'exprimer d'une voix ferme. "C'est à un fils que revient le droit et le privilège d'accomplir un sacrifice quand on l'y invite. C'est la loi, ajouta-t-il. Et il en sera ainsi.

— Mais cela va à l'encontre de ses principes scientifiques ! Et tu le sais !" Mme Noyes regrettait de ne pas avoir plus de voix. Elle aurait voulu crier.

"Femme, les seuls principes qui comptent sont ceux du rituel et de la tradition, affirma-t-il.

— Les seuls principes qui comptent sont les tiens, plutôt ! s'emporta Mme Noyes. Et tu lui briseras le cœur si tu lui imposes cette épreuve.

— Alors tant pis, répliqua le docteur Noyes. Il aura le cœur brisé pour Yahvé. De toute façon, il était grand temps : j'en ai plus qu'assez de Cham et de sa science !"

Le paon, qui faisait toujours la roue, leva haut la tête en poussant un cri perçant.

"Tu vois ? lança le docteur Noyes. Chaque signe, chaque signal autour de nous me conforte dans ma décision." Il ponctua ces mots d'un sourire qu'il dut cependant vite réprimer car ses fausses dents en bois avaient failli lui sortir de la bouche.

"Mais, bonté divine, cet oiseau appelle sa femelle, c'est tout ! s'exclama Mme Noyes.

— Comment oses-tu ?" Le docteur Noyes avait blêmi. "Comment oses-tu blasphémer ? Comment oses-tu !"

Ce genre de démonstration de colère, qui tenait plus de la comédie que de la réalité, était parfois nécessaire pour rappeler à Mme Noyes où était sa place. Et impressionner les autres femmes par la même occasion, au cas où elles seraient tentées de suivre son exemple et de se rebeller – une attitude hélas trop fréquente depuis quelque temps, manifeste en particulier dans le refus obstiné d'Emma de dormir avec son mari, Japhet, même si elle avait aujourd'hui une bonne raison de ne pas vouloir de lui puisqu'il était devenu bleu. Quant à Hannah, elle avait tendance à prendre un air distant, comme si elle envisageait quelque manœuvre inédite et potentiellement dangereuse. Il fallait donc les discipliner, toutes autant qu'elles étaient, ce qui expliquait pourquoi le docteur Noyes se montrait en général aussi prompt à feindre la fureur et les autres émotions intimidantes. "Comment oses-tu !

— Je suis désolée", dit Mme Noyes d'une voix de nouveau réduite à un chuchotement rauque. Et désolée, elle l'était sincèrement ; elle était même contrite. Elle n'avait pas eu l'intention d'offenser Yahvé. "Bonté divine", c'était juste une expression, de celles que les gens utilisaient tous les jours – la plupart des gens, du moins. Elle ne s'apparentait ni à une insulte ni à un sarcasme. C'était juste que… le paon avait appelé sa femelle. Mme Noyes n'en doutait pas un instant ; après tout, il s'agissait de *son* paon… Elle le nourrissait de sa main tous les matins et le tenait pendant qu'il lissait ses plumes. Qui pouvait le connaître mieux qu'elle ? "Je suis désolée, répéta-t-elle. Je fais mes excuses…

— A Yahvé ?

— Naturellement.

— Et… ?"

S'ensuivit un bref silence pendant que Mme Noyes tentait de se ressaisir. Ce que l'on attendait d'elle à présent la révoltait, et si elle se savait contrainte de parler, ce serait néanmoins du bout des lèvres, sans la moindre conviction.

"Et… ? la pressa le docteur Noyes. Tu fais tes excuses à Yahvé et…

— A toi."

Son souffle avait à peine pu porter les mots hors de sa bouche. Mais cette fois ils étaient énoncés.

Hannah, consciente de l'humiliation de sa belle-mère, baissa les yeux vers le sol. Puis, avec un soupir, elle amena son regard au niveau du mur en ruine bordant le côté de la cour. Le verger se trouvait au-delà. Que n'aurait-elle donné pour y passer ses journées… Elle pouvait presque s'imaginer en train de se promener sous les arbres, insouciante, l'esprit occupé par d'autres considérations que celles de ce monde. Elle arborerait une longue robe d'étoffe fine qui dénuderait ses épaules, et une paire de chaussures ou de sandales pour ne pas craindre les orties et les serpents. Ses cheveux dénoués retomberaient librement jusqu'à sa taille, elle aurait les mains pleines de livres et de pommes, elle…

"Hannah ?

— Oui, père.

— Le monde ne peut tourner sans ta participation."

Il s'agissait de l'un des préceptes favoris de Noé.

"Oui, père.

— Fais ce que tu as à faire.

— Bien, père.

— Et toi, femme…"

Mme Noyes, incapable depuis toujours de dire "Oui, mon seigneur", se borna à lever le menton.

"Tu voudras bien aider cette créature à se redresser." Noé indiqua Emma avant d'ajouter : "Pourquoi n'allez-vous pas faire ce que vous avez à faire, tous ?" Il leva la main comme pour les chasser de son esprit. "Fi donc !" marmonna-t-il, avant de se détourner pour s'éloigner.

Lorsque Hannah esquissa un pas derrière lui, il la foudroya du regard. Qu'avait-elle en tête, à présent ?

"Je dois préparer la couronne, expliqua-t-elle.

— Ah, dit le docteur Noyes. Très bien. Vas-y, alors."

Il considéra sa belle-fille avec plaisir cette fois. En passant devant lui pour aller vers les portes, elle le gratifia d'un hochement de tête serein. La couronne mêlant fleurs des champs et brins d'herbe tendre serait portée lors du sacrifice. Il revenait à Hannah de fournir les objets de ce genre – diadèmes, chapeaux, paniers et vêtements –, fabriqués à partir de tissu, de paille ou de plantes. Elle était la seule à "faire ce qu'elle avait à faire". Elle, l'unique trésor du lot.

Mme Noyes se raidit. *Et me voilà de nouveau avec Emma*, songea-t-elle. *Comme d'habitude.* Puis elle se pencha, les mains tendues afin d'aider l'enfant à se relever. "Viens, dit-elle. Nous avons huit journées de travail à abattre en une seule."

Emma lui emboîta le pas pour repartir vers les cuisines et l'arrière-cuisine où elle semblait passer toute sa vie, à l'exception de ces moments où il lui fallait cacher ses jupons ensanglantés et éviter les lits qui invitaient à tout autre chose qu'au repos.

Une fois le docteur Noyes retourné sous la tonnelle, ne restèrent plus au milieu de la cour brûlée par le soleil que le paon, le chien d'Emma et Japhet, seuls à côté de la colombe rose et rubis de Yahvé gisant dans la poussière.

Tout en se mordillant la lèvre, Japhet écarta des mèches qui lui retombaient sur les yeux. Depuis quelque temps, sa vie suivait un cours semé de malheurs et de disgrâces qui, à force, finissaient par le priver de toute sensation, le vider de toute émotion. Sa femme refusait de coucher avec lui ; son père ne le respectait pas ; ses amis le raillaient et sa mère l'obligeait à s'asseoir toute la journée dans un baquet de soude pendant qu'elle lui criait : "Frotte ! Frotte ! Frotte !" Son pagne de flanelle en lambeaux glissa de ses hanches, l'exposant dans toute sa nudité, de la poupe à la proue. Il ne s'en souciait cependant pas. De fait, il alla même jusqu'à se camper devant le paon aux petits yeux ronds en prenant la pose, les bras levés au-dessus de la tête. Mais l'oiseau, nullement impressionné, se détourna pour aller se pavaner dans l'ombre du mur en laissant retomber sa queue.

Ne restèrent plus que Japhet, le chien d'Emma et la colombe.

"C'est parce que je suis bleu, murmura Japhet. Mais ce n'est pas juste ! Je n'ai jamais demandé à devenir bleu…" Complètement abattu, il retourna vers les bains en traînant derrière lui son pan de flanelle.

Le chien d'Emma était petit, noir et poilu. Personne n'aurait pu distinguer, avant de le voir se déplacer, sa tête de sa queue. Emma l'avait appelé "Jappy", un nom pour le moins approprié : il ne faisait guère qu'aboyer et donner l'alerte pour rien la plupart du temps.

Jappy n'aimait pas la colombe. Il la sentait différente, d'une certaine manière, de tous les oiseaux tombés jusque-là du ciel tels des présents, abattus d'une flèche par Japhet ou assommés par des grêlons. Il émanait de ses ailes une sorte de chaleur insolite chez une créature morte ; de plus, elle ne dégageait aucune odeur si ce n'était un léger parfum de roses presque imperceptible, totalement incongru pour un oiseau.

Au moment où Jappy allait s'abriter de nouveau à l'ombre après avoir examiné la colombe, il fut appelé.

"Viens ici, Jappy ! Ici !"

Il se précipitait vers le verger, d'où provenait la voix, quand il s'arrêta brusquement. Qui avait parlé ? Vers qui courait-il ?

"Jappy…"

S'il ne connaissait pas cette voix, la personne à qui elle appartenait semblait toutefois le connaître. Aussi avança-t-il dans sa direction, mais très lentement.

Ne resta plus que la colombe.

Lorsque Noé eut regagné sa tonnelle sous le noyer, il sortit la lettre et la parcourut à cinq reprises. La cinquième fois, il se couvrit de sueur. Ses mains tremblaient si fort qu'il fut obligé de presser fermement la missive sur son pupitre de lecture afin de pouvoir la regarder en entier. Les mots se brouillaient devant ses yeux. Yahvé parlait longuement de Sa *"… peine… colère… horreur"* et de Sa *"fureur"* devant l'état du monde et de l'humanité – autant d'affirmations qui, pour troublantes qu'elles fussent, n'avaient pas forcément un caractère inédit.

Mais ensuite, Il avait écrit : "QU'AVONS-NOUS FAIT POUR QUE L'HOMME NOUS TRAITE AINSI ?"

Lentement, Noé tomba à genoux.

Pourquoi Yahvé posait-Il une telle question ? *Qu'avons-Nous fait… ?*

En quoi Ses actes importaient-ils ? N'était-Il pas Dieu ?

Environ une heure avant le sacrifice, Mme Noyes quitta la cuisine, abandonnant Emma debout sur une caisse, les bras plongés jusqu'aux coudes dans un bac de vaisselle sale, puis traversa la maison ombreuse en direction de la véranda qui surplombait la cour. L'enfant ne cessait de se lamenter sur la perte de son chien et Mme Noyes n'en pouvait plus. Quand la porte-moustiquaire claqua derrière elle, le bruit sec et déterminé résonna tel un ordre. *Laissez-moi tranquille*, disait-il.

Elle ne risquait rien sous cette véranda – ou du moins en avait-elle l'impression : Mme Noyes était trop avisée pour imaginer qu'il pût exister un seul endroit sûr au monde. Mais dans ce havre de calme et de fraîcheur qu'elle avait fait sien, d'où l'on avait une vue privilégiée sur les prés en pente qui s'étendaient loin derrière la cour et sur la forêt de frondaisons qui flottait au-dessus de la vallée cachée, elle parvenait presque à se croire en sécurité. C'était comme un cloître pour elle, voire une cellule de moine. Si Noé avait trouvé son sanctuaire sous la tonnelle et Hannah dans le verger, cette véranda était celui de Mme Noyes. Là, elle pouvait même se permettre d'ôter sa coiffe, de se débarrasser de ses chaussures, de dénouer les lacets sous ses seins et de… respirer. Enfin !

Elle n'appréciait rien tant que les soirées d'été. Cette heure passée seule devant le monde qui s'estompait peu à peu était choyée comme un vice secret que seule sa chatte avait le droit de partager. (Où était donc le chien d'Emma ?)

Mme Noyes adorait s'asseoir pour admirer pardelà les montagnes le soleil dans toute la splendeur de son immobilité flamboyante, et les brumes qui s'élevaient – chacune d'une vallée différente – jusqu'à se fondre en une seule et même chape odorante au-dessus de la chaleur. Le pépiement des oiseaux survolant la cour pour faire un dernier festin d'insectes ; le cri des lémuriens dans les cimes, appelant leur famille éparpillée au fond des autres vallées, bien après la rivière ; le bourdonnement des abeilles et le mugissement des bestiaux – c'étaient là autant d'hymnes que Mme Noyes aimait entendre à la tombée du jour. Sans parler des chants montés de la route, entonnés par les groupes de journaliers ou les paysans rassemblés autour de feux de camp, parlant de leurs lointains foyers... Oh, tout était si beau le soir ! songea-t-elle. Un véritable aperçu du paradis...

Alors qu'elle se balançait d'avant en arrière dans son fauteuil à bascule, Mme Noyes leva son pichet de gin pour encourager les chants – à voix basse, afin de ne pas être entendue –, et adresser ses salutations au soleil. Le paradis pouvait-il être autre chose qu'un univers en suspension pareil à celui-ci ? se demanda-t-elle. Un monde où rien ne se touchait, où il n'y avait aucune surface dure ni solide susceptible de provoquer un faux pas ou même une chute, où tout paraissait à jamais aussi distant et inoffensif qu'en ce crépuscule plein de douceur... Et sinon à jamais, du moins pour ce qui restait de cette heure précédant le sacrifice, avant que ne retentît le son tant redouté de la cloche de l'autel.

Chaque soir, Mottyl la chatte s'asseyait près de Mme Noyes baignée par la lumière déclinante, silhouette ronde et silencieuse dans l'ombre du bignonia. Installée au bord de la véranda, elle fermait à demi son unique œil valide – l'autre étant aveuglé par la cataracte – pour regarder le monde s'évanouir dans l'ombre. Le docteur Noyes ne manquait jamais de faire des plaisanteries impitoyables sur ces "cataractes pour chats" dont il était pourtant le seul responsable. Lui, ou plutôt ses expériences.

Mottyl se sentait plus en sécurité avec Mme Noyes qu'avec toute autre créature vivante, car elle lui avait souvent sauvé la vie quand son époux la menaçait. Mais cette époque-là remontait à loin – bien avant que les chatons de Mottyl ne devinssent l'objet des attentions mortelles du docteur. Car la tonnelle n'était pas seulement une tonnelle malgré son apparence feuillue, arcadienne : au gré des envies du docteur Noyes, elle pouvait devenir l'antre d'un alchimiste, un salon de magie ou un laboratoire.

"Une nouvelle expérience, excuse-moi et merci…" disait-il en attrapant encore un chaton dans le nid de Mottyl. Qu'aurait-elle pu faire pour l'en empêcher ? Elle l'avait mordu et griffé, ensanglanté de toutes les manières possibles mais, malgré tous les efforts qu'elle déployait pour cacher sa portée ou lui opposer une résistance, il finissait toujours par gagner. Un moyen efficace de l'arrêter, évidemment, aurait été de ne plus avoir de petits. Encore fallait-il savoir comment s'y prendre…

Un autre, qu'elle avait envisagé, consistait à déserter les chatons – à les laisser mourir de faim, exposés à la voracité des oiseaux ou des bêtes sauvages de passage. Elle savait que cela se produisait parfois quand un animal était vieux, malade ou blessé. Pourtant, elle avait fini par renoncer à cette solution, en partie par égoïsme ; son lait l'aurait rendue folle sans ses petits pour le téter. Surtout, les jeunes étaient sacrés, c'était là un fait incontesté.

Mottyl se concentra sur l'image d'un nid plein d'œufs. Comme celui de son amie Cornella la corneille qui, si elle le désirait, pouvait s'abstenir de couver. L'un dans l'autre, c'était une assez bonne façon d'abandonner les créatures à naître : pondre des œufs et ne plus s'en occuper…

Ces réflexions sur la possibilité de donner la vie ou pas n'étaient que trop pertinentes pour Mottyl, dont les chaleurs s'annonçaient depuis la veille. A présent, perdue dans ses pensées en compagnie de Mme Noyes sous la véranda, elle en percevait les premières manifestations le long de ses flancs et sur ses épaules. Les chaleurs vont, les chaleurs viennent et l'on n'y peut rien. Pourtant, il y avait une toute petite chance pour qu'elle se trompât. La sensation était peut-être due à une fièvre, à une maladie ou à quelque chose qu'elle avait mangé ; elle pourrait toujours essayer un émétique, l'une de ces herbes dans le pré… Ou alors, elle souffrait du temps qu'il faisait : un mois entier de journées sans le moindre nuage. Auquel cas, l'immobilité lui serait probablement bénéfique ; elle n'aurait qu'à rester couchée là, à écouter le grincement du fauteuil de Mme Noyes.

Celle-ci était agitée, de toute évidence. Sa présence s'accompagnait de vibrations, et Mottyl sentit frémir les doigts de sa maîtresse quand celle-ci se pencha pour lui caresser le dos. Etait-elle en chaleur elle aussi ? Aucune odeur ne le laissait supposer, en tout cas. Et il n'y avait ni sang ni linges tachés.

Du côté d'Emma, en revanche… Emma était certainement en chaleur – peut-être pour la première fois. Cette enfant ne faisait en effet que gémir, pleurer, fuir son époux et serrer contre elle son chien – l'affreux Jappy – en réclamant sa mère. Or, durant ces périodes, les femmes réagissaient souvent de la façon la plus étrange ; elles arpentaient leur maison, claquaient les portes, poussaient des cris de colère… Et toujours à se plaindre, toujours à dire "Non !". Avec succès, cela dit, et c'était là le plus étonnant. Pour preuve,

Emma avait remarquablement réussi jusque-là à échapper au processus d'accouplement.

Japhet, son mari guerrier, avait finalement perdu tout intérêt dans ce domaine et passait son temps aux bains, assis dans un baquet d'eau chaude. Comme si l'on pouvait se permettre de gaspiller l'eau ! Et comment un homme pouvait-il se désintéresser de la chose ? Aucun des soupirants de Mottyl n'avait jamais renoncé – du moins, avant d'être arrivé à ses fins.

De leur côté, Sem et Hannah semblaient fort satisfaits de leur sort. Et ce, alors même qu'ils étaient parvenus à éviter les conséquences de leurs actes – à savoir les enfants –, ce qui ne laissait pas de déconcerter Mottyl. Etait-il possible que les humains eussent le choix en la matière ?

Comment réagirait le docteur Noyes si elle-même lui annonçait : "Il n'y en aura plus ?"

Plus de chatons à tuer.

Lorsque Mme Noyes entendit soudain un bêlement aigu, elle comprit que la victime du sacrifice venait d'être choisie. A tout instant maintenant, la cloche allait se mettre à sonner et il lui faudrait aller rejoindre les autres.

Elle ferma les yeux et se boucha les oreilles – en vain. Tout ce qu'elle refusait d'écouter ou de voir dans la réalité, elle le percevait en esprit. Alors, quelle différence ? L'imagination tenait d'une véritable malédiction et Mme Noyes regrettait profondément de l'avoir reçue en don. Les dons… Qui décidait de les accorder ? se demanda-t-elle.

Elle baissa les doigts puis avala son gin à grandes goulées. Oh Seigneur ! Tout était si beau au loin, par-delà la véranda ! Elle en avait les larmes aux yeux.

"Hé, Mottyl ! Viens pleurer avec moi…"

La cloche se mit à sonner.

Mme Noyes plaça la chatte sur ses genoux, puis appuya ses pieds contre la balustrade pour imprimer un mouvement doux et régulier au fauteuil, le transformant ainsi en berceau qui se balançait au rythme du glas.

Elle avait peur de sa colère, qu'elle s'efforçait d'apaiser dans la lumière du crépuscule. Elle avait peur de toutes les choses qu'elle aurait voulu dire – et dirait peut-être ; de toutes les choses qu'elle aurait voulu faire sans jamais y parvenir. Elle avait peur de son ignorance, de tout ce qu'elle ressentait au plus profond de son être mais qui la dépassait. Elle avait peur pour l'agneau et pour elle-même, et aussi pour Cham et pour Mottyl, et même pour Emma et son chien. De fait, elle avait peur pour tout le monde… y compris pour Noé. Si elle était ignorante, lui en revanche était trop savant. Il n'y avait rien qu'il prétendît ignorer, ce qui paraissait dangereux à son épouse. Surtout en ce moment où, entre l'arrivée imminente de Yahvé et le chaos qui régnait aujourd'hui dans le monde, le cours de leur existence se trouvait à ce point bouleversé.

Répugnant à quitter le havre de la véranda, mais sachant que dans quelques instants elle devrait se lever et se laisser guider par le son de la cloche pour aller assister au sacrifice, Mme Noyes dressa dans sa tête la liste des mystères et des catastrophes dont ils avaient été témoins durant la saison écoulée.

Tout d'abord, l'été touchait maintenant à sa fin, et s'il n'avait pas encore plu, il avait cependant déjà neigé. Ou du moins, c'était ce qu'il leur avait semblé. De petits flocons de *quelque chose* étaient tombés du ciel, et toute la famille s'était réunie sous la véranda pour mieux les regarder.

Le docteur Noyes avait aussitôt crié au miracle et s'apprêtait à demander à Hannah de le consigner comme tel quand Cham s'était avancé sur la pelouse, la bouche ouverte pour recueillir sur sa langue des paillettes blanches.

"Ce n'est pas de la neige, avait-il déclaré. C'est de la cendre."

Après tout, il connaissait les sciences sur le bout des doigts et Mme Noyes était encline à le croire, mais le docteur Noyes ne voulait pas en démordre : pour lui, c'était de la neige – un "miracle" ! Pour finir, il avait imposé son point de vue. Hannah avait reçu l'ordre d'écrire : AUJOUR-D'HUI, UN BLIZZARD.

Ensuite, un grand vent chaud s'était levé, balayant tout sur son passage – neige ou cendre –, jusqu'à ce qu'il n'en restât plus aucune trace. La vision troublante du paysage recouvert de blanc en plein mois d'août demeurait cependant inoubliable.

De toute façon, cette année-là se distinguait des précédentes depuis le début. Quelques semaines plus tôt, les dragons venus du nord avaient choisi de poursuivre leur migration le long des routes au lieu de passer par le bois comme d'habitude. L'un d'eux avait même eu l'audace de s'aventurer au milieu du jardin, défonçant le mur avant de patauger dans la mare. Pour le coup, même le docteur Noyes n'avait pu expliquer pourquoi les dragons avaient soudain décidé de cheminer à découvert. En temps normal, toutes les créatures en partance pour le sud prenaient la voie des airs ou suivaient le cours des rivières. Aucune n'avait jamais traversé le jardin.

De toute évidence, quelque chose se détraquait. C'était dans l'air.

"Rappelle-toi cette poudre blanche partout, Mottyl", dit Mme Noyes à voix haute.

La chaleur avait été plus chaude que d'ordinaire, le froid encore plus froid. Un banc entier de poissons était sorti de la mare avant de descendre de la montagne pour s'enfoncer dans le bois. L'autruche avait renoncé à voler. Plus tôt, durant le solstice d'été, le soleil s'était figé pendant deux jours entiers et une pluie de météores s'était abattue sur le tas de fumier. Au même moment, ainsi que l'avait rapporté Cham l'Observateur du ciel, l'étoile du matin avait chuté sur la terre. Pour couronner le tout – comme si cela ne suffisait pas –, Hannah la Promeneuse du verger avait raconté à Mme Noyes qu'il y avait un *cormoran* perché dans un pommier.

"Qu'est-ce que ça signifie, Motty ? Qu'est-ce que ça peut vouloir dire ?"

S'agissait-il réellement de "miracles", comme le prétendait le docteur Noyes ? A l'époque en tout cas, les événements qu'elle énumérait ce soir-là ne lui étaient pas apparus comme tels. Au contraire, ils possédaient un caractère sinistre, déplaisant, propre à nouer l'estomac. Ils suscitaient la crainte, pas l'admiration. Leur seul souvenir fit frémir Mme Noyes, pourtant assise confortablement dans son fauteuil à bascule – et ses frissons se propagèrent le long de ses doigts jusqu'à Mottyl, qui sauta de ses genoux pour aller s'asseoir plus loin. Des frissons, elle en avait déjà eu plus que son lot.

Tous les problèmes n'étaient cependant pas d'ordre naturel ou même surnaturel. Certains avaient été créés délibérément, ce qui les rendait d'autant plus dérangeants. Par exemple, les feux allumés dans les villes étaient plus importants que d'habitude. Alimentés par les plus fanatiques et entretenus par les ivrognes, leur fumée obscurcissait parfois la lune. D'après les journaliers qui affirmaient l'avoir vu de leurs propres yeux, les fêtes de Baal et de Mammon avaient échappé à tout contrôle. Ils disaient qu'un sacrifice humain avait été approuvé et que la viande avait servi à préparer une soupe.

Les paysans qui se déplaçaient de vallée en vallée à la recherche de travail n'étaient pas des sources d'information fiables, tout le monde le savait. Mais d'autres signes ne pouvaient tromper les hommes qui vivaient en aval. Guirlandes, confettis et poudre chinoise en provenance des villes polluaient les rivières. Pagnes et martinets en plumes s'échouaient sur les berges au pied de la propriété des Noyes. Le dimanche précédent, le ciel avait viré au rouge vif à midi et l'hymne de Baal avait été entendu distinctement à dix lieues de distance.

Et puis, il y avait Japhet.

Japhet Noyes était le plus jeune de leurs fils et l'insatisfait attitré de la famille. Il n'en avait cependant pas toujours été ainsi : petit, personne n'était plus confiant et impatient que lui de découvrir les plaisirs de la vie. Or le temps et l'expérience avaient peu à peu érodé à la fois sa belle confiance et son désir de trouver le bonheur. Il y avait renoncé – pas entièrement, toutefois – et se réfugiait de plus en plus souvent dans la violence, la virulence. Néanmoins, si depuis quelque temps il ne se sentait pas en harmonie avec le reste du monde, la faute n'était pas entièrement sienne.

Environ deux semaines plus tôt, distrait par le refus d'Emma de coucher avec lui et par sa propre incapacité à régler le problème, Japhet s'était mis en route vers les villes. Son départ n'était pas sans rappeler les histoires fabuleuses de ces jeunes gens qui, malheureux au sein de leur foyer, partaient à la conquête du vaste monde en endossant l'habit des tueurs de dragons et des pourfendeurs de géants. La quête de Japhet devait l'amener à affirmer sa virilité une bonne fois pour toutes ; ainsi, à son retour, il tuerait le dragon de la virginité d'Emma et pourfendrait le géant de sa propre honte.

Mais les choses n'avaient pas pris la tournure escomptée. Japhet était revenu sur la pointe des pieds – nu, bleu et presque muet.

Lorsqu'il était rentré de son voyage – dont personne ne savait au juste jusqu'où il l'avait mené –, il se trouvait apparemment en état de choc et refusait d'expliquer ce qui s'était passé. Il se contentait de murmurer "soupe", "potage" et "merci, mais non, je n'en ai pas très envie". Son corps était couvert d'une sorte de teinture dont l'odeur rappelait à Mme Noyes celle du bain parasiticide pour les moutons. Peu importait le nombre de fois où sa mère l'obligeait à se récurer ou la quantité de soude qu'elle mélangeait à son savon ; la couleur ne s'atténuait pas. "Il semblerait que notre fils soit condamné à rester bleu toute sa vie, avait-elle dit à son époux. Et ses cheveux ! Tu as vu ses cheveux ?" Ils étaient aussi bouclés que la laine d'un agneau.

"Peut-être les a-t-il fait friser durant la fête, avait répondu le docteur Noyes, plus amusé qu'attristé par l'apparence de son fils.

— Japhet ? Oh non, pas lui, jamais ! Il aurait trop peur que ses amis du club se moquent de lui."

C'était vrai. Désormais Japhet se cachait lorsque ses amis venaient le chercher. Il ne voulait pas partir avec eux, ne serait-ce que pour aller chasser les cochons sauvages de l'autre côté de la rivière, ce qui était pourtant son sport favori jusque-là. Il préférait enchaîner ses loups aux portes et se réfugier dans son hamac. Non, décidément, plus rien ne tournait rond. Le cours naturel des choses avait mystérieusement dévié.

Ils gravirent la montagne – Cham et Hannah, Emma et Mme Noyes –, au rythme de la cloche.

En montant, ils passèrent devant les latrines, les bains, la glacière, la terrasse de tournesols, et enfin ils entrèrent dans la cédraie où Cham s'immobilisa net avant de s'écarter du chemin.

Mme Noyes retint son souffle, effrayée à l'idée qu'il pût se dérober, car si elle était de tout cœur avec son fils, elle redoutait néanmoins les conséquences au cas où il refuserait d'accomplir le sacrifice. Noé ne reculerait devant rien pour châtier Cham : il le priverait de nourriture, peut-être, ou l'enfermerait dans la glacière, voire lui ferait du mal. Elle n'aurait su dire jusqu'où son époux risquait d'aller ; il était tellement angoissé par la visite imminente de Yahvé et le mystérieux contenu de la lettre – dont il n'avait rien divulgué même si apparemment il s'agissait d'un message bouleversant… Pourtant, elle ne prononça pas une parole, se bornant à regarder son fils s'enfoncer parmi les arbres.

Cham avait l'habitude de venir dans la cédraie observer les étoiles, été comme hiver, pour indiquer sur des cartes leur position et les rotations des constellations. C'était son sanctuaire, où il avait déjà passé une bonne moitié de sa vie, seul avec ses pensées et ses cahiers.

Consciente de l'heure qui tournait, Hannah soupira d'impatience. "Le soleil ne va plus tarder à se coucher, dit-elle, et le sacrifice…

— Chut, ordonna Mme Noyes. Tais-toi."

Hannah apportait la couronne qu'elle avait confectionnée – le collier destiné à l'agneau choisi –,

43

faite de fleurs tressées, bleues et jaunes, entrelacées à de longues herbes sèches et à des tiges d'épiaire laineux parfumé. Elle la huma en jetant un coup d'œil au chemin qui continuait sans eux vers le sommet de la montagne.

Mme Noyes contemplait son fils assis en silence sur une souche. Il était aussi pâle que sa chemise et ses cheveux rougeâtres n'avaient plus aucun lustre. La tête baissée, il pressait ses mains sur le bois avec une telle force que ses articulations avaient blanchi.

"Il fait déjà sombre, ici", murmura Emma. Et Mme Noyes de répéter, à l'adresse de sa plus jeune belle-fille, cette fois : "Tais-toi. Attends.

— Je veux Jappy, s'obstina Emma.

— J'ai dit, *tais-toi*", siffla Mme Noyes entre ses dents. A aucun moment elle n'avait quitté des yeux son fils.

Cham était le deuxième de leurs enfants à avoir survécu. Il n'avait pas été facile de l'amener jusque-là – de lui faire parcourir tout le chemin jusqu'à l'âge d'homme –, et les efforts déployés se devinaient à l'étrange fixité de son regard et à la pâleur de sa peau. Mais il était fort, aujourd'hui, comme presque tous ceux qui ont résisté aux maladies et aux fièvres – fort au sens de l'endurance et de l'immunité. Petit, Cham était resté alité si souvent, fiévreux et mal en point, trempé de sueur sous ses couvertures, que Mme Noyes l'avait cru condamné à se consumer. Mais il avait réussi à surmonter toutes les épreuves, dont il avait retiré un amour de la vie si grand que la seule pensée de tuer lui était insupportable. C'était cet amour même qu'il payait maintenant, puisque dans l'ordre des priorités paternelles Dieu venait en premier et tout le reste après.

44

Le son de la cloche se faisait plus pressant. Le soleil se couchait et la lumière déclinait sur la montagne. Mme Noyes esquissa quelques pas vers son fils, sans rien dire, se bornant à lui signifier ainsi que le moment était venu.

Cham se redressa et secoua ses mains engourdies. Il n'avait ni la haute stature de Sem ni la finesse de Japhet. Il était osseux, anguleux et mince – solide mais émacié, avec de grandes mains et de grands pieds. Quand il gravit la montagne devant elle, Mme Noyes songea qu'elle n'avait jamais vu de cou plus long et gracile, et que malgré sa jeunesse il se tenait courbé comme un vieillard.

Une fois sortis du sous-bois, ils découvrirent l'autel dominé par le pin et, à côté, les silhouettes de Noé, de Sem et de Japhet – ce dernier tenant l'agneau attaché par une corde dont il serrait l'extrémité contre sa jambe. Sem faisait toujours sonner la cloche tandis que Noé, telle une icône dans sa robe blanche, contemplait les couteaux et les coupes sacrificielles disposés devant lui.

"Vous êtes en retard, observa-t-il.

— Nous le savons", répondit Mme Noyes.

A son grand soulagement, la cloche se tut enfin. Sem se tenait à l'écart, totalement inexpressif, sans doute déjà à moitié endormi.

Japhet conduisit l'agneau jusqu'à l'autel, où la couronne d'Hannah fut placée autour de son cou. L'animal était intimidé mais nullement inquiet. Après tout, il ignorait encore la raison de sa présence en ces lieux et aucun des instruments de mort qu'il voyait n'avait de funeste signification pour lui. En reconnaissant Mme Noyes, qui avait appris à chanter à sa mère, il la salua d'un petit cri de joie – *et elle s'approcha aussitôt de lui, l'embrassa entre les yeux, le souleva et l'emporta jusqu'au bas de la montagne avant de le relâcher dans le pré où l'on était venu le chercher...*

En réalité Mme Noyes se détourna, incapable d'affronter le regard de l'agneau, de peur qu'il ne la tînt pour responsable de cette trahison. Or elle l'était bel et bien, puisqu'elle ne pouvait ni tendre la main pour arrêter le coup, ni même dire *Non*. Aussi, les yeux levés vers le ciel, garda-t-elle le silence.

Noé appela Cham pour lui remettre les couteaux. Il y en avait deux : un pour la gorge, l'autre pour le ventre. Le premier était incurvé, le second long, droit et cranté.

"Sais-tu pourquoi nous devons procéder ainsi ?" demanda Noé.

Empli de haine pour lui, Cham le toisa. "Oui, répondit-il. En l'honneur de Yahvé.

— Alors tiens-le de cette façon", dit Noé, qui lui montra comment renverser la tête de l'agneau. Et d'ajouter : "Tu tires le couteau ainsi, pas en ligne droite mais en utilisant la courbure de la lame. L'entaille doit aller d'une oreille à l'autre."

Cham prit la place de son père et reçut l'animal dans ses bras. Il l'attira à lui, se pressant à la fois contre l'autel de pierre et contre l'agneau auquel il se mit à parler, les paupières closes.

Noé tendit les bras, adoptant la posture rituelle, et Hannah lui posa sur les poignets le drap de lin d'un blanc immaculé dont les longs pans brodés se déployèrent jusqu'au sol.

Alors Mme Noyes s'avança pour aller placer la coupe en argent, plus vieille que Noé lui-même, entre les mains de son époux.

Celui-ci leva le récipient vers les cieux avant d'entamer la longue prière qui s'achèverait par le dixième nom de Dieu.

Japhet s'était rapproché dans l'intervalle, chargé de la seconde coupe destinée à recevoir le cœur de l'agneau ainsi que son foie, ses reins et ses testicules.

Emma, juste derrière lui, portait le drap imprégné d'essence de girofle dans lequel la dépouille mutilée serait enveloppée puis brûlée.

Sem leva le marteau d'argent, prêt à le laisser retomber sur la pierre à l'instant même où serait prononcé le dixième nom de Dieu, celui que personne à part Noé n'avait le droit d'entendre. Lorsque le coup retentirait, Cham aussi devrait frapper.

Chacun attendait, tendu en prévision du moment fatidique, priant sans prier, regardant sans regarder.

Le ciel devint orange, jaune, blanc.

Le dixième nom de Dieu résonna dans l'air, et aussitôt le marteau d'argent s'abattit pour l'étouffer.

Cham leva le bras en poussant un cri.

D'un seul mouvement, il mania la lame puis brandit haut l'agneau déjà mort.

Le sang inonda son crâne, coula à travers ses cheveux, le long de son visage et sur sa poitrine. Hannah laissa échapper un hoquet de stupeur et même Noé, stupéfait, ouvrit la bouche. Mais ce fut seulement lorsque Cham eut amené la tête ballottante de l'animal vers la coupe en argent dans les mains de son père que Mme Noyes vit ce qu'il avait fait.

Une blessure luisante en forme de croissant de lune se dessinait sur le bras de son fils à l'endroit où il avait appuyé l'agneau – et le sang déversé dans la coupe de Noé était autant le sien que celui de la victime sacrifiée.

Mme Noyes s'agenouilla.

L'acte qu'elle n'aurait jamais osé commettre elle-même venait d'être accompli.

Le lendemain matin, à cause de ses chaleurs, Mottyl se trouvait dans un état de grande nervosité, d'agitation fébrile d'autant plus difficile à supporter qu'elle était impossible à contrôler, tout comme ses conséquences. Ses déjections dégageaient une odeur plus riche, plus forte que d'habitude ; elle avait beau les enterrer profondément, leurs gaz emplissaient l'air. Ses traces aussi la troublaient ; elle laissait désormais derrière elle des taches de sang dont les émanations, mêlées au fumet de ses excréments, la perturbaient.

Son grand âge n'était pas fait pour arranger les choses, de même que sa cécité et sa peur du docteur Noyes. S'inquiéter toujours, au bout de tant d'années, pour les petits qu'elle n'avait pas encore conçus se révélait particulièrement éprouvant. Elle n'y pouvait cependant rien : c'était l'œuvre de la nature et elle n'avait d'autre solution que de se résigner. Afin de lutter contre la sensation d'inconfort, elle avait néanmoins goûté certaines des herbes aromatiques que Mme Noyes cultivait dans le potager et aussi exploré la quinzième clairière à la recherche d'émétiques – mais rien ne l'avait soulagée.

Jusqu'à ses voix qui ajoutaient à la confusion. En général, elles s'exprimaient d'un ton calme, mesuré, à la fois monotone et rassurant. Mottyl avait appris à écouter ces ordres instinctifs, perçus de façon mystérieuse, et à leur obéir comme elle obéissait à tous ses autres sens. Mais aujourd'hui c'était différent. A peine lui avaient-elles dit de ne pas s'inquiéter qu'elles s'élevaient de nouveau pour lui enjoindre de se réfugier dans l'arbre le plus haut qu'elle pût trouver.

Elles lui suggérèrent aussi, pour calmer les démangeaisons qui se propageaient le long de ses flancs, d'aller se frotter contre les pattes d'une chèvre. Tout ce qu'elle gagna pour avoir suivi ce conseil fut un coup de pied enthousiaste qui l'expédia dans la poussière par la porte ouverte de la bergerie. Apparemment, ce n'était pas la solution.

Essaie contre un piquet de clôture, lui dirent encore ses voix quand, après s'être redressée, elle se secoua. Mais, là encore, l'idée se révéla désastreuse : cette friction ne fit que déclencher chez elle des bouffées de chaleur, des décharges électriques bleues, et, pour finir, une fièvre assortie d'un bon mal de tête.

Pourquoi les chaleurs se manifestaient-elles chaque fois de manière différente ? Pourquoi n'étaient-elles pas gouvernées par des lois immuables, comme celles qui régissent la naissance d'un être ou le dépeçage d'une souris ?

Mottyl se faufila dans la maison en quête d'un peu d'attention pour la distraire de ce malaise dont elle sentit les effets s'accentuer alors même qu'elle se mettait à jouer avec les pieds chaussés de pantoufles logés sous la table de la cuisine. A vingt ans, elle voulait encore trop souvent – du moins d'après le docteur Noyes – grimper sur les genoux de sa maîtresse comme si elle n'était encore qu'un chaton. "S'il te plaît, prends-moi sur toi ! cria-t-elle à Mme Noyes, dont la toile cirée lui masquait la tête et les bras. Je t'en prie, prends-moi sur toi, je ne suis pas bien…" Mais sa maîtresse n'avait que faire du sol et de ses occupants. Elle n'avait même pas remarqué le long cortège de fourmis en maraude qui avait pourtant atteint le sac de sucre et se teintait progressivement de blanc à mesure qu'il emportait les grains. "Je t'en prie", supplia Mottyl une dernière fois. Sans obtenir en retour le moindre résultat – ni paroles rassurantes ni le réconfort tant espéré d'une main tendue.

De fait, Mme Noyes s'employait à préparer un repas susceptible de convenir au futur Invité. Elle avait déjà écossé des petits pois et ôté les yeux des pommes de terre. Il semblait à présent que l'Invité en question ne serait pas là avant le lendemain, peut-être même le surlendemain. Toute la matinée, des colombes rose et rubis avaient apporté avis et communiqués contradictoires concernant la progression de l'escorte et sa taille. "Ils arrivent à vingt…, avait dit la première messagère. Ils sont maintenant à dix lieues au nord et ils bifurquent vers l'est…" "Ils sont cinquante, avait dit la seconde. Des chevaux, des mules et une caravane." ("Une caravane ? s'était écriée Mme Noyes. Je ne peux pas nourrir *une caravane entière* !") "… Ils sont à seize lieues au nord-ouest." Et enfin : "Ils arrivent à quarante… par le sud."

C'était un vrai cauchemar.

Le plus terrible, c'était le nombre de contraintes imposées pour le menu. Toutes ces histoires au sujet de ce qu'il ne fallait pas servir ! Aucun plat à base de foie, de rognons, d'abats ou de tripes ; pas de blancs de volaille, pas de morceaux coupés dans le filet ou la bavette ; ni gras ni cartilage ; interdiction absolue de présenter consommés, soupes et potages… La liste était si longue que Mme Noyes en venait à redouter que la colombe suivante n'apportât une directive imposant un banquet sans victuailles. En fin de compte, elle opta pour des œufs à la diable, du *coleslaw*, un mélange de carottes et de petits pois à la crème, des champignons au vinaigre et de la salade de pommes de terre, un assortiment de tomates en tranches, d'oignons verts, de bâtonnets de concombre et de tiges de céleri accompagné de cheddar et relevé d'un mélange de basilic, d'aneth et de persil. Des pêches pour le dessert et des pichets entiers de camomille glacée. "Et si ça ne convient pas à Son Eminence, qu'Elle mange du foin !" lança-t-elle au docteur Noyes. Celui-ci, dont les préoccupations relatives à la visite imminente de leur Hôte différaient quelque peu de celles de sa femme, se retira aussitôt après et alla s'installer sous la tonnelle, où il resta plusieurs heures.

Mme Noyes se leva et se dirigea vers la chambre de Japhet. "Tu ne pourrais pas m'aider ? demanda-t-elle. Tu ne voudrais pas arrêter de traîner au lit, pour changer, et me donner un coup de main ?

— Blablabla..." Ce fut tout ce qu'entendit Mottyl, toujours sous la table.

"Et où est donc Emma ?" reprit Mme Noyes. Les corvées de sa jeune belle-fille incluaient en principe l'épluchage des légumes et la vaisselle. "Au moins, je devrais pouvoir compter sur elle...

— Blablabla...

— Oh, vous allez tous me rendre folle ! s'exclama Mme Noyes. Il n'y a personne pour m'aider, mais si rien n'est prêt à temps c'est à moi qu'on le reprochera !"

Cette fois, Japhet garda le silence.

Claquement de porte.

Mme Noyes revint et traversa la cuisine jusqu'au garde-manger.

"Emma ! appela-t-elle, sans orienter ses cris dans une direction particulière. Emma ! Emma ! *Em !*" Elle s'adressait au monde entier.

Mottyl vit les pieds chaussés de pantoufles pénétrer dans le sanctuaire de la petite pièce ombreuse où régnait la fraîcheur de la terre.

"Emma ! Fillette ! ajouta-t-elle, usant du terme affectueux qu'elle réservait à sa plus jeune belle-fille, tout juste âgée de onze ans. *Fillette ?*"

Pas un mot ni un marmonnement en réponse. Peut-être Emma cherchait-elle son chien perdu.

"Eh bien, qu'ils mangent tous du foin !" décréta Mme Noyes. Mottyl vit les pieds se dresser sur leur pointe, perçut le raclement de pots en terre cuite que l'on déplaçait sur une étagère, et, enfin, vit les pieds redescendre vers le sol. Des couvercles furent soulevés, un liquide coula et un long soupir résonna. Les pieds revinrent vers la table, sous laquelle ils reprirent leur place. Ils s'accompagnaient d'une odeur familière, portée par les paroles de la chanson que Mme Noyes avait commencé à fredonner. A la fois lourde et âcre, elle aurait dégoûté la chatte si elle n'avait été chargée d'une telle tristesse. Mme Noyes était de nouveau dans cet état du soir qui se terminait invariablement par des larmes.

Mottyl se leva et s'éloigna, la queue basse. Elle traversa la cour puis s'engagea sur la pelouse à la recherche d'herbes odorantes suffisamment hautes pour la protéger du soleil. La vie quotidienne jusque-là si simple, familière et source de joie – à l'exception du docteur Noyes et des chèvres – n'était plus que complications, mystères et chagrins.

Durant un temps, Mottyl, les yeux grands ouverts et la tête posée entre les pattes, écouta les oiseaux. Le voile sur sa prunelle aveugle ne laissait passer que la lumière. L'autre, bien que défaillante, lui offrait au moins l'image du monde. Sturnelles et goglus des prés montaient et descendaient dans le ciel, entrecroisant leurs chants. Tout était particulièrement paisible, idyllique et calme, à l'image des après-midi ordinaires d'autrefois.

Mottyl somnolait sans même s'en rendre compte. Devant ses paupières mi-closes, les lézards filant à travers les herbes prenaient les proportions de géants dans des visions qui s'apparentaient déjà à des songes. Les muscles de ses épaules se contractaient de façon spasmodique, chassant les mouches et les oiseaux imaginaires venus la chercher. Sa queue fouettait l'air et ses griffes s'enfonçaient toutes seules dans le sol comme pour l'empêcher de tomber. Enfin, elle sombra dans un sommeil profond et, alors même qu'elle rêvait, elle n'entendit à aucun moment les herbes réelles s'écarter, ni les pas bien réels également qui se dirigeaient vers la pénombre du bois. Ni le bruissement d'une longue robe fine faite de plumes.

Cet après-midi-là et la soirée suivante comptèrent parmi les plus étranges de toute l'histoire du docteur Noyes et de sa famille, ainsi que de Mottyl la chatte.

D'abord, les loups de Japhet se mirent soudain à hurler dans la poussière près des portes. Il était à peu près trois heures, au plus fort de la chaleur. Les femmes, dont Emma, se précipitèrent hors de la maison puis s'immobilisèrent en écarquillant les yeux. Les loups, attachés par de longues cordes de chanvre, ne pouvaient se réfugier à l'ombre. Japhet, bleu et nu au sortir de son hamac, leur jeta un coup d'œil et lâcha une bordée de jurons. Le docteur Noyes, arrivé de son abri sous la tonnelle, serrait dans ses mains moites la dernière missive de Yahvé. Les mots choisis par son fils, dont certains n'avaient jamais été entendus jusque-là sur la propriété familiale, le firent pâlir. Sans doute Japhet les avait-il rapportés, en même temps que la teinture bleue, de ses péripéties sur la route.

Sa fureur se concentrait sur le fait que personne n'avait pensé à donner de l'eau à ses bêtes.

Ses chers loups, arborant leurs colliers de cuivre et de laiton, le poil soyeux grâce à une alimentation à base de gibier et de lapins vivants, étaient bien près de mourir de soif. Et ce, par la faute des femmes.

Si Hannah et Mme Noyes ne se laissèrent guère ébranler par les débordements de Japhet, Emma, en revanche, qui ne mesurait pas plus d'un mètre cinquante et dont les cheveux lui retombaient sous la taille, s'élança aussitôt. Aveuglée par ses longues mèches, elle courut tant bien que mal jusqu'à la pompe et l'actionna comme si elle était déterminée à éteindre tous les feux de l'enfer. Rien, cependant, ne résulta de ses efforts, même si elle y mettait tant d'énergie que ses pieds quittaient le sol. "Je n'y arrive pas, je n'y arrive pas ! criait-elle. Il n'y a plus une goutte. Le puits est à sec !

— Ridicule, répliqua Hannah. Tu es décidément trop bête, ma petite. Il suffit d'amorcer." Puis de se diriger calmement vers le tonneau le plus proche pour y récupérer le restant d'eau de pluie qu'elle versa dans la conduite jusqu'à recouvrir les clapets. "Voilà, dit-elle. Maintenant, pompe."

Emma remplit quatre seaux en moins d'une minute puis, sans oser lever les yeux vers Japhet, elle s'approcha de l'abreuvoir installé entre les arbres près des portes, côté jardin.

"Il est plein", déclara-t-elle au moment d'y vider le premier seau.

Hannah traversa la cour pour venir elle aussi inspecter l'abreuvoir. Elle se tourna ensuite vers Japhet, les bras croisés, le regard noir. "L'eau ne manque pas, mon seigneur, ni d'ailleurs les grenouilles et les crapauds. Tes loups en ont-ils si peur qu'ils refusent de boire ?"

Japhet rougit – créant une nouvelle nuance de violet assez jolie le long de ses épaules et de son cou bleus.

"Mes loups n'ont peur de rien, décréta-t-il. Et certainement pas d'une vieille grenouille ou d'un vieux crapaud. Peut-être que l'eau est croupie. Peut-être que…"

Hannah se pencha en lui intimant d'un geste le silence. Une forme brillante, étrange, avait attiré son attention – celle d'une longue plume couleur bronze appartenant à une espèce inconnue, posée tel un croissant de lune en plein centre de l'abreuvoir. Avant de la saisir du bout des doigts, Hannah la contempla quelques instants, qui flottait sereinement à la surface au milieu d'une foule de crapauds en train de se noyer et de grenouilles affolées. Toutes ces créatures tentaient désespérément d'attraper la penne et de s'y hisser pour assurer leur salut ; lorsqu'elle leur fut enlevée les animaux la regardèrent disparaître comme s'ils assistaient à la fin du monde.

Hannah se redressa.

"A moins que tes loups n'aient peur des plumes ? dit-elle en exhibant l'objet.

— Oh, comme elle est belle !" s'exclama Emma.

Séduite par sa trouvaille, Hannah la glissa dans sa poche.

Noé s'adressa à son fils bleu pour lui donner son avis sur la situation. "Il est possible que les grenouilles et les crapauds aient altéré la saveur de l'eau, Japhet, dit-il. On ne sait jamais. Pour ma part, je n'apprécierais certainement pas le goût d'un crapaud dans mon breuvage. Pourquoi ne pas les ôter ?"

Cette suggestion parut régler le problème. Emma reçut l'ordre de repêcher les batraciens malvenus et de changer l'eau de l'abreuvoir. Lorsqu'elle se fut acquittée de ces tâches, Japhet emmena un par un ses loups se désaltérer.

De son poste d'observation dans l'herbe, Mottyl regarda la haute silhouette bleue se mouvoir sur ses solides jambes de chasseur entre l'abreuvoir et les portes – et les loups se tapir les uns après les autres, adoptant la position servile de déférence réservée seulement au chef de leur meute et à Japhet. Chaque animal courut avec son maître, d'abord seul puis par deux. Mais tous refusèrent de boire, même lorsque le jeune homme tomba à genoux, remplit d'eau ses mains en coupe et y trempa les lèvres pour leur montrer l'exemple. Même lorsqu'il se baissa, tel un loup, afin d'approcher son menton de la surface et de laper l'eau comme un animal, la bouche largement ouverte. Même lorsqu'il eut baigné son visage dans l'abreuvoir avant de le leur présenter à lécher – même à ce moment-là, aucun ne voulut boire. Au lieu de quoi, ils s'écrièrent : "Nous ne pouvons pas !" et : "Nous n'en ferons rien !" avant de retourner à leur place près des portes.

En entendant leurs protestations, Mottyl frissonna. Jamais les loups n'avaient émis un tel son. Du plus loin qu'elle s'en souvînt, jamais ils ne lui avaient paru aussi mortellement effrayés. Que fallait-il en conclure ?

Le docteur Noyes, occupé à replier et à ranger soigneusement au fond de sa manche une autre missive personnelle et confidentielle, avança une hypothèse qui, pour autant que chacun pût en juger, était peut-être correcte. Il dit à Japhet, toujours à genoux près de l'abreuvoir miroitant : "Je ne vois qu'une explication : pour une mystérieuse raison, tes loups ont soudain pris peur de l'eau.

— Ne me l'avoueraient-ils pas si c'était le cas ? demanda son fils.

— Mais ils te l'ont avoué, n'est-ce pas ?" répliqua Noé. Sur ces mots, il se détourna et regagna la tonnelle.

Mme Noyes rentra dans la maison. Emma, qui s'était cachée de crainte d'avoir à éplucher la centaine de pommes de terre dont Mme Noyes avait ôté les yeux, tentait de se couler dans les ombres du bignonia quand Hannah l'intercepta et la poussa en direction de la cuisine. "Il faut encore que je balaie tous les sols ! Comment puis-je faire si je dois aussi éplucher une centaine de pommes de terre ?" protesta l'enfant. "Tu travailleras à la lumière de la lampe, à minuit", répondit Hannah en l'obligeant à franchir le seuil.

Elle s'éloigna ensuite et, sous le regard toujours attentif de Mottyl, choisit d'aller s'installer sur un banc qui, curieusement, se trouvait en plein soleil. Elle alla même jusqu'à lever les yeux vers le ciel puis à modifier sa position de façon à mieux exposer à la lumière sa figure et ses épaules. Cette façon propre aux humains de vénérer le soleil en lui présentant leur visage ne laissait pas d'intriguer la chatte. Aucun, cependant, ne la déroutait plus qu'Hannah Noyes, l'épouse de Sem.

Plus mince que toutes les autres femmes de sa connaissance, d'allure plus austère aussi, certainement plus intelligente que son mari et capable de converser avec le docteur Noyes sur presque tous les sujets, Hannah Noyes était un vrai mystère. Aucune manifestation d'amour, d'amitié ou de joie n'avait jamais franchi ses lèvres ni adouci son expression. Lorsqu'elle se frottait contre ses jupes, Mottyl n'avait jamais senti émaner de sa personne une once de plaisir ou de chaleur. Pas une fois Hannah n'avait baissé la main vers elle ou incliné le buste en l'appelant pour lui donner un bol de crème ou une assiette d'entrailles. Rien. Elle était aussi sèche que l'herbe dont elle se servait pour tresser chapeaux et paniers, et aussi solide qu'une branche de saule ployant sous la neige. En ce moment même, alors qu'elle était assise au soleil, Hannah attendait manifestement quelque chose, mais quoi au juste ? Mottyl, peut-être parce qu'elle possédait l'instinct du chasseur, en avait une idée assez précise. Les yeux fixés sur Hannah à travers les herbes, la chatte percevait les émotions de cette femme : elle-même les ressentait lorsqu'elle se figeait, le souffle court, au-dessus de sa proie.

Soudain, Hannah plongea une main dans sa poche pour en retirer la plume. Mottyl ne distingua pas l'objet jusqu'au moment où Hannah le tendit à bout de bras vers l'astre pour admirer sa patine bronze clair, le tournant et le retournant, lui faisant réfléchir toutes les couleurs du ciel et de la terre : bleu, rouge, jaune, violet, orange et vert. Hannah semblait à la fois enchantée et stupéfaite par le spectacle. De son côté, Mottyl éprouvait un étonnement au moins égal, teinté cependant d'une grande inquiétude. Quel oiseau avait donc pu la perdre ? Il devait être énorme, puisque la plume elle-même était presque aussi longue qu'elle.

Puis Hannah fit ce que tout le monde ferait en pareilles circonstances : elle lança la plume en l'air après s'être mise debout sur le banc.

Or l'étrange penne ne retomba pas.

Elle ne s'éleva ni ne chuta, mais demeura juste au-dessus de la main d'Hannah, aussi immobile qu'une pierre.

Une fois descendue du banc, Hannah se détourna quelques instants, l'air incrédule, pensant sans doute découvrir la plume au sol lorsqu'elle pivoterait de nouveau.

Il n'en fut cependant rien.

La penne resta ainsi en suspension jusqu'au moment où Hannah se hissa une nouvelle fois sur le banc, la saisit entre ses doigts et l'emporta vers le verger. Quand elle passa devant les loups apathiques couchés près des portes, ils se remirent à hurler.

Ils vont et ils viennent, pensait Mme Noyes. Les bons jours et les mauvais, les uns après les autres. Parfois à cause du temps, parfois à cause des gens. La veille, il y avait eu Cham et le sacrifice ; aujourd'hui, Japhet et les loups. Une belle soirée comme celle-là, sortie tout droit du paradis, et voilà qu'un jeune homme comme Japhet claquait toutes les portes de l'enfer parce que ses loups refusaient de boire… Bonnes et mauvaises nouvelles.

Pauvre Japhet ! Une personne sort se promener sur la route et s'en revient à la fois bleue et muette. Terrifiée. Et ce, par la faute d'étrangers ! Or il s'agissait de ce même garçon qui avait toujours placé une si grande foi en son prochain… Qui n'avait jamais dit *Non* à une seule requête. Il faisait confiance à tout le monde ; il avait même pris un démon par la main, un jour, pour l'emmener droit vers la cuisine. J'ai dû lui donner de la limonade pour le rafraîchir. C'est tout juste si le verre n'a pas fondu, sans compter la trace de brûlure sur la chaise…, se rappela Mme Noyes. Mendiants et vagabonds, camelots et colporteurs, prêtres vendant des religions inconnues…. "Maman ! Encore un homme affamé !" Japhet avec ses espiègleries et ses extravagances. Pas comme Sem ni Cham. Sem ne rapportait à la maison que des crapauds et des galets : "Maman, regarde celui-là !" Cham, lui, avait ses découvertes scientifiques, mais Japhet ramenait des missionnaires, et aujourd'hui il était bleu des pieds à la tête.

Où allait le monde ?

"Hé, Motty ?"

Assise sur la balustrade, la chatte contemplait les arbres au-delà de la cour. Elle éprouvait désormais une sensation de démangeaison, comme si elle s'était roulée dans les orties.

Mme Noyes porta son pichet à ses lèvres puis le reboucha.

"Veux-tu que je te gratte le dos ?"

Mottyl sauta à terre et grimpa sur les genoux de sa maîtresse.

"Regarde toutes ces étoiles, dit Mme Noyes. Et le soleil qui n'a même pas encore disparu derrière la montagne… Qui sait, bientôt la lune se lèvera à l'heure du déjeuner !"

Le ciel avait pris une teinte claire, presque translucide – plus verte que bleue –, et la brume flottant au-dessus des vallées était emplie de lumière. C'était à travers ce voile nébuleux que Mme Noyes voyait les étoiles. Sauf que…

Ce n'étaient pas des étoiles. Impossible.

A moins qu'elles ne fussent tombées au pied de la montagne.

Mme Noyes se pencha en avant, la main sur l'épaule de Mottyl.

"Motty ?"

Celle-ci avait fermé les yeux pour mieux savourer son plaisir, ronronnant sous les doigts qui la grattaient. Elle ne pouvait penser qu'à une chose : *Ne t'arrête pas maintenant.*

"Je crois que les fées approchent…"

Cette fois, Mottyl ouvrit les yeux.

"Descends, je vais me mettre debout."

La chatte atterrit assez rudement sur le plancher quand sa maîtresse se redressa tant bien que mal. Mme Noyes, plus ivre qu'elle ne l'imaginait, se dirigea ensuite d'un pas chancelant vers le bord de la véranda.

"Regarde-les ! Motty ! Regarde !"

Mottyl alla de nouveau se percher sur la balustrade, d'où elle tenta de percer le double voile de
ses yeux troubles et du crépuscule. Il y avait en
effet des points lumineux, au loin, qui ressemblaient beaucoup à des étoiles. Ils étaient cependant plus petits et en mouvement. S'agissait-il des
fées ? Mottyl les avait déjà vues, bien sûr, mais
seulement au fond du bois, où elles résidaient.

"A ton avis, ce sont elles ? demanda Mme Noyes.
Tu les reconnais ?"

Non, Mottyl ne les reconnaissait pas.

"Oh, si seulement tu voyais mieux, se lamenta
Mme Noyes. Si seulement quelqu'un d'autre était
là, avec moi… Noé ne me croit jamais quand je
lui parle des fées, et voilà qu'elles apparaissent
– ici même !"

Tout excitée, Mme Noyes se précipita dans la
cour.

C'était maintenant une certitude : les petites
lumières qu'elles regardaient étaient celles des
fées, dont Mottyl percevait désormais le bruit singulier, à nul autre semblable.

Elles déferlaient à présent au-dessus de la pelouse.

Mme Noyes secoua son tablier et brandit son
pichet en leur criant : "Allez vous montrer à Noé !
Je vous en prie, allez vous montrer à Noé !"

En vain.

Sur la balustrade, Mottyl tendit le cou pour
scruter le ciel.

Dans un sifflement strident, un flot de taches
brillantes passa au-dessus de leurs têtes en direction du toit à une vitesse telle que la femme et
l'animal en eurent le souffle coupé.

"Oh, Seigneur, dit Mme Noyes, avant d'ajouter
à voix basse : Revenez…"

La chatte sauta à terre pour aller rejoindre Mme Noyes au milieu de la cour, et toutes deux contemplèrent d'abord la maison, puis les cheminées.

Les cigognes jacassaient ; apparemment, elles avaient été dérangées au moment où elles s'installaient dans leurs nids. Toutes s'étaient perchées sur les cheminées, agitant le bec en direction des intruses qui entre-temps avaient disparu.

Mme Noyes venait de demander : "Où sont-elles parties ?" quand les fées revinrent, voltigeant au-dessus du toit et autour des cheminées, amenant les cigognes à faire claquer leur bec dans le vide. Mottyl ne les avait jamais entendues se déplacer aussi vite. Elles étaient en général beaucoup plus posées, à moins bien sûr d'être pourchassées ; instinctivement, la chatte se retourna pour voir s'il y avait une créature sur la pelouse.

Rien.

"Peut-être essaient-elles de nous dire quelque chose, suggéra Mme Noyes. VOUS VOULEZ NOUS DIRE QUELQUE CHOSE ?" cria-t-elle.

Les fées se mirent à tournoyer de plus belle autour des cheminées – d'abord l'une, puis l'autre.

"Que se passe-t-il ? reprit Mme Noyes. QUE SE PASSE-T-IL ?"

Les fées s'immobilisèrent au-dessus du toit, sous le regard de Mme Noyes, des cigognes et de Mottyl. Soudain, elles produisirent un son semblable à celui des abeilles, brillant d'un éclat de plus en plus vif à mesure que le bourdonnement enflait. Les cigognes recommencèrent à jacasser.

"Je n'aurais peut-être pas dû crier, dit Mme Noyes. Elles ont l'air en colère."

Mais ce n'était pas la colère qui faisait bruire les fées. Non, elles se préparaient tout simplement pour l'étape suivante.

Lorsqu'elles s'élevèrent de nouveau, leur rayonnement se vit plus nettement dans le ciel assombri. Durant un moment, elles demeurèrent groupées en une sorte de nébuleuse scintillante et leurs voix résonnèrent distinctement.

Regardez.

Même Mottyl les voyait à présent, grâce à son œil valide.

Très lentement, la nébuleuse commença à se scinder, presque comme si elle se désintégrait. Elle ne tarda cependant pas à se reconstituer, adoptant une forme étrange qui rappelait celle d'un nœud.

De façon presque machinale, Mme Noyes, la bouche ouverte et les yeux fixés sur le nœud dans l'air, posa son pichet avant de joindre les mains pour essayer de reproduire le motif – le pouce et l'index droit réunis dans le cercle formé par le pouce et l'index gauche. "Oui, dit-elle, sans même avoir conscience de s'exprimer à haute voix. D'accord…"

Déjà, le dessin se désagrégeait, et les fées se rassemblèrent encore une fois tandis que leur bourdonnement s'adoucissait, s'atténuait peu à peu jusqu'au moment où Mottyl ne l'entendit plus.

Quelques instants plus tard, la nébuleuse scintillante s'éloigna de la maison, survola la cour en direction de la pelouse et s'enfonça dans la brume pour regagner le bois.

Mme Noyes se retrouva seule, les doigts toujours entremêlés pour imiter la forme du nœud, et, brusquement, l'air lui parut glacé.

Elle frissonna.

"Mottyl ? Tu as vu ?"

Mais la chatte avait disparu.

"Bon sang ! marmonna Mme Noyes. Ce n'est pas juste. Maintenant, personne ne voudra me croire." Elle se pencha pour ramasser son pichet, le porta à ses lèvres puis regagna la véranda et son fauteuil, manquant trébucher sur la marche au moment où elle levait distraitement les yeux vers le ciel.

Une fois assise, le pichet bien calé au creux de son bras, elle joignit de nouveau les doigts pour recréer l'étrange motif.

Que signifiait-il ? Mme Noyes aurait aimé consulter Cham. Elle n'osait même pas envisager d'en parler à son époux ; s'il lui demandait la raison d'une telle requête, elle serait obligée de lui avouer la vérité. Elle ne pouvait tout de même pas prétendre avoir vu la forme dans la poussière à ses pieds ! Et la vérité, comme toujours lorsqu'elle concernait les fées, serait rejetée au même titre que les sept étoiles de Cham ou les cycles de la lune. Et comme toujours aussi, elle-même passerait pour une idiote.

Mottyl, qui avait franchi le muret de pierre de l'autre côté de la cour puis la pelouse derrière, descendait à travers champs vers le pied de la montagne. Les fées l'avaient précédée.

Une créature avait donné la vie dans l'un des prés alentour et plusieurs oiseaux picoraient le placenta. Mottyl en décelait l'odeur, sans pour autant parvenir à distinguer la forme du nouveau-né ni celle de sa mère. Il s'agissait certainement d'une vache ou d'une biche, mais l'herbe était si haute et la lumière si faible que la chatte voyait seulement la masse d'un gros animal et une paire d'oreilles frémissantes à l'endroit où reposait le petit. Mottyl s'immobilisa le temps de les identifier. Elle ne se sentait pas le moins du monde menacée par une vache ou une biche ; non, elle éprouvait juste de la curiosité : pour elle, tout être qui venait de naître était digne d'intérêt. Sans compter qu'il resterait sans doute quelques morceaux de placenta à savourer… D'un autre côté, avec tous ces oiseaux dans les parages – dont les formes visibles de temps à autre au-dessus du festin semblaient parfois énormes –, il était peut-être plus sage de contourner les lieux et de poursuivre son chemin. De toute façon, l'annonce de l'événement lui-même pouvait se monnayer : Cornella par exemple, ravie par cette perspective de bonne chère, accepterait sans doute de lui offrir en échange quelques renseignements sur des oisillons tombés récemment du nid…

Mottyl patienta, pointant le nez en avant, inclinant légèrement la tête d'un côté puis de l'autre pour mieux déchiffrer les messages portés par la brise. Il régnait près du sol une chaleur oppressante qui s'allégeait toutefois juste au-dessus de l'herbe, créant un souffle à peine perceptible. La chatte finit par s'asseoir sur son derrière comme un lapin, le museau au-dessus du léger courant d'air ; elle ne perçut cependant que les odeurs du pré et du placenta. Rien sur l'animal lui-même. Peu importait s'il s'agissait d'une simple vache, mais si c'était un buffle…

Elle se remit sur ses pattes et partit vers la gauche, où se trouvait un terrier conduisant à l'orée du bois. Elle en avait rencontré à plusieurs reprises l'occupant, qui répondait au nom de Marmottin, et le savait très âgé et colérique, même si ses histoires – quand il se laissait convaincre de les raconter – ne manquaient pas d'attrait.

Un jour, en plein été, Marmottin l'avait invitée dans son terrier lorsque, en passant, elle s'était plainte de la chaleur. Mais elle avait dû battre en retraite avant même d'avoir rentré sa queue dans le tunnel ; il était assurément trop inquiétant pour elle de se retrouver sous terre. Son hôte, vexé par sa réaction, lui avait reproché sa grossièreté et sa pusillanimité. Après tout, il faisait plus frais dans le sol que partout ailleurs, et Marmottin avait seulement voulu lui proposer de s'abriter. Si l'odeur de son antre ne lui plaisait pas…

"Oh non, ce n'est pas ça, avait protesté Mottyl. Crois-moi, ce que je ne supporte pas, c'est juste l'enfermement." Et elle était restée devant le terrier, à rôtir doucement au soleil de midi, pour lui prouver qu'elle n'était pas offensée par son offre, pendant qu'il lui racontait maintes histoires, couché dans la terre humide en dessous d'elle.

C'était alors qu'elle s'était prise d'affection pour Marmottin, car la plupart de ses anecdotes parlaient de monstres et de démons dont elle aussi avait une peur bleue. Les récits de ce genre constituaient une sorte de monnaie dont chacun appréciait la valeur. Tout comme l'annonce d'une naissance, d'une mort ou d'une blessure, ils étaient susceptibles de donner lieu à un échange – limité toutefois à ceux qui avaient des ennemis communs : une fuite à quatre pattes n'était pas plus parlante pour un oiseau qu'une fuite ailée pour Mottyl ou Marmottin. Lorsqu'ils étaient devenus amis, celui-ci ne s'était pas contenté d'autoriser la chatte à emprunter ses itinéraires quotidiens ; il lui avait également montré où se trouvaient ses passages secrets, qui menaient aux ronciers et aux trous dans le mur.

Plus tard, pendant la sécheresse, Mottyl avait pu lui rendre la pareille en l'emmenant se désaltérer à la mare dans la cour de Noé. Marmottin, malade et affaibli par la chaleur, craignait de ne pas avoir assez de forces pour aller jusqu'à la rivière. Il n'arrêtait pas de ronchonner et de se plaindre que

Mottyl voulait le conduire à sa perte – à savoir, droit dans les mâchoires des loups diaboliques de Japhet. Mais elle avait finalement réussi à le persuader de gravir la montagne en lui disant : "Le seul démon qui vive ici est le docteur Noyes."

Mottyl se leva. La soirée était si douce, si tranquille ! Le ciel lumineux semblait s'étendre à l'infini, l'air était chargé du parfum des pommes, auquel se mêlait la senteur de l'herbe, des arbres et d'une naissance… Elle ne doutait plus désormais qu'il s'agissait d'une vache. Et maintenant que le soleil s'était couché pour de bon et que la nuit approchait rapidement, la terre elle-même commençait à dégager les odeurs plus mystérieuses des vers et des créatures nocturnes remontées des profondeurs du sol.

La vache se dirigeait à présent avec son veau vers la lisière du bois, où le petit aurait plus chaud. Un porc-épic se hâtait le long de la clôture, espérant sans doute que personne ne le verrait, alors que les faucons rassasiés de placenta cédaient la place aux corbeaux. Le champ changeait lentement de mains quand Mottyl prit la direction du couvert.

Près des arbres, à l'endroit où la clôture avait été abattue par une chute de branches, poussaient des parterres de cataire et de camomille. Incapable de résister, Mottyl s'arrêta pour les renifler. Les pattes arrière fermement plantées dans les touffes de camomille, elle tendit le cou pour atteindre les fleurs et les feuilles les plus tendres, puis se frotta le menton contre la barrière pour les écraser et faire couler leur sève. Peu à peu, l'air s'emplit d'une senteur des plus agréables et de longs frémissements de plaisir la parcoururent tout entière, se propageant jusqu'à ses terminaisons nerveuses.

Pour la première fois depuis des jours, elle se moquait comme d'une guigne d'être en chaleur.

Mottyl s'attardait parfois au moins une demi-heure, sinon une heure, près des parterres de cataire, qui lui procuraient toujours une ivresse semblable à celle de Mme Noyes. Il n'en était cependant pas question ce soir-là. Elle avait trop hâte d'entendre les commérages colportés par les créatures du bois et d'avoir des nouvelles de ses connaissances qui vivaient là-bas. Etaient-elles au courant de la visite imminente de Yahvé ? Auquel cas, qu'en pensaient-elles ?

Certains animaux croyaient le sous-bois hanté par les morts, sans toutefois que cette idée comportât le moindre caractère morbide. Au contraire, elle leur inspirait révérence et respect. Il existait dans la forêt des lieux sacrés et d'autres dangereux. Quelques-uns de ces lieux sacrés servaient de sanctuaires où une bête malade ou blessée avait la possibilité de se retirer, tout en sachant que la sécurité absolue n'était garantie nulle part. Seul un idiot aurait pu penser une chose pareille. Ils constituaient néanmoins des havres plus sûrs que la moyenne, en particulier grâce au pouvoir qu'on leur prêtait de repousser les dragons – et ce, à cause d'une variété particulière de champignons, dont l'odeur plutôt agréable pour toute autre créature provoquait chez eux vomissements et maux de tête si violents qu'ils les rendaient pratiquement incapables de bouger. On disait également ces champignons peut-être à l'origine des rétablissements si fréquents parmi les créatures réfugiées dans les sanctuaires, et dont les membres brisés, les chairs déchirées et les saignements impossibles à arrêter en d'autres circonstances avaient été guéris, alors que d'autres animaux blessés moins gravement avaient péri à leur lisière. Aussi, au fil du temps et pour diverses raisons, en était-on venu à considérer ces plantes comme les esprits des morts dont les ossements s'étaient enfoncés dans l'humus sous les feuilles.

Le bois dissimulait néanmoins beaucoup plus de pièges que d'abris : tourbières, sables mouvants et fosses, buissons d'orties et nids de guêpes, failles inattendues s'ouvrant sous vos pattes au milieu d'étendues couvertes de pierres tranchantes qui vous brûlaient les coussinets telles des braises incandescentes… Rien n'était cependant plus redoutable que les bauges où se vautraient les dragons. Parfois, ils s'y enfouissaient complètement, ne laissant émerger que leurs yeux et leur groin, eux-mêmes couverts de terre rouge, de sorte que personne ne les voyait. Ils pouvaient demeurer ainsi, aux aguets, durant une éternité, et même les créatures les plus lestes – les lémuriens et les singes – se faisaient parfois attraper en s'aventurant dans ce qu'ils pensaient être un marécage désert et sans danger.

Pour sa part, Mottyl n'avait pas plus d'ennemis que les autres animaux, même si certains en comptaient moins. Comme tout un chacun, elle avait une sainte horreur des dragons et des démons. Et aussi de tous les êtres dont les déjections sentaient la viande, dont la voix était un aboiement ou un glapissement, ou dont l'envergure des ailes projetait une ombre plus large que la sienne. Mais bon, ils faisaient partie de la nature et l'on devait bien s'accommoder de leur existence… Par conséquent, mieux valait redoubler de vigilance à l'entrée du bois, par exemple, ainsi qu'aux abords d'un pré dépourvu d'arbres ou d'une pièce occupée par le docteur Noyes – auquel cas, ainsi qu'avec les dragons et les démons, il était plus juste de dire que le niveau de vigilance triplait.

Ce soir-là, Mottyl, qui avait déjà aperçu les fées au-dessus de la maison, les revit dans le bois. Elles voltigeaient à travers les branches, se nourrissant de moustiques et d'autres insectes, et brillaient d'un éclat particulièrement vif. Elles avaient pour ennemis des êtres tels que les chauves-souris et les araignées. Une simple toile d'araignée signifiait en effet pour elles une mort assurée, car elles suffoquaient dans ce genre de piège.

Pourquoi les fées s'activaient-elles tant ? se demanda Mottyl. En général, elles étaient beaucoup plus calmes, voire flegmatiques, et l'on en croisait souvent qui se reposaient paisiblement par groupes, leurs lumières scintillant faiblement, leurs voix réduites à un chuchotement. Mais pas ce soir. Ce soir, elles fourmillaient sous le couvert.

C'étaient les lémuriens qui, officiellement, gardaient le bois, et personne ne franchissait la clôture sans avoir été au préalable inspecté depuis leur arbre. L'autorisation d'entrer ou de sortir était accordée soit en silence, soit sous une cacophonie de cris. Mottyl avait toujours été accueillie par un silence relatif, même si un ou deux lémuriens lui lançaient parfois un "Bonjour", voire, selon les signaux qu'elle émettait, se permettaient des espiègleries ou une poursuite. Ces règles ne s'appliquaient toutefois que durant la journée. La nuit, tous les arrivants se voyaient traités avec la plus extrême prudence et le plus grand sérieux ; il n'était pas question de plaisanter ou de prendre des risques inconsidérés dans le noir.

En l'occurrence, Mottyl fut soumise à l'examen d'un lémurien catta nommé Bip. Elle le connaissait depuis toujours et se souvenait encore de sa mère. Bip, âgé aujourd'hui de six ans, était assis dans un bignonia, sur une grosse branche basse, la queue enroulée autour d'une autre plus petite à côté de lui. Il sauta à terre et, plissant délicatement son fin museau, renifla la chatte avec application, devant et derrière.

"Tu es en chaleur.

— Tu parles d'une nouvelle !

— Ce n'est que le début, si je puis me permettre.

— Tu peux. C'est vrai, je ne le suis que depuis deux ou trois jours et je trouve cela fort pénible.

— Le moment n'est pas idéal, je le reconnais. Et je me réjouis que Ding ne soit pas dans cet état." (Ding était sa compagne.) "Il se passe quelque chose d'anormal. Tu l'as senti ?

— Oui. C'est perceptible aussi chez les hommes. Ils sont tous nerveux, agités. Tu es au courant pour Japhet ?"

Bip l'était. Les hurlements des loups l'en avaient informé. "Il est bleu, n'est-ce pas ?

— Oui. Et puis, les fées ont un comportement étrange." Mottyl lui parla de la façon dont elles avaient voltigé autour de la maison.

Cette information n'étonna pas Bip. Les fées ne s'étaient pas mieux conduites dans le bois : elles avaient volé trop près de tout le monde, percuté les oiseaux et failli le faire tomber de sa branche.

"Qui occupe les sanctuaires ? s'enquit Mottyl, curieuse.

— Un ours – mais pas l'un des nôtres. Non, un ours de la forêt. Il a traversé la rivière avec une patte cassée. Dans un autre, il y a un couple de chevreuils et quelques souris. C'est à peu près tout, il me semble. Rien d'inhabituel de ce côté-là, donc. Pourtant, il y a incontestablement autre chose…"

Mottyl percevait l'appréhension du lémurien.

71

Celui-ci grignota machinalement une puce qu'il avait attrapée sur son ventre. "C'est juste une… une présence." Il jeta un coup d'œil par-dessus la tête de la chatte.

"Comme un fantôme, tu veux dire ? demanda Mottyl.

— Non. Pas comme un fantôme. Plutôt comme…

— Bonsoir !"

Le cœur de Mottyl manqua un battement mais ce n'était que Ding qui se balançait de branche en branche dans leur direction. Parvenue près d'eux, elle alla s'asseoir d'un bond à côté de Bip.

"Où étais-tu ?" lança-t-il. Et d'entreprendre aussitôt de lui examiner les pattes et de lui renifler les flancs.

Ding leur raconta qu'elle était allée de l'autre côté du bois.

"Je voulais voir si quelqu'un avait des informations sur cette présence…

— Nous étions justement en train d'en discuter, précisa Bip.

— Mottyl a du nouveau ?

— Non." La chatte avait décidé de ne pas évoquer la visite de Yahvé. La mention de cette mystérieuse créature l'intriguait trop.

Bip interrogeait toujours sa compagne. "De l'autre côté du bois. Quelqu'un t'a dit quelque chose ?

— Rien qu'on ne sache déjà. D'autres histoires sur les plumes. D'autres histoires sur Cham.

— Cham ?" Les oreilles de Mottyl se dressèrent à la mention de ce nom.

Ding lui rapporta que le jeune homme était venu dans le bois ce jour-là. "Pour faire ce qu'il fait d'habitude, retourner les branches mortes à la recherche d'insectes, grimper dans les arbres afin d'inspecter les nids… Oh, il est d'un naturel curieux, c'est évident ! Apparemment, il a été blessé – au bras gauche. Il dégageait une odeur de sang."

Mottyl expliqua qu'il s'était coupé pendant le sacrifice. Puis : "Parlez-moi encore de cette présence."

Aucun d'eux ne lui répondit. La chatte attendit. Après tout, ils ne souhaitaient peut-être pas se compromettre. Quand on était un lémurien – donc un gardien de la forêt –, colporter des rumeurs infondées s'apparentait à un acte irresponsable. Dangereux.

Enfin, Mottyl perdit patience. "Alors ?"

Bip bondit de nouveau sur sa branche de bignonia, où il se mit à mâchonner une feuille. "S'il te plaît, ne le raconte à personne…" Il se suspendit la tête en bas pour se rapprocher de Mottyl au point que cette dernière perçut l'odeur de la feuille dans sa gueule – plutôt agréable, et cependant inconnue de son palais. "As-tu déjà vu un ange ?

— Bien sûr ! s'écria la chatte, presque indignée par la question. L'un d'eux est venu dans le verger. Il s'asseyait parfois à l'entrée ou sur une branche d'arbre pour manger des pommes. Il portait une épée mais il ne s'en est jamais servi.

— Non, pas ces anges-là…

— Ah bon ? Il y en a plusieurs espèces ?

— Oui, je crois."

Bip prit son souffle, se balança d'avant en arrière puis sauta à terre et alla s'asseoir entre Mottyl et Ding.

De toute évidence, il n'était pas sûr de lui. "Je me trompe peut-être, et pourtant je crois qu'il existe des anges solitaires. Tout comme des animaux solitaires.

— L'odeur est différente, renchérit Ding.

— Différente et pourtant semblable", affirma Bip.

Semblable à la verveine citronnelle, oui. Et à l'odeur de l'encens. En même temps s'y mêlait apparemment une autre émanation que Ding avait le plus grand mal à définir. Elle était "inquiétante", "affreuse", pareille à celle…

Bip se tassa sur lui-même. "… des œufs pourris.

— C'est ça, approuva Ding en le regardant. Des œufs pourris. Et…

— … des mares de boue.

— Oui, les mares de boue près de la rivière, toujours en train de bouillonner…"

Mottyl sentait son inquiétude grandir en même temps que sa curiosité. "Si je comprends bien, il y a dans le bois une créature dont l'odeur vous rappelle toutes ces choses désagréables… mais vous croyez que c'est un ange ?

— Oui. Et je me demandais si tu avais remarqué un détail insolite près de la maison.

— Rien, à part les fées.

— Justement ! Tu nous as raconté qu'elles essayaient de transmettre un message…"

En effet. Mais voulaient-elles parler d'un ange ?

Le lendemain matin, Noé sortit marcher sur la route. Il était encore tôt, l'air résonnait du chant des oiseaux et la rosée ne s'était pas encore évaporée. Le bas poussiéreux de sa robe, alourdi par l'humidité, le ralentissait alors qu'il avançait vers le croisement où Yahvé ferait sa première apparition.

Au nord s'élevaient les panaches de fumée révélateurs de l'emplacement des villes. Ils changeaient de couleur tous les jours. Jadis, lorsque Yahvé était vénéré par les hommes, la fumée était toujours grise et paresseuse, et les feux allumés seulement aux heures rituelles – les heures fixes de la prière, les heures consacrées du sacrifice. Cette époque-là, songea Noé, celle de sa jeunesse, lui semblait remonter à hier seulement alors qu'il avait aujourd'hui plus de six cents ans.

Il gardait un souvenir vivace des anciennes pratiques du culte, où chacun avait une place et une fonction attitrée – les pères et les anciens, les rabbins et les docteurs érudits comme lui-même. Il se rappelait aussi les brebis amenées dans la tribune des plaidoiries pour assister à la mise à mort de leurs agneaux, chacune se voyant accorder un moment de supplication symbolique au nom de son petit. Même si, bien sûr, il n'y avait jamais aucune chance pour que les jeunes fussent épargnés, il n'en était pas moins intéressant d'entendre les arguments des moutons, dont certains se montraient particulièrement éloquents. Sincères.

Et les autels, les linges, les coupes ! Tous ces autels sculptés dans les bois les plus durs et les plus précieux, toutes ces étoffes ouvragées – chacune comportant son emblème familial, son monogramme –, toutes ces grandes familles rivalisant pour les tissus les plus fins et les broderies les plus exquises, toutes ces femmes occupées à coudre à la lumière des lampes – et cette odeur du fil de lin et du tissage de coton… Dire qu'aujourd'hui cette bonne à rien d'Emma ne savait même pas se servir d'une aiguille ! Eh bien, au moins, ce pèlerinage de Yahvé avec tout son cortège allait-il changer les choses : assurément, la crainte de Dieu remettrait les femmes à leur place. Alors les jeunes gens s'inclineraient de nouveau devant le divin courroux, ainsi qu'il l'avait fait lui-même en son temps.

Il ferma les yeux. Oh, ces coupes ! En argent, en cuivre, ornées de soleils et de lunes martelés – les étoiles au firmament de l'artisanat ! Oh, les richesses et les joies du culte : l'assemblée réunie par consentement mutuel et le merveilleux brouhaha de l'attente, réduit au silence seulement quand l'Agneau apparaissait, les pattes entravées, pour être déposé devant les oints justes et nobles du Seigneur Dieu Yahvé, toujours dans la lumière éclatante de midi – et les bêlements, les murmures et l'extase de la prière… Tous les acolytes et les pères, les anciens, les rabbins et les docteurs érudits qui, les yeux grands ouverts, se penchaient chacun avec un bassin, brandissant le linge sacré – et les premières gouttes de sang qui tombaient toujours dans la coupe d'or durant ces dix secondes bénies où l'agneau demeurait immobile, encore vivant et déjà mort, avant de chanceler et de s'effondrer, inondant l'autel d'un flot pourpre appelé à remplir les récipients tendus… Et l'hymne sublime désormais oublié qui résonnait alors, repris en chœur par les femmes et les jeunes garçons :

Agnus Dei, qui tollis peccata mundi
Miserere nobis.
Agnus Dei, qui tollis peccata mundi
Dona nobis pacem.

Agneau de Dieu, qui enlèves le péché du monde,
Prends pitié de nous.
Agneau de Dieu, qui enlèves le péché du monde,
Donne-nous la paix.

Enfin, chacun des pères, chacun des anciens, chacun des rabbins, chacun des docteurs érudits buvait dans le calice d'or le premier sang de l'agneau premier-né le premier jour des fêtes…

Or aujourd'hui les fils de l'homme ne savaient même plus manier le couteau, et le sacrifice n'était que simulacre !

Quant aux fêtes actuelles, elles se succédaient, s'enchaînaient et se prolongeaient interminablement, de sorte que personne ne pouvait dire au juste à quel moment se terminait l'une et à quel moment commençait la suivante. Sans compter qu'elles donnaient lieu à des scènes révoltantes – des abominations de la dignité humaine : femmes jetées sur les autels et violées (d'aucuns disaient de leur plein gré) sous les yeux de Baal. Et certaines plusieurs fois… Non, cela dépassait l'entendement. Tout comme les rites de Baal, incarné par le Taureau qui prenait la femme choisie ! *Prise par un taureau !* C'était monstrueux ! Absolument monstrueux ! Pis, certains hommes pratiquaient le culte du phallus, tombant à genoux devant les prêtres de Baal… Non, il ne pouvait l'imaginer.

Toutes ces pensées et la perspective accablante de la venue de Yahvé provoquèrent une grande faiblesse chez Noé, qui estima nécessaire de se reposer un moment sur le bas-côté herbeux.

Assis au soleil, il passa en revue tous les détails des préparatifs mis en œuvre pour l'arrivée du Seigneur : le vaste pavillon de toile dressé en bordure de la pelouse ; le festin que Mme Noyes avait concocté au milieu de tous ces drames inutiles ; la coupe en argent poli dans laquelle laver les pieds de Dieu ; les instructions qu'il avait lui-même données à ses fils et à ses belles-filles ; et enfin, le chœur des béliers et des brebis que Mme Noyes faisait répéter, et les agneaux sacrés préparés pour le sacrifice. Un problème se posait cependant à lui : au-delà des grandes envolées de style dues à la colère et à l'abattement dans la correspondance de Yahvé, il ne comprenait pas bien la raison de cette visite. Même Dieu ne pouvait se contenter de dire : NOUS SOMMES DANS UNE COLÈRE NOIRE… NOUS RESTONS MUET D'HORREUR…

NOUS AVONS LE CŒUR BRISÉ ET NOUS PLEURONS DE CHAGRIN… sans donner d'explications. Et que penser de cette phrase, la plus mystérieuse et la plus troublante de toutes : QU'AVONS-NOUS FAIT POUR QUE L'HOMME NOUS TRAITE AINSI ?

Laudamus te, benedicimus te, adoramus te…

Les moutons chantaient dans le pré.

Nous T'acclamons, nous Te bénissons, nous T'adorons…

De telles paroles ne manqueraient certainement pas d'égayer le Seigneur Yahvé, songea Noé en levant les yeux pour voir d'où provenait cette ombre…
Oh non.
Une nouvelle colombe.
Une catastrophe, encore.

Mottyl émergea du sommeil au plus fort de la chaleur. Ses voix, réveillées déjà depuis un certain temps, manifestèrent aussitôt leur mauvaise humeur.

Ton autre œil va devenir aveugle si tu traînes ainsi en plein soleil.

Désolée. Quand je me suis endormie, le soleil donnait là-bas.

Eh bien, lève-toi.

Mottyl se redressa à contrecœur, sachant qu'au moment même où elle reprendrait pleinement ses esprits elle souffrirait de nouveau de toute l'agitation liée à son état.

Je flaire une souris.

N'y prête pas attention. Avance.

Je ne me sens pas bien…

Arrête de te plaindre. Se lamenter sur la réalité est un signe d'immaturité. Rappelle-toi : tu as vingt ans, tu es tout à fait capable d'affronter la situation. Bon, tu nous emmènes à l'ombre, oui ou non ?

Mottyl posa son regard sur un repère identifiable entre tous – la clôture – et marcha dans cette direction en faisant néanmoins un détour pour éviter un tatou grincheux.

L'après-midi était désormais bien avancé – une heure dangereuse car beaucoup d'animaux, dont, en temps normal, les sens toujours en alerte permettaient de déterminer la position des ennemis universels, somnolaient ou dormaient. Bip et Ding étaient étendus de tout leur long sur une branche de peuplier, les quatre pattes dans le vide, retenus seulement par leur queue. La chatte ne les voyait pas, haut dans les branchages, mais au passage elle perçut l'odeur des marques laissées par Bip sur le tronc.

L'absence de toute inspection à l'entrée du bois avait déconcerté Mottyl, qui tint à marquer une pause avant d'aller plus loin. Elle grimpa sur une vieille souche pourrie, où elle se coucha pour mieux s'imprégner des odeurs prédominantes et déceler d'éventuels mouvements. La pénombre, qui n'avait rien d'impénétrable à cet endroit, lui laissait entrevoir les taches de lumière autour d'elle et les contours de formes sombres plus ou moins reconnaissables : de grands arbres, les profondeurs du sous-bois, la silhouette d'un cormoran endormi, tassé sur lui-même, se découpant contre le ciel…

Mais que ferait un cormoran si loin de la rivière ? Peut-être était-ce un signe de plus indiquant que les choses ne tournaient décidément pas rond. Associée aux rumeurs concernant l'arrivée d'un ange solitaire, cette pensée amena Mottyl à se demander ce qu'elle allait encore découvrir.

D'un autre côté, si tout un banc de poissons était sorti de la mare pour venir jusqu'ici, pourquoi s'étonner de la présence d'un cormoran ?

Lorsque Mottyl parvint à cette conclusion, l'oiseau avait disparu.

Le calme était si déconcertant que Mottyl hésitait à bouger. Ses voix étaient satisfaites : il faisait frais sur la souche pourrie, où même les fourmis et les tritons se tenaient tranquilles. Il aurait sans doute été agréable de continuer à se prélasser ainsi dans cette douce lumière tamisée mais c'était impossible. *Chatte en chaleur rôde à toute heure*, disait le proverbe, et Mottyl finit par se lever pour sauter dans les épais buissons de fougères et de cardamines.

"Qui est là ? demanda-t-elle deux minutes plus tard en débouchant dans une clairière inconnue d'elle.

— *Mottyl ?*"

C'était la licorne mâle, dont la voix – un simple chuchotement rauque – était presque aussi caractéristique que la silhouette.

Il était si rare de la croiser en pleine forêt que pareille rencontre tenait toujours d'une agréable surprise, ce que Mottyl ne manqua pas de lui dire.

"C'est une agréable surprise pour moi aussi, concéda la licorne. Bien, bien… Et tu es en chaleur.

— Oui, mais je préfère ne pas en parler.

— Courage, Mottyl. Plus tôt cela commence, plus vite ce sera fini. N'ai-je pas raison ?" Et de répondre elle-même : "Oui, j'ai raison."

La licorne, guère plus grosse que Mottyl, était connue pour sa manie nerveuse de parler toute seule ; parfois, on l'entendait sans la voir alors qu'elle parcourait le sous-bois. Les jeunes animaux ignorants croyaient alors avoir affaire à un esprit ou à un fantôme et le racontaient à leurs parents, qui se moquaient d'eux : "Ce n'est que la licorne."

Elle ne mesurait pas plus de trente-cinq centimètres de haut à la pointe de sa corne, pour quarante à quarante-cinq centimètres de long. Sa corne elle-même comptait pour quinze bons centimètres de sa taille, et, très souvent, l'on n'apercevait d'elle que cet ornement couleur d'ambre fendant les buissons.

Mottyl brûlait de savoir pourquoi le bois était si tranquille. "C'est inquiétant…

— Il y a eu un mort, lui révéla la licorne. Un décès des plus regrettables. Celui de Jappy, votre chien. Il a été tué et nous ignorons comment ou par qui. C'est affreux.

— Oh." La nouvelle consterna Mottyl. Si elle n'était pas particulièrement attachée à Jappy, elle craignait cependant les problèmes qui ne manqueraient pas de survenir dans la maison. Emma sangloterait et claquerait les portes pendant des jours. "Et rien ne permet de comprendre ce qui s'est passé ?

— Rien du tout.

— Il avait disparu, confia Mottyl à la licorne. Nous l'avions constaté, sans toutefois imaginer un seul instant qu'il était mort. Pauvre Emma.

— Emma ?

— La femme de Japhet. C'était son chien.

— Ah." La licorne garda le silence un moment, puis jeta un coup d'œil par-dessus son épaule avant de murmurer : "Je ne me sentais pas du tout en sécurité, tout à l'heure, quand je furetais par ici. Il y a une présence, tu sais.

— Oui, je sais.

— C'est peut-être elle qui l'a tué. Elle rend la vie extrêmement difficile à supporter. Nous ne nous déplaçons pas beaucoup, tu comprends… Ma dame refuse de sortir… Alors je suis obligé d'explorer ces horribles fourrés que je déteste pour essayer de lui trouver des fleurs car, bien sûr, quand rôde ce genre de présence, il est impossible de s'aventurer à la lisière ou en plein cœur des bois, où sont les grandes clairières. Oh, je suis sincèrement navré pour ton ami… Tu es triste ?

— Pas trop, à vrai dire. Il ne s'appelait pas Jappy pour rien : il faisait beaucoup de bruit. Pour autant, je ne souhaitais pas sa mort.

— Non, non. Bon, eh bien, je dois y aller, je suis beaucoup trop nerveux ici. Tu peux m'accompagner, si tu veux. Au fond, je ne serais pas contre un peu de compagnie. Juste le temps de cueillir cette ancolie pour ma dame… En chemin, si tu y tiens, je pourrai te montrer où il est."

D'un coup de dents, la licorne sectionna la fleur au pied de la tige puis, la tenant entre ses lèvres tel un étendard, elle pénétra dans les fourrés, suivie de Mottyl.

Il y avait déjà un bon moment que Mottyl connaissait la licorne et sa dame, qui habitaient cependant dans le bois depuis bien plus longtemps. Elles ne se montraient qu'exceptionnellement et en général évitaient de saluer tout individu qui ne leur était pas familier. Sans le savoir, la chatte s'était souvent retrouvée à proximité de la licorne mâle avant que celle-ci ne permît un véritable face-à-face. Quant à sa dame, elle se distinguait par une timidité encore plus grande. Rien de ce qui bougeait n'échappait à leur vigilance car pour le couple toute créature était potentiellement un ennemi ; par conséquent, il n'abordait aucun autre animal avant des semaines, voire des mois d'observation.

Pour certains, comme les oies, les poules et le paon, qui n'avaient jamais pénétré dans le bois, la licorne et sa dame n'étaient qu'une idée – des êtres dont l'existence tout entière constituait la trame d'histoires racontées et embellies par d'autres. Même les bêtes comme les moutons, les vaches et les chevaux, dont la vie quotidienne les amenait jusqu'au pied de la montagne, ne pouvaient prétendre les avoir vues plus d'une fois de leur vivant.

Aussi les légendes s'étaient-elles multipliées autour du couple, disant qu'il était en argent et elle en or, ou que tous deux étaient faits de verre aussi transparent que les fenêtres dans la maison du docteur Noyes. Apercevoir l'empreinte de leurs sabots dans la terre était censé porter chance, et si de l'eau s'y était accumulée, en boire devait en principe garantir une bonne santé. La licorne se nourrissait presque exclusivement de fleurs, ce qui avait donné naissance à d'autres mythes : les lieux où poussaient parterres d'ancolies et touffes d'iris sauvages revêtaient un caractère presque sacré qui n'allait pas sans rappeler celui des sanctuaires. "Laisse-la pour la licorne" était devenu une maxime presque universelle concernant les variétés les plus rares de lys et de mimosa.

Personne ne savait où vivaient ces deux créatures et personne n'avait jamais vu leurs petits, qu'elles avaient pourtant, disait-on, toujours par deux – ni plus ni moins.

Si Mottyl devait évoquer l'image de la licorne sans l'avoir croisée depuis longtemps, elle la comparait volontiers à une petite chèvre, dont elle avait la silhouette et la couleur. Le mâle était blanc et sa dame grise.

Lorsqu'elles atteignirent la souche d'un autre arbre mort, la licorne déclara : "C'est ici que je dois te quitter, je le crains. Ton ami est par là, je ne doute pas que tu puisses le trouver. Mort depuis plus d'un jour…"

La pauvre licorne était si nerveuse qu'elle lâcha l'ancolie et la piétina quand elle voulut la récupérer, gâchant un peu de précieuse sève.

"Parfois, reprit-elle avec un soupir assorti d'un rire étrangement triste, je regrette que nous ne mangions pas les arbres. Ils sont tellement plus nombreux que les fleurs !"

Mottyl s'assit pendant que la licorne ramassait l'ancolie, sachant que si elle la laissait seule maintenant la malheureuse risquait une crise cardiaque due à ses efforts pour rattraper sa trouvaille tout en surveillant les arbres à la recherche d'éventuels ennemis. Dans son esprit, la présence d'un chat, même borgne, avait de quoi décourager les prédateurs supposés, toujours à l'affût.

"Au revoir, Mottyl, mon amie, chuchota-t-elle enfin, l'ancolie entre les dents. J'espère… espérons que nous aurons tous l'occasion de nous revoir bientôt. Bientôt…"

Déjà, elle avait disparu.

Lorsqu'elle entendit bruire les fougères à travers lesquelles la licorne se frayait un passage, Mottyl songea combien il était curieux et désolant qu'un être ayant si peu à craindre vécût dans une peur permanente. Il lui rappelait les moineaux qu'elle regardait l'hiver dans la cour lorsqu'elle avait encore une bonne vue et que le docteur Noyes n'était qu'un simple appendice de son épouse – des moineaux qui, toujours, se nourrissaient en scrutant le ciel d'un œil et le sol de l'autre, et s'agitaient constamment, tête levée, tête baissée, sans jamais connaître le repos, de sorte que chaque repas prenait des allures de cauchemar. Et elle, leur ennemie, incapable de se contenir, sautait contre la vitre. Mais la licorne n'avait pas d'ennemis – du moins, pas à sa connaissance. Partout le couple suscitait le respect. Pourtant, qui sait ? Les moineaux ignoraient-ils que Mottyl se tenait derrière cette vitre ? Sûrement pas. Car ils passaient toute leur vie cernés par des "fenêtres" et un perpétuel rêve de verre brisé.

Mottyl se doutait qu'il devait en être ainsi car elle-même percevait en permanence la silhouette du docteur Noyes la guettant de derrière une fenêtre visible d'elle seule. Donc, la licorne avait sûrement raison : tout comme Mottyl et les moineaux, elle savait où se trouvaient les fenêtres tant redoutées. Et de toute façon, ses voix étaient toujours là pour le lui rappeler.

Oui.

Oh oui.

Aie grande crainte.

Quand la licorne avait laissé entendre que Mottyl saurait où trouver Jappy, elle ne faisait pas allusion à l'odeur de la mort mais plutôt au bruit qui devait la guider jusqu'au petit chien. Dans le bois comme dans les champs, l'odeur de la mort était universelle puisqu'il y avait toujours quelque part une créature décédée en voie de décomposition.

Le bruit de la mort, lui, se distinguait en revanche par son caractère unique. A la fois redoutable et noble, il suscitait pour la victime une sorte de respect dont elle n'avait pas forcément joui de son vivant.

C'était le bruit des mouches.

Certains, disait-on – et Mottyl en avait été témoin –, se voyaient cernés par la couronne de mouches avant même que la mort n'eût achevé son œuvre. Cet événement pouvait prêter à confusion. Si la mort était acceptée en pareilles circonstances, elle n'était cependant pas la bienvenue. La mort n'était jamais la bienvenue. Tout au plus la tolérait-on.

Parfois, lorsque la couronne se formait, l'animal affaibli, peut-être blessé, était incapable de fuir ; parfois aussi, elle se matérialisait si longtemps avant la mort que la victime s'alarmait, perdait la tête, et, déterminée à fuir, s'enfouissait dans la terre où elle suffoquait, voire se jetait dans un étang où elle se noyait car elle n'avait pas la force de se maintenir à la surface.

La couronne de mouches parut particulière-ment poignante à Mottyl, qui en conçut un grand respect pour Jappy. Elle se sentait aussi profondé-ment troublée. C'était ainsi qu'était mort son dernier petit après que le docteur Noyes lui eut enlevé tous les autres. Le chaton, tombé malade à la suite des expériences du docteur, avait pourtant réussi à s'échapper. Terrifié, il s'était lancé à la recherche de sa mère dont il n'avait pas encore oublié l'odeur puisqu'il n'avait que dix semaines.

Mais il ne l'avait pas trouvée.

Elle-même était trop occupée à fuir le docteur Noyes.

Plus tard ce soir-là, elle avait découvert son petit loin de la maison, près d'un vieux mur de pierre.

Le regard fixe, il était couché dans la position du sphinx et complètement masqué par une couronne de mouches si gigantesque que le bruit s'entendait à un champ de distance.

Ce même bruit qui hantait toujours Mottyl et qu'elle entendait maintenant.

La couronne de Jappy lui recouvrait entièrement la tête et les épaules. Mottyl s'assit, comme il convenait, puis examina l'animal dont le corps gisait contre un arbre dans une posture pathétique : il lui tournait le dos, montrant ainsi qu'il avait essayé de grimper – en vain, puisque c'était un chien.

Seule une buse peut déranger une nuée de mouches, mais aucune ne s'était manifestée pour Jappy.

Or les plumes dissimulées sous son corps – et que Mottyl ne pouvait ni voir ni sentir – n'appartenaient pas à une buse. Elles étaient couleur bronze.

Au terme d'un laps de temps décent durant lequel le son inoubliable résonna encore plus fort aux oreilles de Mottyl, celle-ci se leva, et, avec d'infinies précautions, quitta les lieux, laissant la couronne achever son œuvre.

Elle pria néanmoins pour le chien en laissant à proximité de la dépouille ses traces de femelle en chaleur – une façon pour elle de dire : *Moi, Mottyl la chatte, je suis venue ici. Je connaissais cette bête. Je prie pour qu'elle soit livrée aux rapaces.*

Mottyl n'avait guère parcouru plus de quatre ou cinq longueurs au milieu des fourrés lorsqu'elle entendit derrière elle un grand battement d'ailes et le bruit d'un gros oiseau qui se posait dans un arbre.

En se retournant, elle dut plisser les paupières afin de permettre à son œil valide de s'accoutumer à la luminosité du ciel lointain. Sa première pensée fut que sa prière pour la venue d'un rapace avait été entendue – une supposition dont elle crut avoir confirmation quand elle parvint enfin à distinguer une large forme sombre parmi les branches, pratiquement à la verticale de l'endroit où Jappy était appuyé contre le tronc qu'il n'avait pu escalader.

C'était le cormoran.

D'instinct, Mottyl battit en retraite jusqu'au moment où elle prit conscience qu'un cormoran, si gros fût-il, n'était pas un ennemi.

Pourtant, elle restait intriguée par sa venue en ces lieux, et, lentement, elle recula pour essayer de mieux voir l'oiseau mystérieux dont la présence dans le bois semblait coïncider remarquablement avec la sienne.

Elle n'eut cependant de lui qu'un bref aperçu lorsqu'elle fut obligée de s'arrêter pour contourner un hérisson particulièrement énorme qui s'était endormi sur son chemin, et cette vision lui révéla le cormoran en train de déployer ses ailes comme pour les faire sécher après un plongeon dans la rivière. Puis elle le perdit de vue – à jamais, s'avéra-t-il – derrière les frondes des fougères.

Quand elle pénétra de nouveau dans la clairière où Jappy gisait sous sa couronne de mouches, le cormoran avait disparu ; à sa place se dressait sans conteste un ange.

"Pourquoi ne descends-tu pas ? demanda Mottyl.

— Parce que j'ai peur, répondit l'ange. Il y a un chien là-dessous, et j'ai beau savoir qu'il est mort, il me fait peur.

— C'est ridicule.

— De ton point de vue peut-être, mais du mien cet arbre est l'endroit le plus sûr auquel je puisse penser pour le moment, merci, et j'ai l'intention d'y rester.

— J'ignorais que les anges avaient peur des chiens, observa Mottyl. Pour moi, vous êtes censés ne pas connaître la peur.

— «Censés», c'est le mot. Tu ferais bien de t'en souvenir lorsque tu entends parler des habitudes et des faiblesses d'autrui. En vérité, je suis terrifié par les chiens, les loups et les renards, et je n'y peux absolument rien. Il est vraiment mort ?

— Oui.

— Tant mieux."

Néanmoins, l'ange ne bougea pas.

"Tu ne vas pas descendre maintenant que tu le sais mort ?

— Je prie, dit l'ange.

— Dans ce cas, je ne t'interromprai plus.

— Oh, peu importe. Je priais pour qu'il ne ressuscite pas…" De sa grande main palmée, l'ange fit un geste impérieux, et aussitôt la dépouille de Jappy ainsi que les mouches furent réduites à un tas de poussière noire et bourdonnante. Peu après, le bourdonnement cessa, car il n'avait plus aucune raison d'être.

"Alors ?" lança l'ange.

Mottyl s'approcha de son ami pour en inspecter les restes. "Eh bien, il sent…" Elle leva la tête vers l'ange. "… la cendre."

Lorsque l'ange se décida enfin à descendre de l'arbre, il le fit en se laissant flotter jusqu'au sol d'un mouvement gracieux et fluide, si nonchalant, à vrai dire, que durant son bref parcours – un peu plus de trois mètres – il passa tout son temps à inspecter sa robe.

Au moment où il atterrit, Mottyl, qui le voyait pour la première fois de près, découvrit une femme d'environ deux mètres au visage majestueux d'un blanc lunaire et aux cheveux de jais.

Il s'agissait sans nul doute de l'ange décrit par Bip et Ding. Il ne pouvait en être autrement. Pourtant, à la différence de nombreux solitaires, en général soupe au lait, insatisfaits et souvent dangereux, cette créature qui se dressait si haut vers le ciel était souriante, douce et fort belle. Un peu étrange, toutefois. Sa taille était déconcertante, de même que son visage très blanc.

Au même instant, alors que Mottyl achevait d'examiner l'ange, Cham apparut.

Il était hors d'haleine à force d'avoir couru, et, remarqua Mottyl, sous l'effort requis par l'exercice la plaie sur son bras s'était rouverte, formant un croissant rouge humide visible à travers le bandage de lin appliqué par Mme Noyes.

"Oh, pardon, dit-il. Tiens, tu es là, toi. Bonjour, Mottyl."

Au lieu de répondre, l'intéressée s'assit résolument – à la manière des chats – pour attendre la suite des événements. Croyant que Cham n'avait encore jamais rencontré l'ange solitaire, elle fut quelque peu surprise de les entendre s'adresser l'un à l'autre par leur nom.

"Connais-tu ce chat, Cham ?" L'ange fit un geste élaboré avant de fourrer les mains à l'intérieur de ses longues manches.

"Oui, il appartient à ma mère." Cham se tourna vers Mottyl. "J'ai rencontré Lucy hier…"

Lucy.

Cham paraissait excessivement embarrassé, au grand étonnement de Mottyl.

A mon avis, il ne sait pas que c'est un ange.

Pourquoi dis-tu cela ?

Eh bien… il la traite comme un être humain.

De fait, Cham tentait maintenant d'expliquer la présence de cette femme de deux mètres prénommée Lucy, et il manifestait cette même fébrilité que Mottyl avait si souvent remarquée chez Japhet lorsqu'il présentait maladroitement des étrangers à Mme Noyes ; dans ces moments-là, ses explications sonnaient comme des prétextes et ses présentations comme des excuses.

"Je savais qu'il y avait quelqu'un dans le bois, racontait-il. J'ai vu des traces à certains endroits…"

C'était une première tentative de justification.

"J'étais parti chercher Jappy…"

C'en était une seconde.

"Je me suis endormi, vois-tu, et quand je me suis réveillé… cette personne se penchait vers moi en me rafraîchissant avec un éventail en papier…"

Ah oui, bien sûr.

Cham s'exprimait d'un ton monocorde, débitant un discours incompréhensible. Ainsi, une femme de deux mètres se serait comme par hasard promenée dans le bois avec un éventail en papier et aussi, s'avéra-t-il, un parasol en papier. Vêtue d'une longue robe couleur de rose aux manches chauves-souris. Une femme habillée à la mode d'une cour étrangère, dont le visage était couvert d'une étrange poudre blanche et dont le nom était…

Il ignore forcément que c'est un ange.

Lucy. Une femme aux mains immenses et aux doigts…

Palmés.

Oui, en effet. Ils étaient palmés. Car au moment où Lucy avait lancé la boule de feu vers Jappy, Mottyl avait distingué la forme caractéristique des fins doigts osseux à présent dissimulés dans les manches de la robe. Elégants, certes, mais singulièrement longs et reliés par une membrane.

Seuls les anges et les oiseaux aquatiques ont les mains et les pieds palmés.

Mottyl frissonna.

Elle venait de se rappeler le cormoran. Là encore, c'était Lucy.

Soudain, celle-ci se pencha comme pour la gratter derrière les oreilles.

Lui soufflant à la face son haleine d'ange parfumée à la verveine citronnelle, elle lui dit tout doucement : "Pas un mot, entends-tu, le chat ? Pas un mot."

Puis elle se redressa et entreprit aussitôt de fouiller ses poches avant de faire de grands gestes, de sorte qu'au moment de se tourner à nouveau vers Cham elle était telle qu'il avait dû la découvrir : une femme au teint d'albâtre, d'une incroyable beauté, qui lui tendait une main gantée de blanc.

"Et si nous allions tous les trois jusqu'à la lisière de la forêt ?" suggéra-t-elle.

Ce qu'ils firent.

A la hauteur de la clôture, Lucy s'arrêta.

Un peu plus loin, une ombre se dessinait sur l'herbe.

"Qu'est-ce donc ?" demanda-t-elle, une note d'inquiétude dans la voix.

Cham leva les yeux.

"Encore une colombe, répondit-il. Ma pauvre maman en a plus qu'assez.

— Ta mère n'aime pas les pigeons ? s'enquit Lucy.

— Non, ce n'est pas cela. C'est à cause des colombes arrivées ces derniers jours, qui ont apporté des messages de Yahvé…"

Lucy se figea, toute droite, sous le couvert des arbres.

"Des colombes rose ? le pressa-t-elle. Et rouge rubis ?

— Oui. Comment le sais-tu ?

— J'en ai vu une, un jour." Elle semblait plus dure, soudain, plus froide. "Pensez-vous pouvoir continuer seuls ? Je dois bien avouer que je me sens accablée de fatigue. Je crois que je vais me reposer un peu ici. Cela ne vous ennuie pas, j'espère ?"

Il s'avéra que cela ennuyait beaucoup Cham, au contraire. Aussi Mottyl gravit-elle seule la montagne pendant que Cham et Lucy s'asseyaient sous les arbres, protégés par le double ombrage du feuillage et du parasol.

Baissant les yeux, la colombe vit un chat gravir la montagne vers laquelle elle-même se dirigeait. Mais ce chat, lui, avançait très lentement, s'arrêtant d'abord pour bavarder avec une corneille et un peu plus loin avec une marmotte.

Les animaux terrestres avaient-ils réellement si peu de préoccupations en tête qu'ils pouvaient se contenter de flâner dans les champs et de bavarder avec leurs amis ?

Quelle drôle de façon de passer sa vie ! La colombe, elle, n'avait assurément pas le temps de s'accorder des pauses. Son message était le plus important qu'elle eût jamais porté de toute sa

carrière de messagère. Yahvé Lui-même bivoua-
quait à moins de cinq lieues ; Son cortège et Lui
atteindraient cette même montagne dès le lendemain, au coucher du soleil.

Cette fois, rien n'était plus sûr.

Cette fois, Yahvé arrivait.

Mottyl, au pied de la montagne près du bois,
fut la première à entendre le tambour, et, simultanément, le grondement de roues gigantesques. Elle
était occupée à dépecer une souris quand le sol se
mit à vibrer. Au début, elle crut à un tremblement
de terre, mais le rythme était trop régulier et le
grondement trop continu.

Cornella, perchée dans les branches au-dessus
de l'endroit où Mottyl se nourrissait, s'écria soudain : "L'arbre frémit ! Tu le sens ?

— Oui. Envole-toi et va voir de quoi il s'agit."

Le grondement et les roulements de tambour
résonnaient maintenant avec beaucoup plus de
force.

Cornella prit son essor puis s'éleva vers le ciel
à travers les branches les plus hautes.

"Tu vois quelque chose ? Tu vois ce que c'est ?
demanda Mottyl. Le sol tremble, Cornella…"

Celle-ci monta encore plus haut.

"De la poussière ! lança-t-elle. D'immenses colon-
nes de poussière, qui semblent avancer sur la
route…

— Viennent-elles par ici ? D'où arrivent-elles ?

— Du nord… des villes… et oui, elles viennent
par ici.

— Tu ne vois pas ce qui les crée ? De quoi
peut-il s'agir ?

— Quelque chose que je ne connais pas. C'est
difficile à dire… Il y a des chevaux, je crois, avec
des ailes ! Mais il y a tant de poussière…"

"Des chariots et des cages…, poursuivit Cornella. Un grand coche noir, dont les rideaux sont tirés à cause de la poussière… et des cages partout, trop nombreuses pour que je puisse les compter…

— Qu'y a-t-il à l'intérieur ?"

Mottyl se demanda s'il s'agissait d'une chasse aux dragons – si quelqu'un en avait capturé et les ramenait vivants. Cette pensée lui coupa soudain l'appétit et elle repoussa les restes de la souris.

"Est-ce que ce sont des dragons, Cornella ? Dis-le-moi…

— Non, Chat, ce ne sont pas des dragons. Mais j'aperçois la tête d'une créature comme je n'en avais encore jamais rencontrée. Une immense tête dorée, longue, avec des taches, de petites cornes et des oreilles… Et son cou est incroyablement long…" La voix enrouée par l'inquiétude, Cornella se tut.

Brusquement, elle descendit vers son amie, les yeux écarquillés par la peur. "Je crois… je crois…, bredouilla-t-elle, haletante. Quelle que soit cette bête… je crois qu'elle pourrait lever la tête assez haut pour m'attraper dans le ciel… et sa gueule est énorme…

— As-tu vu ses dents ? voulut savoir Mottyl, pour qui la question était de première importance.

— Prendrais-tu le temps de regarder ses dents si cette tête sortait d'une cage pour monter vers toi ? Je ne suis pas idiote, Chat. Oh non…"

Cornella se déplaça sur sa branche afin de se rapprocher du tronc de l'arbre. "Je pense que je vais rester ici un petit moment, le temps de reprendre mon souffle."

Abandonnant la souris à moitié dévorée, Mottyl se tourna vers la lisière du bois. Les roulements de tambour et le grondement des roues, désormais assourdissants, faisaient trembler toutes les feuilles et envoyaient vers le ciel de grandes nuées de moineaux, d'étourneaux et d'hirondelles.

"Ne vous envolez pas ! leur hurla Cornella, cédant soudain à la panique. Non, vous ne devez pas vous envoler ! Ne vous envolez pas !"

Mais il était trop tard. Tous les oiseaux de la forêt tournoyaient à présent dans les airs au-dessus des nuages de poussière étouffants.

"Long Cou va les attraper, murmura Cornella dans son coin. Long Cou va les attraper. Vous allez voir…"

Mottyl la laissa à ses marmonnements pour se diriger vers l'étendue de lumière au-delà des arbres. D'autres sons se mêlaient maintenant aux tambours et aux roues : des voix, des appels, des chants… Yahvé était arrivé.

Sur le sol de la forêt, un gros scarabée vert avait saisi la souris par ses entrailles et l'entraînait sous la mousse. Lorsqu'ils disparurent dans un trou, les yeux éteints du rongeur fixaient le vide, et ses petites pattes pétrifiées, pitoyables, étaient pointées vers le ciel.

Sur le bord de la route, dans les hautes herbes des prés, béliers et brebis rassemblés contre la clôture se mirent à chanter :

> *Gloria in excelsis Deo !*
> *Et in terra pax hominibus*
> *Bonae voluntatis !*

> Gloire à Dieu au plus haut des cieux,
> Et paix sur la terre aux hommes
> De bonne volonté…

Lentement, des tourbillons de poussière soulevés par les battements d'ailes des chevaux, émergea un imposant coche noir. Les rideaux aux fenêtres étaient tirés et l'un d'eux restait déchiré malgré une tentative de rapiéçage. Le cuir recouvrant la caisse de la voiture depuis fort longtemps – cette peau brillante dont Noé avait gardé le souvenir après la toute première visite impromptue de Yahvé, qui cherchait alors des champions sacrés – avait été lacéré par des pierres et souillé par la vase des rivières que l'Eternel et Son entourage avaient traversées. Il était également éclaboussé par des traces d'excréments, d'œufs et de légumes pourris dont la présence plongea Noé dans la plus grande perplexité. Les roues étaient vieilles et tordues, le revêtement de caoutchouc usé jusqu'au cercle métallique et de nombreux rayons manquaient. Le cocher portait un manteau blanchi par la poussière et le sable des tourbillons, et son visage était piqueté par les gravillons des routes. Que durant la dernière partie du voyage il eût réussi à voir quelque chose à travers ses grosses lunettes troubles et fendillées tenait du véritable miracle. Cet homme d'un certain âge – le plus fort de la terre, comme se plaisait à dire Yahvé – se nourrissait d'un bœuf quotidien, qu'il arrosait d'un tonneau de bière. Lorsqu'il se redressa pour tirer les rênes des chevaux, son manteau s'était durci comme du ciment et une pluie de petites pierres tomba de la bordure de son chapeau.

Durant un moment, l'on n'entendit plus que le chuintement et le crépitement de cette avalanche de cailloux, le grincement du vénérable harnais et les ébrouements des chevaux. Enfin, ce fut le silence.

Emma, qui avait osé lever les yeux, vit les valets de pied se laisser glisser de leur coffre à l'arrière du coche et se dresser sur la route tels deux nuages de poudre. Leur visage ressemblait à celui de clowns fardés de blanc, avec des yeux sombres pareils à deux empreintes de pouce et des lèvres fines comme un trait de crayon. Derrière eux émergeaient peu à peu les cages décrites par Cornella à Mottyl – chacune tirée par quatre ou six mules selon sa taille et ornée de dorures rococo en plâtre écaillé. A l'intérieur des formes étaient visibles – vivantes, énormes, avec des dents, une queue et même, pour certaines, apparemment plus d'une tête. Il y avait également des banderoles retombant mollement dans la poussière, dont les inscriptions n'étaient lisibles qu'en partie : LES SEPT JOURS DE LA CRÉA… ET LES GRANDS MYSTÈR… DE LA VIE !

A cet instant, Mottyl s'élança sur la route puis alla se percher sur la première latte de la clôture.

Tous les regards, ouvertement ou secrètement, convergeaient vers l'endroit où Yahvé allait apparaître. Les deux valets s'approchaient maintenant de la portière du coche, et l'un d'eux avait déjà étalé sur la route un tapis élimé, tout déchiré, afin d'éviter à Dieu d'avoir à poser les pieds sur la terre. Emma risqua un coup d'œil en direction du docteur Noyes. Agenouillé sur le sol, il tripotait sa robe et semblait avoir toutes les peines du monde à conserver son équilibre ainsi penché en avant. Il la terrifiait, et pourtant elle éprouva soudain un élan de compassion envers lui, une certaine tendresse inspirée par son grand âge et sa fragilité. C'était également touchant, songea-t-elle, de le voir ainsi prosterné dans la poussière tout comme elle-même se prosternait tous les jours devant lui à l'heure de la prière. Une seule apparition de Yahvé le Seigneur tout-puissant suffit à nous rendre tous égaux, pensa-t-elle.

Enfin, la portière s'ouvrit, révélant d'abord une étrange fleur de lumière brillante dans l'intérieur sombre – une sorte de phosphorescence accompagnée par l'odeur âcre des feux éteints depuis longtemps, semblable à celle qui flotte dans les maisons abandonnées. Il s'écoula une bonne trentaine de secondes avant que Yahvé Lui-même se matérialisât, et encore autant pour qu'Il se familiarisât avec Son environnement. Apparemment, le coche était resté fermé durant de nombreuses heures, et l'Eternel avait dormi, voire rêvé. En tout cas, Il semblait désorienté.

Les valets, chargés de l'aider à descendre, attendaient patiemment.

Yahvé retira de Sa robe une petite boîte en fer-blanc qu'Il ouvrit. Il avait des mains moins grandes que ne l'avait imaginé Emma, même si l'arthrite y était manifestement pour beaucoup à en juger par Ses phalanges énormes et Ses doigts recroquevillés de façon peu naturelle. Il prit un objet dans la boîte, le plaça contre Ses lèvres et le fit disparaître dans Sa bouche. *Dieu suce des pastilles !* songea Emma, stupéfaite. *Exactement comme le docteur Noyes !*

Une fois la boîte rangée dans Sa poche, Yahvé tendit l'une après l'autre vers les valets Ses mains abîmées, déformées. La lumière du jour éclairait Sa robe, noire avec des revers bleu foncé et une doublure rouge visible par l'ouverture des manches. Sa barbe lui descendait jusqu'à la taille, blanche mais parsemée de traînées jaunes, de parcelles de nourriture et de nœuds. Ses yeux, étrécis pour Le protéger de la clarté aveuglante, étaient rouges et larmoyants – manifestement irrités. Une grande moustache tombante prenait naissance le long de Sa lèvre supérieure, signalant l'emplacement de Sa bouche, elle-même indistincte. Son nez aquilin d'une extrême finesse saillait au milieu de Ses yeux très écartés sous un front haut – des traits qui, associés à la forme générale de Sa tête, lui conféraient une beauté presque incroyable malgré Son âge.

Le Seigneur Dieu Yahvé, qui s'apprêtait à poser un pied dans le vide, avait largement sept cents ans de plus que Son ami le docteur Noyes prosterné devant Lui. L'âge ainsi obtenu dépassait l'entendement d'Emma. Pour Mottyl, il n'avait tout simplement aucun sens. D'après ce qu'elle en voyait, Son Créateur n'était qu'un sac d'os et de poils ; à l'odeur, elle Le devinait également humain.

Lorsque Yahvé descendit, soutenu par ses valets jusqu'à ce que Ses orteils eussent trouvé le tapis, brebis et béliers recommencèrent à chanter.

> *Domine Deus,*
> *Rex caelestis,*
> *Deus Pater,*
> *Pater omnipotens,*
> *Gloria !*

> Seigneur Dieu,
> Roi du ciel,
> Dieu le Père tout-puissant,
> Gloire à toi !

Sur le dernier mot, comme à un signal, Yahvé chuta.

Ou du moins parut chuter, puisque Son menton rencontra le sol.

Tous se redressèrent dans l'intention de Lui porter assistance, pour retomber presque aussitôt à genoux, car Yahvé n'avait pas chuté mais s'était laissé porter par Ses Anges afin de pouvoir embrasser la terre.

Noé, se croyant obligé de suivre Son exemple, se pencha à son tour pour baiser la poussière. Elle avait le goût aigrelet de la pierre.

Lorsque Yahvé se releva – ou fut relevé –, la terre avait laissé sa marque sur Son menton et Sa moustache. Sans plus se soucier des moutons, Mme Noyes accourut et, après avoir saisi le coin de son tablier, cracha sur le tissu et se prépara à nettoyer le visage de Dieu comme celui de ses enfants autrefois.

Yahvé recula, inquiet, alors que les valets s'interposaient pour empêcher Mme Noyes de L'approcher. Entre-temps, le cocher s'était placé juste devant son maître, faisant barrage à tous les autres. "Personne ne touchera un cheveu de Sa tête !" s'écria-t-il.

Noé attira Mme Noyes derrière lui, légèrement à sa gauche, où était sa place attitrée.

"J'implore le pardon de mon Seigneur, dit-il. Cette idiote ici présente, ma femme, manque tellement de manières qu'elle ne pouvait savoir ce qu'elle faisait. Quel que soit le châtiment prononcé par mon Seigneur, je ne serai que trop heureux de l'administrer deux fois. Si Tu décides de la priver d'une main pour avoir osé ne serait-ce que la tendre dans Ta direction, je lui trancherai moi-même les deux. Si Tu décides de l'aveugler, mon Seigneur, pour avoir osé ne serait-ce que regarder Ton visage..."

Mais Yahvé l'interrompit d'un geste. "Elle a été humiliée, déclara-t-il. C'est suffisant."

Mme Noyes esquissa calmement une petite révérence en se mordillant la joue pour ne pas sourire. Elle était sûre que le docteur Noyes ne lui trancherait jamais les mains, auquel cas elle ne lui serait plus d'aucune utilité. Néanmoins, durant quelques instants, ses poignets l'élancèrent. Discrètement, elle les frotta sous ses manches.

Noé s'écarta d'un pas pour désigner ses fils et leurs épouses. (Inexplicablement, à son grand dam, Cham était absent.) Les présentations furent solennelles et presque silencieuses. Sem, qui n'avait jamais été porté sur les grands discours, se borna à hocher la tête en murmurant : "Mon Seigneur…" Japhet essaya de dissimuler son visage et ses mains en s'inclinant très bas, et la pauvre Emma si émotive faillit se retrouver assise par terre lorsqu'elle tenta une révérence.

Des marques de déférence semblables, Yahvé en recevait partout où Il allait. Il semblait y être habitué – et peut-être même était-Il habitué à bien pis : bébés brandis sous Son nez, femmes se pâmant à Ses pieds, hommes éclatant en sanglots… Il n'était cependant pas habitué à ce qui suivit.

Lorsque Hannah s'avança, elle se contenta de s'incliner au lieu de faire une véritable révérence. Yahvé en fut moins fâché qu'intrigué : elle avait manifestement agi ainsi à dessein, plutôt que par négligence ou par stupidité, et Il se demanda ce qui allait se produire ensuite. Quelques secondes plus tard, elle retira de derrière son dos un magnifique chapeau de paille tressée, à large bord, orné de liens violets et de rubans bleus, qu'elle Lui offrit.

"Mon Seigneur, en prévision de Ton séjour parmi nous, j'ai pris la liberté de Te tresser ce chapeau, que je Te prie d'accepter comme protection contre les caprices du temps…"

Elle s'exprimait de façon si claire et avec une telle absence d'appréhension que Yahvé en fut sincèrement impressionné. Il prit le chapeau, dont Il alla même jusqu'à se coiffer. Il autorisa néanmoins l'un de Ses valets à nouer les liens sous Son menton, ce qui demanda un certain temps car le menton en question n'était pas facile à trouver au milieu d'une barbe de plusieurs siècles. Enfin, le couvre-chef fut en place, et alors seulement Hannah plongea vers le sol pour effectuer une révérence si élégante et gracieuse que même Noé laissa échapper une exclamation approbatrice.

Et ce n'était pas fini.

Quand Hannah voulut se relever, Yahvé lui tendit la main pour l'aider. Surprise, elle rougit.

Il était temps à présent d'entrer dans le jardin pour rejoindre le pavillon. Sans assistance cette fois, Yahvé s'écarta du tapis afin de s'engager sur la route en direction des portes. Quand Il passa devant la clôture qui empêchait le pré de déborder sur la voie, tous les moutons entonnèrent d'eux-mêmes un chant.

> *Domine Deus,*
> *Kyrie eleison.*
> *Rex caelestis,*
> *Kyrie eleison.*
> *Deus Pater,*
> *Kyrie eleison…*

Yahvé agita la main mais ne leur accorda pas un regard. En cet instant, l'indulgence ne comptait pas parmi Ses préoccupations.

Au niveau des portes, Il s'arrêta pour attendre Noé. Ou du moins en donna-t-Il l'impression. Car à leur grande consternation, lorsque le docteur Noyes et sa famille parvinrent à Sa hauteur, ils Le découvrirent en pleurs.

"Serais-Tu souffrant, mon Seigneur ?" demanda Noé.

Comme Yahvé cherchait en vain Son mouchoir, Hannah lui tendit aussitôt un carré de lin d'une blancheur immaculée avec lequel Il se moucha et s'essuya les joues. Mais les larmes coulaient toujours.

"Nous ne sommes pas malade, répondit-Il. Non, Nous ne sommes pas malade. C'est juste qu'après la tension causée par toutes ces semaines de voyage interminable à travers les horreurs des villes découvrir ainsi ce… *ce jardin*…" Il tourna la tête pour le parcourir du regard, déclenchant du même coup un nouvel afflux de larmes qui trempèrent Sa barbe et rendirent inutile le carré de lin d'Hannah.

Noé jeta un coup d'œil à sa femme, qui haussa les épaules.

De toute évidence, le Seigneur Dieu Yahvé faisait une dépression devant les portes, pendant que les moutons chantaient Ses louanges et que les loups hurlaient pour ne pas être en reste.

"Ton jardin est si beau…, répéta Yahvé, quêtant le réconfort d'une main amie et trouvant celle d'Hannah toute prête à Le soutenir. Si beau… Oh, ma chère, lui dit-Il. Ma chère, si tu savais quel voyage Nous avons fait ! Quelles scènes abominables Nous avons vues et quelles épreuves Nous avons endurées…" Il reporta Son attention sur Noé. "Sept fois Nous avons été assassiné. Oui, sept fois tué… et tu connais aussi bien que Nous, mon vieil ami, les méthodes éreintantes que Nous devons employer pour Nous ressusciter…"

Noé marqua son approbation d'un signe. "J'ai beau ne pas posséder l'habileté de mon Seigneur, je suis tout à fait conscient du soin avec lequel Il doit se préparer en prévision de tels événements. Ressusciter les morts – surtout quand il s'agit de nous – compte parmi les procédures les plus épuisantes du Livre. Et sept fois, tu dis ?

— En effet, répondit Yahvé avec un soupir. Mort sept fois, et Nous ne te parlons pas des blessures. Nous n'aurions pu les compter tant elles furent nombreuses. Ici, ici, là et encore là…" De Ses doigts osseux, il indiqua Son sein, Ses bras, Sa cuisse, Sa gorge. "Et as-tu vu Notre voiture ? Epées et haches, pierres et brandons, légumes, fruits, œufs et…" Il s'interrompit le temps de chercher un terme acceptable et finit par murmurer : "… ordures…"

Noé remua la tête. Il ignorait comment réagir autrement à ce terme. Ordures.

"Nous sommes maintenant un objet de dérision pour tous, mon cher et vieil ami, reprit Yahvé. Raillé et méprisé dans les rues. *Attaqué*. Nous ne saurions te dire… Non, nous ne saurions te dire…"

De nouveau, Il contempla le jardin. "Mais ce… ce havre ! Quelle joie d'être accueilli en ce lieu ! Allons-y, maintenant."

Noé guida son hôte vers le pavillon bleu, où des coupes de glace rafraîchissaient l'air à l'intérieur des cloisons de toile. Sem et Japhet demeurèrent dans la cour afin d'organiser la distribution d'eau et de nourriture à toutes les bêtes en cage, ainsi qu'aux mules, aux chevaux et aux chiens, pendant que Mme Noyes et Emma regagnaient la cuisine.

La main d'Hannah reposait toujours sur le bras de Dieu, où Il semblait désireux qu'elle restât.

Lorsque Yahvé et Son cortège se furent retirés dans le pavillon en invoquant la lassitude, l'abattement et l'épuisement, la chaleur du jour monta du sol tel un mur de feu ; alors une sorte de léthargie s'empara de tout et de tous. Noé demeura dans le pavillon, assis près de son vieil Ami triste et fatigué, pendant que celui-ci sombrait dans un sommeil agité. L'odeur de la poussière, des pastilles et des toiles d'araignée persistait sur Sa personne même si les soins prodigués par Hannah – le lavage des mains et des pieds dans de l'eau de rose, suivi par l'application apaisante d'une huile d'amande douce de sa fabrication – l'avait atténuée. (Plus tard, après le réveil de Yahvé, Hannah répandrait sur Sa couche un pot pourri mêlant pétales de rose, feuilles de laurier, poudre de girofle et menthe. Ainsi, à la nuit tombée, les remugles de moisi seraient dissipés.)

L'archange Michel, assis dans un coin en compagnie de deux de ses subalternes, polissait son plastron et ses jambières. Tous trois parlaient à voix basse pour ne pas troubler le repos du Seigneur. Ces anges guerriers se caractérisaient par un singulier degré de vigilance et de méfiance. Après tout, une telle prudence ne pouvait être justifiée ici, dans le havre du pavillon de Noé... Et pourtant, si on leur avait posé la question, ils auraient certainement répondu : "Nous faisons notre travail, rien de plus. Lorsque vous partez du principe que la sécurité n'existe nulle part, vous vous engagez sur une route à sens unique."

Ces anges-là, au beau visage blanc toujours empreint de gravité sous leurs cheveux d'or, étaient les seuls dont les yeux ne se fixaient jamais et dont les mains étaient perpétuellement en activité ; de leurs longs doigts palmés, ils étaient toujours occupés à polir, à dépoussiérer et à huiler armure et armes tout en chuchotant au sujet de la "populace", de la "décadence", de l'"irrespect" et du "mal".

Avant de se retirer dans sa cuisine avec Emma, Mme Noyes avait bien noté que l'entourage de Yahvé, que ce fût dans la lumière bleutée à l'intérieur du pavillon ou dehors, au-delà des cloisons de toile, ne comptait pas un seul ange féminin, pas une seule présence féminine hormis la sienne et celle d'Emma. Et d'Hannah, bien sûr. Tout le monde savait que Yahvé n'avait jamais pris femme ; les rumeurs ne lui avaient jamais non plus prêté aucune maîtresse. Il semblait heureux et suprêmement à l'aise au milieu de tous Ses acolytes et anges masculins. Pourquoi pas, après tout ? Ces êtres avaient été spécialement entraînés pour pourvoir à tous Ses besoins, "leur force était un bouclier" (comme disait le proverbe) et leur douceur était celle des poneys et des poulains. Avec leurs longs cheveux blonds tirés en arrière et attachés par des rubans violets, leurs robes ou leurs tuniques blanches austères, couvertes de poussière, ils déroutaient Mme Noyes ; elle n'aurait su dire s'il s'agissait des créatures les plus agréables qu'elle eût jamais vues ou au contraire des plus implacables. En attendant, il n'y avait parmi eux ni femmes ni anges féminins. Ce constat la perturbait, elle devait bien l'admettre, ne serait-ce qu'en raison de l'absence d'une rivale pour Hannah au sein de pareille cour. Déjà, l'aînée de ses belles-filles semblait déterminée à exploiter au mieux la situation.

Lorsque Yahvé avait placé la main d'Hannah sur Son bras, ce geste avait fait à Mme Noyes l'effet d'une gifle en plein visage, et elle souffrait d'avoir été ainsi déchue de ses privilèges. Il ne lui restait plus qu'à retourner dans ses éternelles cuisines, devant ses éternels fourneaux, auprès d'une Emma éternellement gémissante. Et de son gin.

Enfin, telles deux silhouettes flottant au milieu de la brume, Cham et Lucy apparurent dans l'air tremblant de chaleur.

Durant trois jours, ils s'étaient promenés entre le bois et la maison, le potager et les champs en pleines moissons, la cédraie au-dessus des latrines et la glacière creusée dans le flanc de la montagne en dessous de la bambouseraie. "A peine arrivés et déjà repartis…", comme le répétait sans cesse Mme Noyes. "Juste au moment où j'ai le plus besoin de toi, tu décides de tomber amoureux ! avait-elle dit à Cham. D'une *étrangère*, qui plus est !"

Autrefois, c'était toujours Japhet qui s'intéressait aux étrangers. Aujourd'hui, c'était au tour de Cham.

Pourtant, avec cette merveilleuse absence de logique caractéristique des mères partout et de tous temps, Mme Noyes se réjouissait également que son fils fût enfin "revenu de sa longue retraite loin de l'humanité". Le gentil garçon exalté que sa passion pour la science avait conduit à explorer chaque fosse et chaque cime d'arbre, que son goût pour l'observation des étoiles avait poussé à s'attarder dans la cédraie même au plus fort de l'hiver, et que son amour pour les animaux avait amené à se mutiler avait enfin rencontré une autre personne : une vraie femme de chair et de sang (quoiqu'un peu étrange). Plus âgée, bien sûr, mais que sont quelques années d'écart pour les amoureux ? Les journaliers de Sem auraient un jour de congé, et même si leurs commérages se répandaient de l'autre côté de la rivière, où vivait la famille d'Emma – quelle importance ? Quelle importance ? Cela comptait-il le moins du monde ?

Eh bien, oui. Les parents d'Emma étaient gentils, aimables et droits.

Et en même temps, non. Cham pouvait bien courtiser qui il voulait, cela ne les regardait en rien.

Le cœur de Mme Noyes balançait entre ce "oui" et ce "non" jusqu'à trois fois par heure. Car Lucy telle qu'elle se la représentait lui semblait un bien meilleur parti que la véritable prétendante. Quand elle jouait avec l'imagination de Mme Noyes, Lucy était élégante, douce et féminine. Accommodante. En adoration devant Cham, dont elle respectait dûment les parents. Mais lorsqu'elle apparaissait dans toute la gloire de ses deux mètres, debout sur la pelouse ou assise sur la clôture jambes écartées en observant d'un œil méfiant les loups de Japhet… Comment une mère aurait-elle pu ne pas s'inquiéter ?

"Je l'ai rencontrée dans le bois, maman."

Franchement, était-ce convenable ?

"Je crois que je l'aime."

Alors qu'il ne la connaissait même pas !

"Je crois qu'elle m'aime."

Hum…

"Nous voulons nous marier."

Au bout de trois jours seulement ! (Etait-il possible qu'elle fût déjà enceinte ?)

"Tu devrais peut-être parler à papa."

Peut-être devrait-elle parler à papa ! Maman la Briseuse de glace ! Quand les enfants s'attirent des ennuis, c'est toujours : "Maman ? Tu peux parler à papa ?"

Seul Sem n'avait jamais usé de ce stratagème. (Mais bon, quel genre d'ennuis peut bien s'attirer un Bœuf ?)

En l'occurrence, elle l'avait fait : elle avait "parlé à papa".

Et bien sûr, la réponse avait été *Non*. Assortie d'une accusation selon laquelle tout était sa faute.

"Si tu n'avais pas autant dorloté ce garçon, il serait suffisamment mûr pour reconnaître une putain quand il en voit une", avait affirmé Noé.

Quelle horrible chose à dire ! Lucy, une fille à colporteurs ? Une putain ? Une courtisane ? Non.

Et pourtant…

Comment expliquer les fards ? Les habits ? L'apparition soudaine ? Et ces yeux…

Mottyl était seule sous la véranda lorsqu'elle vit Cham et Lucy. Le Seigneur Dieu Yahvé et le docteur Noyes dormaient toujours. Mme Noyes, craignant d'abandonner ses salades au cas où elles se dessécheraient en son absence, somnolait à la cuisine, le pichet de gin dissimulé dans son tablier. Emma elle aussi sommeillait, les bras plongés dans un bac d'eau savonneuse.

Cham apparut le premier, marchant tel un rêveur heureux, bavardant à bâtons rompus comme un vrai moulin à paroles.

Lucy le suivait, riant aux éclats, dominant de toute sa hauteur les frissons de chaleur dans l'air près du sol. Cham ne semblait pas savoir qu'elle flottait derrière lui, et lorsqu'il se retourna elle se tenait debout sur la pelouse, suffisamment près de Mottyl pour permettre à celle-ci de l'examiner de son œil valide. La chatte remarqua le parasol immobile au-dessus d'elle, la longue robe rose aux manches chauves-souris qui brillèrent au soleil lorsque Lucy pivota avant de se laisser tomber sur l'herbe dans un nouvel éclat de rire…

"J'ai compté dans la caravane de Yahvé quinze animaux que je n'avais encore jamais vus. Quinze animaux à répertorier, dit Cham.

— Je les ai tous reconnus, déclara Lucy. Sans exception. C'est vrai, tu n'avais encore jamais vu de léopard ?"

Elle fit signe à Cham de venir s'asseoir à côté d'elle, et lorsqu'il s'exécuta Mottyl ne le distingua plus.

Intriguée, elle grimpa sur la balustrade de la véranda. Cham était maintenant couché dans l'herbe près de Lucy toujours assise sous le parasol flottant au-dessus d'eux. (*Flottant*, exactement comme la plume d'Hannah… Ou Lucy le tenait-elle ? *Si seulement j'avais de meilleurs yeux !*)

Ainsi, devant elle se tenaient Cham, que Mottyl aimait beaucoup, et l'ange effrayé par les chiens au point de les tuer. Mottyl aurait dû se réjouir de leur bonheur. Elle se sentait attirée par Lucy ; après tout, quiconque avait peur des chiens méritait sa sympathie. De plus, Lucy était aimable, voire sincèrement gentille – à la différence d'Hannah, par exemple. Il y avait cependant quelque chose d'étrange, de dérangeant chez elle : c'était un ange mais elle refusait de l'admettre, dissimulait la vérité à Cham. Or, si elle mentait à ce sujet, pouvait-on supposer qu'elle avait d'autres secrets à cacher ? Des secrets terribles, peut-être, concernant la raison de sa présence en ces lieux, et ce précisément *maintenant*, au moment de la visite de Yahvé.

Japhet, qui avait accompli ses devoirs d'hôte en donnant à boire et à manger aux animaux de la caravane, puis en montrant aux acolytes de Yahvé le chemin jusqu'à la rivière et aux cochers les pâturages où mener tous les chevaux ailés, flânait désormais sur la montagne en direction du pavillon.

Mais ce n'était pas une flânerie sans but.

Toutes ses pensées se concentraient sur l'archange Michel, une incarnation de la gloire bien différente de toutes celles dont il avait pu rêver jusque-là. La haute stature de l'ange, sa force, sa chevelure dorée et son armure offraient les images de virilité les plus éblouissantes que Japhet eût jamais vues.

Une seule fois il avait croisé quelqu'un qui avait produit sur lui un effet approchant, mais en cette occasion Japhet avait découvert une virilité sombre, et non lumineuse – terrifiante, et non glorieuse.

Cette rencontre s'était déroulée sur la route vers les villes le jour où, après avoir été attaqué, il avait bien failli être transformé en soupe. Ses assaillants – une bande de ruffians et de brigands – étaient menés par un colosse dont la corpulence n'avait cependant rien d'exceptionnel et qui détenait sur sa troupe un pouvoir d'autant plus impressionnant.

Cet homme s'était campé devant Japhet, les coudes écartés, les poings serrés et les pouces logés dans une large ceinture cloutée. Ses jambes nues étaient énormes et son torse semblait vouloir jaillir de sa tunique ouverte comme une créature douée d'une vie propre. Il avait de tout petits yeux noirs et une tignasse bouclée d'où émergeaient des oreilles semblables à des tranches de bacon trop cuites, ratatinées et noircies sur les bords, comme si elles pourrissaient. Ses dents d'une blancheur étonnante étaient usées presque jusqu'aux gencives et paraissaient minuscules.

Ses gueux portaient tous des habits volés, crasseux et mal seyants, dont certains étaient empruntés à des uniformes : manteaux rouges, vestes bleues et pantalons ornés de galons dorés. A l'aide de cordes, ils tiraient un chariot à deux roues chargé d'immenses marmites en fonte et de trépieds, ainsi que d'un vaste assortiment de richesses sans doute dérobées en ville : candélabres en argent, soupières en porcelaine, vases en cristal et gobelets en or – tous enveloppés dans de grands pans de tapisseries déchirées représentant le meurtre d'Abel par Caïn –, coupons de velvet et de satin déclinant une bonne vingtaine de couleurs. Mais les brigands eux-mêmes avaient de longs cheveux filasse, des ongles noirs et des genoux sales. Certains, avait constaté Japhet avec effroi, étaient des femmes.

Au cours de toutes ses expéditions avec ses loups et de toutes ses parties de chasse au cochon sauvage en compagnie de ses amis du Club du Dragon, jamais Japhet n'avait rencontré d'êtres dont l'existence tout entière était vouée à la violence. Jamais il n'avait vu d'hommes ou de femmes pareils à ceux qui l'observaient du chariot immobilisé brusquement en travers de son chemin. Ni senti une haleine semblable à celle qui lui était soufflée au visage par ces mégères au sourire lubrique, ou une sueur semblable à celle de leurs compagnons ricanants. Jamais non plus il n'avait eu aussi peur d'un autre humain que de leur chef. Japhet avait l'habitude des étrangers, pourtant. Mais aucun ne l'avait touché avec une détermination aussi glaçante que celle du roi ruffian, dont il sentait les doigts semblables à de grosses antennes se promener sur son visage et son cou comme s'ils étaient animés par la même indépendance farouche que le torse prêt à jaillir hors de la chemise.

Il faisait si beau ce jour-là sur la route ! Or Japhet voulait juste voir jusqu'où il pouvait s'aventurer en direction des villes avant la tombée de la nuit. Poussé par la curiosité – cette curiosité dangereuse et innocente propre aux jeunes –, il brûlait de découvrir ce qu'étaient au juste les rites de Baal, et comment un martinet à plumes pourrait l'aider dans ses offensives jusque-là vaines contre la vertu d'Emma. Qu'était donc ce "baiser à deux langues", par exemple, dont ses amis parlaient d'un air entendu ? N'y aurait-il pas quelque aimable étranger capable de lui expliquer l'utilité de ce baiser et d'une caresse dite "à doigts de singe" dans ses tentatives pour fléchir l'apparente résolution de sa femme à toujours le repousser ? Ce n'étaient pas là des questions que l'on pouvait poser à un père comme Noé ni à un frère comme Sem. Et Cham

était aussi innocent que le nouveau-né prover-
bial. Quant aux compagnons de chasse de Japhet, ils ne lui épargneraient ni leurs rires ni
leurs sarcasmes s'ils venaient à apprendre qu'il
était totalement ignorant dans ce domaine, et
puceau, par-dessus le marché. Non, il n'y avait
aucun secours à attendre d'eux. De Noé, il
n'avait eu droit qu'à : "Obéis aux forces de la
nature et ne fais rien de pervers !" Or Japhet ne
savait même pas ce que signifiait "pervers". De
Sem, il n'avait guère obtenu mieux : "Tu t'allon-
ges dessus et elle dessous." Et de ses amis :
"N'entre pas trop vite, sinon tu risques de manquer le meilleur."

Entrer trop vite ?

Mais *où* ?

Personne ne l'aiderait. Il lui faudrait s'adresser à
des étrangers.

Lorsque le chariot s'était mis en travers de la
piste, Japhet avait senti son estomac se nouer.
Il connaissait cette manœuvre pratiquée par les
chasseurs ; elle n'était pas différente de celle des
loups coupant la route à un chevreuil.

"Bonjour, avait-il lancé. Belle journée, n'est-ce
pas ?"

Japhet employait toujours la même formule
avec tous ceux qu'il croisait. Y compris avec
les démons. Mais il avait compris, en voyant les
regards terribles autour de lui, que cette fois ce
n'était pas la chose à dire.

"Ah ouais ? avait raillé le roi ruffian. Qu'est-ce
que tu lui trouves de si beau ?

— Eh bien…, avait commencé Japhet, penaud.

— Je vais te dire, moi, ce qui est beau, l'avait
interrompu le roi ruffian. Notre rencontre avec
toi. Ça, c'est beau."

Il souriait en même temps qu'il prononçait ces mots, exposant toutes ses dents minuscules, et brusquement il avait tendu la main pour promener ses doigts sur les joues de Japhet.

Il y avait longtemps de cela, le roi ruffian et ses brigands décharnés désespéraient de trouver même la nourriture la plus simple pour se restaurer. Hors-la-loi pour toutes les raisons possibles et imaginables – en particulier la lèpre, le crime et la dépravation –, ils s'étaient rassemblés en bande afin d'assurer leur survie. Au début, ils attaquaient les voyageurs juste pour les délester de leur argent, mais ils s'étaient vite aperçus qu'ils ne pouvaient pas le dépenser : aucun marchand ne les voulait dans sa boutique et la police du marché les chassait chaque fois qu'ils entraient en ville. Alors ils avaient fini par lancer l'offensive contre des fermes, emportant poulets, grain et agneaux. L'hiver avait cependant mis un terme à ces expéditions. Dans la neige, il leur était impossible d'approcher des habitations sans se faire repérer, et la nuit, granges et parcs à moutons étaient cernés par des chiens, des loups et même parfois des ours. Mais si ces hommes étaient devenus célèbres pour leur violence, leur notoriété avait également failli causer leur perte. Des milices s'étaient formées pour les empêcher d'entrer dans les villes et les villages. Des groupes de cavaliers les poursuivaient partout où ils apparaissaient. Ils n'avaient même plus la possibilité de voler le blé encore sur pied car, de plus en plus souvent, les fermiers montaient la garde.

C'était inévitable.

L'un des leurs s'était rebellé.

Et avait été tué.

Puis mangé.

C'était ainsi que la coutume avait été initiée, et bientôt l'on avait découvert une nouvelle utilité aux étrangers rencontrés sur la route.

Japhet se trouvait à présent tout près du pavillon mais les images qui lui emplissaient l'esprit étaient si troublantes qu'il ne put poursuivre son chemin. Aussi demeura-t-il immobile sur la montagne, attendant que le fil de ces événements abominables continuât de se dérouler dans sa tête. Il en était arrivé à cette partie de l'histoire qui ressemblait le plus à un cauchemar et le moins à la réalité. Il n'en avait jamais parlé à personne même si, une fois, il était parti marcher dans le bois pour tout raconter aux rochers et aux arbres. Mettre des mots sur ses souvenirs et les formuler à voix haute lui avait au moins donné le sentiment qu'il existait des termes pour décrire ce qu'il avait subi : ainsi, il était possible qu'un homme fût "mis à mariner" ; de même, un corps humain pouvait se découper en "côtelettes", "steaks" ou "filets" ; et des mots tels que "foie", "cœur" ou "rognon" avaient parfois une connotation humaine. Tout comme la notion de déchets, suggérée par "abats" et "carcasse", ou encore par l'expression "nettoyer les os", pouvait s'appliquer à l'humanité, et par conséquent à Japhet Noyes.

S'il avait commencé par chuchoter, il avait fini par hurler. Ensuite, n'ayant plus la force d'articuler, il avait poussé des cris jusqu'à ce que tous les oiseaux se fussent envolés et que tous les animaux se fussent cachés – même les dragons, qui s'étaient enfouis dans leurs bauges. Enfin, par une sorte de processus cathartique, ou peut-être parce qu'il avait épuisé tout le vocabulaire susceptible de raconter son histoire, Japhet s'était calmé.

Pourtant, même après avoir opéré la réconciliation nécessaire entre l'horreur qui dépassait l'imagination et l'horreur qu'il avait connue, il ne pouvait toujours pas affronter l'événement central de son épreuve sans avoir la nausée. Jusqu'à présent, chaque fois qu'il avait revécu ces moments, il avait dû se retirer en quelque lieu privé pour rendre son dîner, pleurer et se couvrir les yeux dans l'espoir que, lorsqu'il ôterait ses mains, sa peau aurait perdu sa teinte bleue et le monde serait redevenu tel qu'il était auparavant, plein de merveilles éblouissantes et d'étrangers affables – le monde qu'il avait aimé enfant et qu'il croyait appelé à durer éternellement.

Mais cette promesse d'éternité avait volé en éclats sur la route menant à Baal et à Mammon.

A présent, immobile sur la montagne dans sa quête de l'archange Michel, Japhet s'apprêtait à aborder cette partie de l'histoire qui en général le privait de forces et lui donnait mal au cœur ; aussi s'assit-il, la tête entre les genoux – un homme bleu pleurant dans l'ombre bleue du pavillon où l'archange Michel affûtait ses couteaux et où Yahvé dormait.

Un feu avait été allumé près de la route, dans un champ pierreux où Japhet avait été traîné et déshabillé. Pendant ce temps, les femmes installaient au-dessus des flammes des trépieds auxquels elles accrochaient leurs marmites. L'une de ces marmites, avait constaté Japhet, était déjà à moitié remplie d'une épaisse substance laiteuse rappelant la soupe de maïs préparée par sa mère.

L'odeur en revanche ne ressemblait à rien de ce qu'il connaissait.

Elle était alléchante en diable, délicieusement évocatrice d'un potage au poulet qu'il affectionnait. Ou d'un bouillon de veau...

Nu à la lueur du feu (la nuit tombait, désormais), Japhet s'était laissé bercer un instant par l'idée folle que tout irait bien. Du moment qu'ils s'occupaient de leur cuisine, les ruffians ne lui prêteraient aucune attention – exception faite de celui qui, couché par terre près de lui, fredonnait d'une voix de fausset en même temps qu'il lui serrait la cheville d'une poigne d'acier.

Son soulagement s'était vite dissipé lorsqu'il avait vu le roi ruffian approcher. De toute évidence, il ne venait pas l'inviter aimablement à se joindre à eux pour le souper.

Derrière le roi ruffian marchaient deux femmes qui portaient un long baquet plat assez semblable à un abreuvoir, mais muni d'un couvercle. D'autres femmes suivaient, les bras chargés de grandes jarres rondes d'huile et de vin.

Parvenu à la hauteur de Japhet, le roi ruffian avait claqué des doigts ; aussitôt le teneur de cheville s'était levé. Quand les femmes avaient posé sur le sol le baquet-abreuvoir, trois ou quatre ruffians avaient surgi de l'obscurité. L'un d'eux avait ôté le couvercle, d'autres avaient saisi Japhet par les bras.

"Qu'allez-vous faire ? avait-il demandé. Je vous en prie, dites-moi ce que vous allez faire.

— Tu vois ce baquet ? avait dit le roi ruffian.

— Oui, bien sûr.

— Tu vas prendre un petit bain, voilà. Un bon petit bain chaud dans l'huile et le vin..."

Japhet s'était senti soulevé puis emporté vers le baquet. Incapable de résister et, plus étonné que terrifié, il avait laissé les ruffians l'étendre tel un cadavre dans la boîte, où ils lui avaient lié à la fois les chevilles et les poignets avant de placer sous sa tête une grosse pierre gênante.

"C'est juste pour que tu ne te noies pas", avait dit l'un des hommes qui, très pragmatique, s'activait comme une mère sur le point de baigner son enfant.

Lorsqu'elles l'avaient vu allongé de tout son long et réduit à l'impuissance dans le baquet, les femmes qui avaient apporté les jarres d'huile et de vin avaient entrepris de les verser sur le corps de Japhet jusqu'au moment où il s'était retrouvé à flotter au milieu du mélange. L'huile était rance et le vin bleuâtre si piquant qu'il s'apparentait presque à du vinaigre. Les vapeurs d'alcool brûlaient les yeux de Japhet, ses parties, ses aisselles, ses lèvres et aussi ses narines quand il essayait de respirer.

Ensuite, avant même qu'il n'eût pris pleinement conscience de ce qui passait, les deux hommes qui l'avaient plongé dans le baquet avaient posé le couvercle au-dessus de lui. Clang. Japhet s'était mis à hurler, sachant cependant qu'on ne l'entendrait pas.

Peu à peu, alors que sa vision s'éclaircissait et que ses yeux s'accoutumaient à l'obscurité dans le baquet, Japhet s'était rendu compte que le couvercle était percé de centaines de trous minuscules, pas plus grands que ceux d'une aiguille, à travers lesquels il pouvait non seulement respirer mais aussi apercevoir les contours vacillants du feu proche.

Les voix de ses ravisseurs et bourreaux lui parvenaient faiblement ; de plus en plus ivres, ils chantaient en attendant qu'il eût assez mariné. Parfois, l'un d'eux s'approchait du baquet pour crier : "On en a attrapé un bien mûr, cette fois" ou "Plus on le laisse tremper, plus il sera tendre !".

L'une des femmes, qui semblait être cuisinière en chef, venait de temps en temps soulever le couvercle au-dessus de Japhet et jeter une poignée d'herbes aromatiques, une gousse d'ail ou encore une dizaine de gros oignons. A un certain moment, elle l'avait soulevé si haut que Japhet avait distingué son visage ; de son côté, elle l'avait regardé droit dans les yeux en se fendant d'un sourire mauvais. Ensuite, elle lui avait versé sur la tête un pichet de liquide terriblement chaud et gluant en disant : "Voilà qui devrait faire friser tes jolis cheveux !"

Là-dessus, clang !

Le couvercle était redescendu.

Lentement, malgré lui, Japhet avait sombré dans une sorte d'engourdissement provoqué autant par l'épuisement dû à la terreur que par le manque d'air. Endormi ou somnolent, il avait rêvé de la rivière, de cascades et d'étangs aussi profonds qu'apaisants.

A son réveil, il avait entendu le grondement du tonnerre et le fracas de la pluie qui martelait le couvercle.

Au début, il ne lui était pas venu à l'esprit que l'averse pouvait le mettre en péril ; sa seule pensée avait été : *La pluie va éteindre les feux.*

Pour la première fois depuis qu'il avait été capturé, Japhet avait senti renaître l'espoir. *Ils ne vont pas me dévorer tout cru*, avait-il songé. *S'ils avaient dû le faire, ils l'auraient déjà fait...*

A cet instant seulement, il s'était aperçu qu'il flottait beaucoup plus près du couvercle, au point que son nez le touchait. L'eau s'infiltrant à travers les trous minuscules remplissait le baquet et il allait se noyer !

Pourquoi ne venait-on pas le secourir ?

Assurément, après s'être donné tant de mal – toutes ces heures de marinade, les herbes, le vin, l'ail –, ils n'allaient pas le laisser "se gâcher" là-dedans !

"Au secours !" avait-il crié. Mais aussitôt l'affreux mélange lui avait envahi la bouche et il s'était rendu compte qu'il était près de suffoquer. Seul son nez demeurait au-dessus du liquide.

Le tonnerre était maintenant si proche qu'il résonnait juste après chaque éclair, si bien que Japhet avait été saisi d'une peur nouvelle : celle de bouillir vif, même sans les feux des ruffians, si la foudre venait à frapper le baquet.

Il avait vu le phénomène se produire un jour, pendant un orage, quand une boule de feu avait cuit tous les poissons placés dans une marmite en fonte restée dehors.

La panique qui le galvanisait lui avait rendu les moyens de réfléchir. Chaque poussée d'adréna-line faisait naître une nouvelle pensée qui venait s'ajouter à la précédente, formant peu à peu une image claire de ce qu'il devait faire.

Il allait se balancer d'un côté à l'autre pour tenter de déplacer le couvercle. Peut-être même réussirait-il à incliner le baquet lui-même jusqu'à ce qu'il les déversât sur le sol, la marinade et lui.

En tout cas, il pouvait toujours essayer.

Ses premières tentatives avaient bien failli lui être fatales car, à chaque oscillation, le liquide âcre lui recouvrait le visage et s'insinuait dans son nez.

Très vite, il avait pensé à retenir son souffle avant d'imprimer un mouvement au baquet et de se jeter violemment d'une paroi à l'autre.

Au début, rien ne s'était passé. Mais par la suite il avait appris à se servir du poids de la marinade en plus du sien, et à se balancer plus lentement, de sorte que le liquide avait le temps de s'accumuler du côté où il avait fait rouler son corps.

Il avait fini par triompher, même si sa victoire avait manqué le tuer. Après s'être incliné le plus possible sur le flanc, piégeant ainsi son visage sous la marinade, Japhet allait se noyer quand le baquet s'était renversé, l'expédiant sur la terre détrempée par la pluie.

Il lui avait fallu trois ou quatre longues minutes pour rassembler ses esprits, durant lesquelles il avait dû lutter de toutes ses forces pour s'extirper de sous le baquet. Le couvercle gisait en dessous de lui et ses bords pointus lui blessaient les tibias, les côtes et les épaules. Les efforts qu'il avait déployés pour se libérer tenaient d'un véritable supplice.

Enfin, il était parvenu à s'agenouiller, les chevilles toujours entravées derrière lui et les poignets devant. Mais au moins il pouvait respirer et voir.

Le champ était désert et, comme il s'y attendait, tous les feux avaient été éteints par la pluie. Le chariot des ruffians était abandonné, si bien que Japhet s'était cru seul. Après avoir longuement scruté les ténèbres, il avait cependant aperçu ses ravisseurs accroupis en cercle plus loin sous les arbres.

Ils paraissaient s'abriter de l'orage même si, de toute évidence, ils étaient également engagés dans une activité indéterminée. Leur concentration était totale, au point qu'ils semblaient avoir complètement oublié leur prisonnier.

Mettant à profit les angles pointus du couvercle, Japhet avait réussi à couper les cordes qui lui liaient les poignets puis à défaire les nœuds qui retenaient ses chevilles.

Nu, coloré en bleu par son séjour dans le vin (sur le moment, toutefois, il n'avait pas pensé que la nuance de sa peau serait permanente), Japhet avait rampé vers le chariot pour se dissimuler dans son ombre. A aucun moment il n'avait quitté des yeux les ruffians regroupés sous les arbres. Ils étaient manifestement de plus en plus absorbés par leur occupation et il s'était demandé ce qu'ils pouvaient bien faire.

Lorsque, enfin, il avait compris qu'on l'avait oublié et qu'il était libre, Japhet avait jeté un dernier regard aux hommes accroupis, tous...

... en train de manger.

De manger.

Japhet avait longé la bordure du champ puis pénétré dans le bois au-dessus des ripailleurs. Ils buvaient aussi, vidant les jarres de vin qui avaient servi à préparer la marinade, et, la bouche pleine, gloussaient et caquetaient comme des poules.

Il n'avait pas osé s'approcher à plus de dix ou douze mètres, de peur de perdre la protection offerte par le couvert. Mais c'était suffisant pour lui permettre de voir les ruffians et d'entendre les mots qui ponctuaient leurs grognements et autres bruits de déglutition pendant que leurs doigts fourrageaient dans l'amas devant eux, en arrachaient un bout puis le pressaient entre leurs lèvres.

Leurs mentons, leurs bouches, leurs mains et leurs genoux nus étaient couverts d'une horrible graisse, et lorsque Japhet avait découvert ce qu'ils mangeaient, il s'était enfui à toutes jambes.

Il avait toutefois eu le temps de distinguer les mots "foudre", "grillée" et "pauvre vieille fille"...

Il avait également reconnu celle qui leur servait de repas.

C'était la cuisinière en chef, celle qui l'avait regardé droit dans les yeux en souriant quand elle avait soulevé le couvercle pour la dernière fois afin de *faire friser ses jolis cheveux*.

Au moment où Japhet s'élançait, le roi ruffian s'était penché en avant, se tassant sur lui-même au point d'évoquer un nain, et il avait saisi les mains de la morte pour sucer la chair sur ses doigts.

Ce fut cette dernière image qui donna à Japhet, assis près du pavillon de toile, le courage de se lever pour se mettre en quête du seul être qu'il savait capable de le sauver à jamais de tous les étrangers et de tous les périls.

En guise de salut, l'archange Michel plaça sa magnifique main dorée sur l'épaule bleue du garçon et lui dit : "Que puis-je faire pour toi, jeune homme ?"

Et Japhet de répondre : "Je veux devenir un guerrier. Comme toi."

Reposé et repu, Yahvé, installé dans un grand fauteuil au fond du pavillon, flattait Ses chats.

Le fauteuil, placé sur une estrade, était arrivé avec lui dans la caravane. Jamais Noé n'aurait pu posséder un objet aussi majestueux. Le dossier s'ornait de sculptures de béliers et de taureaux, les accoudoirs représentaient des veaux et des agneaux ; le siège lui-même était recouvert de peaux de mouton sur lesquelles la robe blanche de Yahvé, tachée de tomates en gelée et parsemée de poils de chat, s'étalait jusqu'au sol. D'autres peaux de mouton étaient disposées sous Ses pieds, et plusieurs oreillers et coussins soutenaient Son dos et maintenaient Ses coudes à l'écart de Ses flancs sensibles. Yahvé avait tant de mal à respirer qu'Il devait parfois battre des bras, les utilisant comme un soufflet pour faire entrer l'air dans Ses poumons.

Les chats de Yahvé, tous deux extrêmement vieux, se nommaient Abraham et Sarah. Abraham était gris argent et Sarah, blanche aux yeux bleus. Ils vivaient avec Yahvé depuis si longtemps que personne n'aurait pu calculer leur âge. Sarah était indolente et semblait toujours sommeiller, même si ses yeux s'ouvraient de temps en temps pour se fixer d'une façon intimidante, voire glaçante, sur quiconque se trouvait alors dans son champ de vision. Plus d'un suppliant s'était surpris à bégayer lorsque Sarah l'avait regardé, puis s'en était allé les mains vides parce qu'il n'avait pu énoncer sa requête sous le feu bleuté des prunelles de Sarah.

Pour sa part, Abraham n'était pas tant indolent que gâté à outrance. Il avait l'habitude d'être nourri de la main même de Yahvé, et poussait parfois l'audace jusqu'à se servir directement dans l'assiette de son Maître sans que ce dernier parût le remarquer. Une patte gris argent apparaissait soudain au bord de la table et saisissait une aile de poulet ou un morceau de pain beurré pour l'attirer sur les genoux divins. Lorsque Yahvé découvrait des miettes dans les plis de Sa robe, il Lui arrivait de les avaler machinalement.

Abraham était également très porté sur la chose, aussi le Seigneur devait-Il prendre garde à ne pas le caresser trop près de la naissance de la queue. S'Il s'y risquait, Il se voyait infliger une morsure semblable à celles échangées par les amants et qui, à moins d'être un chat, peut se révéler très douloureuse.

Les tables avaient été débarrassées, et il ne restait plus devant les convives présents au dîner de Yahvé que des gobelets remplis de glace et d'infusion à la camomille – que tous détestaient à part l'Eternel.

Les anges et les mortels occupaient deux tables séparées, les premiers à la droite de Yahvé et les seconds à Sa gauche.

L'attention de Yahvé se concentrait toujours sur Hannah, ce que personne n'avait manqué de remarquer, surtout pas Mme Noyes, dont la place était la plus éloignée du Seigneur. Elle avait pris la précaution d'additionner de gin sa camomille, et son esprit jouait malgré elle avec l'image exaspérante d'Hannah assise en bout de table, les cheveux brillants et tressés de frais, le bustier de sa robe orné de fleurs.

Décidément, certains ont bien de la chance – et dans ce domaine les jeunes remportent toujours la palme, songeait Mme Noyes, dont les yeux étrécis brûlaient d'un feu aussi ardent que ceux de Sarah. Sa Majesté pense sûrement que je pourrais offrir une apparence semblable si j'en avais le temps ! Si je n'avais pas passé les trois derniers jours dans ma cuisine pendant que la Reine du verger tressait des guirlandes au soleil…

Noé, assis au plus près de Yahvé, avait le regard légèrement embrumé à la seule idée que son vieil Ami fût là, juste à côté de lui, et qu'après tant d'années de séparation ils eussent rompu le pain ensemble et entrechoqué leurs gobelets de… (après tout, c'était la boisson préférée de Yahvé)… camomille. Et ce, à la table de Noé Noyes. Dans le pavillon de Noé Noyes sur la montagne de Noé Noyes. C'était à la fois étonnant et merveilleux. Un vrai miracle.

Transporté par ses pensées, le docteur Noyes alla jusqu'à se tourner vers Hannah, à qui il allait demander "d'écrire ceci dans le livre" lorsqu'il recouvra ses esprits.

Yahvé parlait.

"La compagnie des véritables amis est pareille à la compagnie des saints…"

L'archange Michel murmura : "Bien dit !" et tapa sur le bord de son gobelet avec son canif en or.

Japhet regarda le Commandant Suprême de Tous les Anges puis murmura à son tour : "Bien dit !" mais il n'avait que son couteau de chasse pour frapper son gobelet. Lorsqu'il s'essaya à la manœuvre, le récipient se renversa sous la poussée du manche en plomb et toute la camomille dégoulina sur ses genoux. Il écarta les jambes pour laisser tomber la glace sur le sol, où elle fondit à ses pieds.

Yahvé dit : "Nous n'avons pas d'ami plus fidèle sur cette terre que Noé Noyes et Nous le remercions pour son hospitalité…"

Noé hocha la tête et agita la main comme pour minimiser le compliment.

"… et Nous le remercions pour son amitié…"

Nouveau hochement de tête ; nouveau geste de la main.

"… Nous le remercions pour sa loyauté…"

De même.

"… Nous le remercions pour son amour."

Cette fois, Noé se leva et porta les doigts à son front puis à ses lèvres en l'honneur de son Invité.

"Bien dit", répéta l'archange Michel.

Sarah riva son regard sur Noé, qui se rassit.

"*L'amour*, reprit Yahvé qui, en faisant passer Sa pastille d'une joue à l'autre, faillit l'avaler, est le plus beau cadeau que l'on puisse offrir.

— Bien dit.

— En vérité, sa rareté le place loin au-dessus de la grandeur dans le royaume du sublime. C'est, si Nous pouvons Nous permettre cette image, la gloire de la Création.

— Bien dit !

— Bien dit !"

Un chœur d'approbations salua ces paroles, chacun mêlant sa voix aux acclamations et tapant sur son gobelet – certains avec les bagues à leurs doigts, d'autres avec les armes dans leur main.

"*L'amour*…, poursuivit Yahvé, le regard embrasé par le feu de la passion, est le seul véritable lien…

— Bien dit…

— Entre Dieu et Ses anges…

— Bien dit…

— Dieu et l'homme…

— Bien dit…

— Le roi et son sujet…

— Bien dit…

— Le seigneur et son vassal…

— Bien dit…

— Le maître et l'esclave…

— Bien dit…"

Yahvé marqua une brève pause, comme s'Il voulait compter sur Ses doigts pour s'assurer qu'Il avait bel et bien énuméré toutes les formes d'amour, et au même moment résonna une toux particulièrement peu discrète – celle de Mme Noyes assise en bout de table.

Le regard de Sarah se déplaça en conséquence.

"Mais hélas…, continua Yahvé, dont la Voix se réduisit à un chuchotement dramatique, Nous sommes au regret de vous apprendre que Nous avons récemment assisté à une telle pénurie d'amour que la seule conclusion à tirer est la suivante : il n'y a plus d'amour sur cette terre, hormis celui dont Nous bénéficions ici et maintenant, ce soir, dans ce pavillon."

Tout le monde se pencha en avant.

La main de Yahvé reposait désormais sur le cou d'Abraham.

"Lors de ces récents voyages, Nous avons sillonné la terre de bout en bout, et Nous vous disons aujourd'hui : *Voyez, le vaste monde est pris de folie...*" Les yeux de Yahvé se posèrent sur les visages devant Lui. "Pierres et flèches, œufs et détritus... Ainsi que Nous vous l'avons rapporté, Nous avons non seulement subi les injures, les crachats et les moqueries, mais Nous avons aussi été attaqué par le feu et l'épée. Notre voiture et Nos chevaux ont été assiégés dans les rues et Nous avons été renversés. Nos anges ont été blessés en se portant à Notre secours, et malgré leurs efforts Nous avons été frappé en personne par l'épée de l'assassin non pas une mais sept fois..."

A ce stade, Yahvé s'interrompit encore le temps de rassembler Ses pensées et d'essayer de maîtriser Ses émotions. Lors de cette tentative, Son attention se fixa de nouveau sur Hannah, à qui Il adressa la suite de Son discours.

"Lorsque Nous contemplons le visage radieux de cette femme, Nous rougissons à l'idée de ce que le reste de l'humanité est devenu. Ses yeux et son attitude Nous montrent clairement tous les desseins à l'œuvre dans la Création : la pureté du cœur et de l'intention ; la dévotion et la soumission à une gloire plus grande..." Son débit ralentit. "Etc. Des êtres comme elle hélas, et bien que ce constat Nous brise le cœur, il n'y en a qu'un sur des milliers – peut-être un sur des dizaines de milliers, voire un sur l'ensemble de l'humanité..."

Même Noé fut légèrement désarçonné par la formule "un sur l'ensemble de l'humanité", mais il tempéra sa réaction en avalant une gorgée de l'affreuse tisane, puis il s'adossa à son siège pour écouter ce que son Ami avait encore à ajouter.

"Aujourd'hui, poursuivit Yahvé, dont le regard allait maintenant de l'un à l'autre dans l'assistance, tout ce que Nous voyons à la surface de cette terre, telle qu'elle a été marquée par l'homme, c'est l'orgueil !" Yahvé était tellement emporté par Son discours que les mots jaillissaient de Sa bouche accompagnés d'un flot de salive et qu'Il dut se servir d'une serviette pour s'essuyer la barbe et le menton. "Partout Nous avons sous les yeux l'orgueil et la lubricité ; l'envie et la colère ; la convoitise ; la gourmandise et la paresse ! Partout Nous assistons aux effets fatals de la méchanceté, de la dépravation et de l'horreur sous toutes leurs formes ! Partout Nous sommes assaillis par un déferlement de malveillance, de vices et de honte qui défie toute description !"

Les membres de l'assemblée, qui entre-temps s'étaient légèrement relâchés, se penchèrent de nouveau en avant, doigts entremêlés et poings serrés sous l'effet de la tension du moment. Toutes les bouches étaient ouvertes, toutes les lèvres mouillées par les flux de l'indignation et de la stupeur.

"Hommes, femmes, enfants, tous sont sujets à la corruption. Personne n'a été épargné et personne n'a fait preuve de clémence. Les puits de la cruauté ont débordé et se sont répandus dans les rues des villes, de sorte que Nous devons soulever Notre robe pour éviter la contamination. Les mains des pécheurs se tendent pour Nous toucher et Nous traîner dans la boue. Leurs voix Nous appellent de toutes parts. Jamais, même dans Nos moments d'égarement les plus débridés, Nous n'aurions pu imaginer perversions aussi monstrueuses que celles dont Nous sommes témoin à chaque instant…"

Les passions de Yahvé étaient apparemment si violentes sous le calme apparent de Ses robes qu'Abraham fut délogé de sa place sur les genoux divins ; brusquement, il sauta sur le sol et s'y coucha, fouettant l'air de sa queue tant il était agité, scrutant le pavillon à la recherche d'une issue.

"Cela signifie-t-il que la Grande Expérience touche à sa fin ? demanda Yahvé. Que Nos propositions ont été rejetées ?"

Un concert de "Non ! Non !" et de "Jamais !" accueillit ces questions.

Yahvé dit : "Vos encouragements arrivent trop tard, Mes amis. Vous, et vous seuls, avez écouté Nos paroles avec sollicitude. Ailleurs – *partout* ailleurs –, Notre voix a été noyée sous les railleries, et Nous avons été chassé par des gestes d'une brutalité et d'une grossièreté qui dépassent l'entendement. Toute la journée Nous avons entendu des cris comme «Rentre chez toi !», «Va-t'en», «Laisse-nous tranquilles» !»."

Il pleurait.

"Aussi sommes-Nous venu vers vous. Aussi Nous sommes-Nous joint à Vous. Aussi implorons-Nous votre…"

… *clémence*…

Le mot parut résonner à l'intérieur du pavillon, faisant tressaillir d'horreur ceux qui croyaient l'avoir entendu.

C'était *à eux* d'implorer *Sa* clémence.

"Arrête ! s'écria Noé. Ne le dis pas, mon Seigneur. Nous refusons de l'entendre. Dis-nous seulement ce que Tu attends de nous. Ne parle pas de notre clémence mais montre-nous la Tienne."

Cette fois, Yahvé sourit.

Lui, et Lui seul, était conscient que le mot n'avait pas été prononcé. Lui, et Lui seul, était conscient de ce qu'Il était réellement sur le point de dire : "Aussi implorons-Nous votre hospitalité." Ce qu'Il voulait – tout ce qu'Il voulait –, c'était un havre où se reposer le temps de recouvrer des forces. Or, à l'évidence, c'était plus qu'un havre qu'on lui avait offert.

Abraham se glissa sous la toile du pavillon puis avala une grande goulée d'air nocturne. Au-dessus de lui, la lune flottait sur le dos au milieu d'un océan d'étoiles si nombreuses que le ciel n'avait presque plus de place pour se montrer, et il percevait l'odeur riche des arbres et de l'herbe terrestres, des herbes aromatiques, des fleurs des champs et de la poussière. D'un côté lui parvenait la senteur chaude, presque séductrice, des granges, avec leurs promesses de souris, de poussins et d'oisons ; d'un autre, celle des anges, des mortels, de Yahvé et des reliefs du repas tout juste achevé. Quelque part – pas très loin mais pas assez près non plus pour qu'il pût en déterminer précisément l'emplacement –, se trouvait une étendue d'eau, et au-delà des moutons en train de paître. Abraham distinguait le son de leurs cloches de l'autre côté de l'étang et l'odeur de l'herbe qu'ils broutaient.

Il s'assit et se lécha les pattes, un acte qui incitait à la rigueur quand l'esprit avait été inondé par un trop-plein d'informations. La terrible colère de Yahvé avait émis de telles vibrations qu'Abraham se sentait toujours parcouru de picotements et de sursauts des plus désagréables : le ciel comptait trop d'étoiles ; les parcelles de nourriture tombées de la main de Son Seigneur et Maître, et qu'il avait réussi à attraper, étaient pour la plupart des légumes qui ne lui avaient apporté aucune satisfaction ; les arbres lui étaient inconnus et leur odeur le submergeait ; les cloches des moutons l'irritaient et… n'était-ce pas une femelle en chaleur ?

Abraham cessa brusquement de se lécher les pattes.

Les narines frémissantes, il huma l'air.

Cette odeur-là n'avait rien d'inconnu. Elle était universelle.

Où était cette femelle ?

Ah oui…

Juste là.

Mottyl, couchée au bord de la véranda, espérait que Mme Noyes allait bientôt revenir. Ses chaleurs entraient dans leur dernière phase, et elle ne souffrait plus que d'une succession de tressaillements et de spasmes qui, peu à peu, diminuaient d'intensité. Il y avait même eu certains moments, au cours des deux dernières heures, où son corps lui avait semblé presque normal, lui laissant la possibilité de réfléchir au miracle d'avoir enduré cette période sans rencontrer de mâle. Ses voix se réduisaient désormais à un murmure plaisant, et, la tête dressée en position de somnolence, elle envisageait une longue et agréable sieste dans le fauteuil, sur le siège profondément affaissé aux ressorts grinçants.

Un chat dont l'odeur n'était que vaguement familière sans être pour autant menaçante marchait dans la cour. Un vieux chat… peut-être un mâle… ou peut-être pas… un chat mince, aristocratique, dont le ventre formait un creux amusant en son milieu, conférant un aspect un peu ridicule à sa silhouette par ailleurs soignée.

Des commentaires ?

Non, pas vraiment… si ce n'est qu'il s'agit incontestablement d'un mâle.

D'accord, mais très, très vieux. Et tout desséché.

Un mâle reste un mâle. Méfie-toi.

Il m'a l'air trop âgé pour s'intéresser encore à la chose. De plus, j'en suis presque à la fin. Je ne vois vraiment aucune raison pour qu'il ne vienne pas s'asseoir dans la cour…

Tu es folle, tu sais.

"Bonsoir.
— Bonsoir.
— Il y a une véranda par là, où tu peux te reposer si tu en as envie.
— C'est fort aimable de ta part, ma chère. Merci beaucoup…
— De rien. Je me réjouis d'avoir un peu de compagnie."

Espèce d'idiote.

L'archange Michel fut le premier à remarquer l'absence d'Abraham. Plutôt que d'interrompre les festivités, il quitta discrètement sa place pour se mettre à la recherche du disparu. Si Yahvé perdait Ses chats, Il serait inconsolable.

Au bout d'un certain temps, l'ange guerrier finit par retrouver Abraham et réussit à le convaincre de descendre du toit sur lequel un chat mortel l'avait attiré. Le vieux mâle avait le poil légèrement ébouriffé mais il semblait satisfait et content de lui. Avant que cet épisode ne survînt et ne connût un dénouement heureux, Michel devait cependant faire une autre découverte qui, elle, ne le réjouit pas.

Alors qu'il marchait dans la poussière de la cour, une saleté se logea entre ses doigts de pieds. Il n'y prêta tout d'abord aucune attention ; c'était de toute évidence quelque chose d'insignifiant qui ne tarderait pas à se dégager. Mais comme la sensation de gêne s'accentuait à mesure que la chose en question se déplaçait vers la peau entre ses orteils, où elle risquait de devenir une importante source d'irritation, Michel fut obligé de l'ôter.

Il s'agissait d'une plume de grande taille.

Machinalement, Michel la porta à ses narines comme un homme le ferait avec une fleur tout juste cueillie.

Durant un moment, Abraham fut complètement oublié et Michel se précipita vers les lumières de la maison proche. Puis, levant sa trouvaille pour l'exposer à la lueur des lanternes, il la tourna et la retourna, en proie à une inquiétude et à une colère grandissantes.

"Ah ! s'écria-t-il lorsque ses soupçons quant à l'origine de la plume eurent été confirmés. Voilà donc où il se cache."

C'était maintenant le moment des divertissements nocturnes, aussi les tables furent-elles repoussées. Emma, partie chercher l'hydromel dans le garde-manger frais, revint en titubant sous le poids des grandes jarres de pierre dans lesquelles la boisson avait été mise à fermenter. Un nouveau service de gobelets fut apporté, et les anges inférieurs, assistés des acolytes, débarrassèrent Emma de son chargement puis circulèrent de groupe en groupe pour servir l'épais liquide doré qui emplissait l'air de sa riche senteur miellée. Tout en léchant leurs doigts palmés, les anges distribuaient à la ronde – à leurs semblables comme aux mortels – des sourires ambigus.

Les chandelles nichées dans les lanternes de verre brillant furent redistribuées ; ainsi, leurs lueurs éclairèrent les recoins demeurés obscurs pendant le dîner et créèrent des ombres là où régnait auparavant la lumière.

Mme Noyes fut priée d'amener ses moutons et Yahvé invita d'un signe Hannah à venir s'asseoir sur l'estrade à Ses pieds.

Pendant que les moutons étaient rassemblés et les agneaux encouragés à se montrer moins turbulents, Noé, qui misait sur ces réjouissances pour sortir son vieil Ami de Sa dépression, débuta le spectacle, comme la plupart des magiciens, par deux ou trois tours assez simples et spectaculaires – ceux avec des colombes et des canards, qui suscitent toujours des vagues de murmures ravis mais sont en réalité les plus faciles à réaliser.

Après avoir enfilé sa robe d'un bleu foncé presque noir, disposé ses tables de magicien le plus près possible de Yahvé puis s'être coiffé de son grand chapeau pointu comme pour se placer sous de favorables auspices, il commença.

Pour son premier tour, il exécuta le numéro des *Trois colombes*, suivi par celui des *Six colombes* et enchaîna rapidement sur la succession de tableaux enchanteurs connue sous le nom de *Six colombes puis cinq colombes et l'oie*, durant laquelle un intrus – un jars – apparaît d'abord sur un bras du magicien et ensuite sur l'autre, avant d'émerger de sous le grand chapeau au moment précis où il semble que six colombes ont été réunies.

Ce divertissement déclenche toujours des rires et un sentiment d'impatience joyeuse à la perspective des plaisirs à venir ; de fait, cette nuit-là dans le pavillon bleu, *Six colombes puis cinq colombes et l'oie* remporta un joli petit succès. Les anges ravis applaudirent. Les acolytes, tels des enfants, poussèrent des cris de joie, et même Japhet esquissa un sourire. Yahvé en revanche demeura prostré. Ses lèvres firent une courageuse tentative pour formuler un compliment mais aucun son ne s'en échappa.

Alors Noé essaya de nouveau.

Cette fois, il joua avec le feu – littéralement –, allumant des flammes dans l'air puis les éteignant au cœur d'un immense ballon translucide (qu'il avait également fait apparaître) avant de les raviver à l'extérieur.

Rien.

Yahvé était si abattu que même *La Corde d'Endor* ne parvint pas à lui arracher un sourire – contrairement au reste des spectateurs.

Noé en venait à désespérer, même s'il se savait en possession d'autres tours éblouissants dans sa manche et hors du pavillon de toile. Aucun cependant ne produirait l'effet escompté si Yahvé ne se laissait pas convaincre dans la première partie du programme de participer à l'émerveillement général.

Au moment où leur Hôte semblait au plus fort de Sa détresse spirituelle, Mme Noyes reparut – à peine titubante – avec ses moutons, qui se mirent à chanter :

> *Nous rassemblerons-nous au bord de la rivière,*
> *Où les anges ont laissé leurs pas de lumière,*
> *Et dont à jamais les flots scintillants*
> *Coulent près du trône de Dieu tout-puissant...*

Toujours rien.

A vrai dire, un léger signe laissa même supposer que Dieu trouvait déplaisants ces chants ovins. Il plissa le nez comme s'Il allait éternuer.

Hannah lui tendit une serviette.

L'envie d'éternuer passa.

S'il avait remarqué la réaction de son Ami, Noé était cependant incapable d'interrompre les moutons car, une fois lancés, ceux-ci ne s'arrêtaient qu'en reconnaissant la fin d'un chant. Qu'ils étaient donc stupides ! Gagné par la panique, Noé s'approcha de l'estrade alors même que les chœurs se poursuivaient.

De toute évidence, une attaque frontale s'imposait pour tenter de vaincre la dépression de Yahvé, aussi disposa-t-il devant les genoux divins l'une de ses plus petites tables de magicien.

Hannah se déplaça sur la marche qu'elle occupait.

La chanson continuait.

Avant d'atteindre la rivière brillante,
Nous déposerons toutes nos charges si pesantes,
La grâce délivrera notre esprit
Et nous donnera couronne et habit...

Noé apporta une grande bouteille du verre le plus pur.

Il retira ensuite de sa poche une grosse pièce de cuivre usée puis aligna les deux objets sur la table.

Oui, nous nous rassemblerons au bord de la rivière,
La belle, si belle rivière...

Noé attira l'attention de Yahvé d'abord sur la pièce de monnaie – *comme ceci* – qu'il plaça sur la table, puis sur la bouteille – *comme cela* – qu'il posa par-dessus.

"Mon Seigneur voit-Il toujours clairement la pièce à travers cette bouteille ?"

Yahvé inclina la tête. Oui.

"Alors, mon Seigneur va pouvoir assister à l'effet proprement remarquable et magique du liquide

138

que je compte verser lentement dans le goulot. Puis-je demander à mon Seigneur de se concentrer sur la pièce ? Que Sa Majesté garde les yeux fixés sur elle, et seulement sur elle..."

Noé tendit ensuite la main derrière lui et ramena une cruche en argent contenant une eau pure, naturelle, dont il remplit la bouteille comme il l'avait annoncé.

Bientôt nous atteindrons la rivière d'argent,
Bientôt notre pèlerinage cessera...

Un hoquet de stupeur échappa à Yahvé.

Bientôt dans nos cœurs heureux vibrera
De la mélodie de la paix le doux chant.

Il se pencha en avant pour mieux voir ce qu'Il ne pouvait plus voir.

La pièce avait disparu.

"Encore ! s'exclama-t-Il. Fais-le encore !"

C'était le succès, enfin.

Oui, nous nous rassemblerons au bord de la rivière,
La belle, si belle rivière ;
Nous rejoindrons les saints au bord de la rivière d'argent,
Qui coule près du trône de Dieu tout-puissant.

Noé exécuta le tour à trois reprises tant Yahvé semblait intrigué.

"Par le seul ajout de l'eau..., dit-Il.

— Oui, mon Seigneur. Oui..."

Et Noé de répéter la manœuvre une dernière fois.

"C'est comme un miracle..." faillit chuchoter l'Eternel alors que le liquide passait du bec de la cruche dans le goulot de la grande bouteille, coulant le long des parois, emplissant le récipient et, de fait, effaçant l'image de la pièce toujours à sa place sous le fond. "Par le seul ajout de l'eau, répéta Dieu, la chose *disparaît*..."

Nous rejoindrons les saints au bord de la rivière d'ar-
gent,
Qui coule près du trône de Dieu tout-puissant.

Plus tard, lorsque les moutons furent partis et Mme Noyes – plus éméchée que jamais – retournée à sa place dans le pavillon, Noé fit relever les grands pans bleus de la tente. Il procéda ensuite à un tel déploiement de ses talents de magicien, comme point d'orgue aux divertissements, que même son épouse fut extrêmement impressionnée par les prodiges et la splendeur de ce que son mari pouvait créer s'il le décidait.

Car ce qu'il montra – en plein air, sous le ciel au-dessus du pavillon – n'était rien moins que *Le Masque de la Création*, commençant par une brusque rafale de vent qui éteignit les chandelles, de sorte que tous s'écrièrent à l'unisson : "Oh !"

Ensuite, les contours d'une haute silhouette se dessinèrent dans une sorte de phosphorescence, se déplaçant de côté comme si elle nageait. C'était l'esprit de Dieu qui évoluait sur l'eau.

Et lorsque Dieu créa la lumière, l'explosion de poudre chinoise fut si grandiose – pas une simple luminescence mais un flamboiement progressif, de plus en plus intense jusqu'à sa gloire finale –, qu'elle arracha aux spectateurs des exclamations d'enthousiasme ainsi que des applaudissements palmés, de même que des martèlements de pieds approbateurs.

Le ciel et la terre étaient des bannières de velours et de satin. Arbres, herbe et plantes grimpantes faits de toile peinte surgirent, se couvrirent de fleurs, et, après la floraison, des fruits apparurent : prunes et cerises de verre, poires et pêches de cuivre, raisins en sucre et baies givrées…

Puis ce fut au tour des planètes, de la lune et du soleil de se matérialiser. Certains astres rivalisaient de splendeur avec leur modèle dans le ciel, mais peu importait : chaque nouvelle vision suscitait un soupir de plaisir dans l'assistance et chaque ascension vers le firmament, un juste cri d'appréciation.

Des oiseaux de toile s'envolèrent dans les airs et tournoyèrent autour des arbres peints avant de disparaître en direction d'un ruban chatoyant qui décrivait un arc dans le ciel. Des cerfs en bois furent pourchassés sur la terre veloutée par des ours mécaniques et des dragons balourds. (Les dragons, comme tous les méchants, furent salués par des rires et des bouh ! moqueurs). Brusquement, une immense baleine de papier bleu émergea de la mer – une image si populaire qu'elle obligea le spectacle à s'interrompre.

Les acolytes en particulier demandèrent à la revoir, et alors qu'on la leur montrait pour la troisième ou quatrième fois, les fées venues du bois se manifestèrent soudain, peut-être attirées par les lumières, et tout le monde sauf Mme Noyes prit leur scintillement pour un effet de la lanterne magique, de sorte qu'elle seule les reconnut.

Enfin arriva le moment pour l'homme de paraître, et cette fois ce fut au tour de Mme Noyes de ne pas en croire tout à fait ses yeux : lorsque Cham émergea du caisson placé dans l'obscurité par Noé, il était peint de la tête aux pieds d'une affreuse couleur rose et affublé d'une énorme feuille de figuier en carton qui lui descendait presque jusqu'aux genoux.

Jusque-là tout avait été organisé bien à l'avance, et Noé se prépara à présenter son Eve en tirant quelques fils ou ficelles, ou encore en abaissant un quelconque levier, mais lorsque le signal convenu fut adressé à la silhouette en papier censée surgir de la côte de Cham-Adam, rien ne se produisit.

Au lieu de quoi, ce fut Lucy qui fit son entrée, vêtue d'une longue tunique transparente et coiffée d'une couronne de cheveux dorés qui retombaient jusqu'au sol tout autour d'elle, dissimulant gracieusement tout attribut sexuel.

Le tableau final, qui montrait Adam, Eve et l'ensemble de la Création avec en toile de fond la grande baleine de papier bleu, suscita une clameur générale d'approbation, amenant même Yahvé à lever les bras et à frapper Ses genoux de Ses paumes – car il n'osait pas joindre les mains de peur de se briser les doigts.

Seul l'archange Michel, entre-temps revenu avec Abraham, nourrissait des doutes sur le personnage d'Eve, mais il décida de les garder pour lui. Il lui paraissait trop important que Yahvé eût enfin souri pour qu'il se risquât à Lui remettre la preuve indirecte constituée par la longue plume couleur bronze dans sa poche ou à révéler l'identité de l'ange qui jouait la compagne d'Adam.

Yahvé était à présent si détendu qu'Il parlait depuis plus d'une heure, et un cercle d'auditeurs fascinés – des anges aussi bien que des mortels –, assis dans le pavillon éclairé aux chandelles, l'écoutait attentivement, captivé par la sagesse et la gloire de Ses paroles.

Longtemps après minuit, Yahvé narra l'histoire suivante directement à Noé, bien que Ses mains fussent posées sur les épaules d'Hannah.

"Tous les anciens, les rabbins et les prêtres savent que ces pouvoirs dont tu as fait l'usage ce soir sont détenus par les élus depuis le début des temps. Il est facile de deviner quels dangers ils recèlent ; il nous suffit de penser aux maux qui nous entourent aujourd'hui alors même que nous sommes ici, en haut de cette montagne, bien à l'abri en compagnie les uns des autres. Les villes empestent le mal. Et pourtant, il est vrai que ces pouvoirs comportent aussi une certaine gloire.

"Concentre-toi, maintenant, et imagine un jardin. L'endroit qui, depuis l'aube des temps, comme tu nous l'as montré ici même ce soir, a toujours été le Sanctuaire le plus Sacré de tous les lieux sacrés. Ce verger où seuls les êtres réellement préparés et véritablement sages peuvent se promener en sécurité. Pense à ce verger, dans toute sa splendeur et son mystère…"

Tout en parlant, Yahvé plongeait Ses doigts fragiles dans les cheveux d'Hannah, tandis que de Son autre main Il caressait la tête des deux chats ronronnants revenus sur ses genoux.

"Représente-toi aussi quatre hommes avisés, les plus sages d'entre les sages. Donnons-leur des noms, car les noms sont essentiels à la création d'une légende… Rassemblons-les à l'entrée du verger – le verger sacré de la sagesse –, et regardons-les – les rabbins Akiva, Simeon ben Zoma, Simeon ben Azai et Elisha ben Abuya, ces quatre grands sages que J'ai connus autrefois…"

(Il a dit : "Je", faillit s'écrier Mme Noyes. Il a dit : "Je"…)

"Ils furent conduits dans le verger par le plus sage d'entre eux : rabbi Akiva, un homme gentil et attentionné, dont Nous avons apprécié l'amour presque autant que Nous apprécions aujourd'hui celui de Noé Noyes. Rabbi Akiva, donc, le plus sage d'entre les sages, fit préalablement à ses frères toutes les recommandations traditionnelles, comme l'on étale des tapis sur le sol pour protéger des orties les pieds des êtres chers. Il leur parla de tous les pièges, de toutes les embûches. Surtout, il les mit en garde contre les dangers qui résident dans *les mots*... dans leur utilisation imprudente, irréfléchie ou encore présomptueuse ; ces mots que Nous-même évitons de prononcer, de peur de mettre un terme à la Création ou de lui faire prendre une voie obscure d'où il serait impossible de la faire revenir. Tous répondirent : «Nous t'entendons.» Tous répondirent : «Nous ne manquerons pas de tenir compte de tes avertissements.» Et ainsi, ils entrèrent dans le verger..."

Mme Noyes se pencha en avant et, machinalement, entremêla ses doigts pour reproduire ce signe qu'on ne lui avait pas expliqué, celui que les fées lui avaient adressé au-dessus du toit et des cheminées de la maison quelques nuits plus tôt.

Lorsqu'elle vit ce signe, Sarah, sachant qu'il comptait parmi les plus saints d'entre les saints, quitta discrètement les genoux de Yahvé pour se diriger vers Mme Noyes. L'Eternel ne s'aperçut de rien tant Il était pris par Son récit ; à ce stade, un tigre aurait pu Lui sauter sur les genoux sans qu'Il le remarquât.

"Mais les hommes ne sont que des hommes, poursuivit-Il. Et même les plus sages d'entre eux connaissent l'échec. L'orgueil, la bêtise et l'audace sont des pièges dans lesquels Adam en personne est tombé, à Notre grand dam. Aussi, alors qu'ils marchaient dans le verger sacré, où tout ce qui existe demeure caché, Simeon ben Zoma, Simeon ben Azai, Elisha ben Abuya, les plus sages d'entre les sages, furent tentés tout comme Eve l'avait été avant eux même si, étant des hommes, ils avaient un plus grand pouvoir de résistance. Ici, tâchez de vous représenter la scène : Ben Azai s'essaya à la création de l'homme et mourut. Ben Zoma se contenta de penser au mot interdit et perdit la raison. Elisha ben Abuya chuta sur le sol et, abîmé dans la contemplation émerveillée des plantes et des herbes sous ses doigts, commença à les arracher de la terre sacrée pour les manger ; ce faisant, il troubla l'équilibre de son organisme et se retrouva estropié et impuissant pour le restant de ses jours. Seul rabbi Akiva émergea indemne de son voyage sous les arbres. Car il était le seul à savoir qu'il fallait s'abstenir de toucher les choses, d'évoquer le mot, de s'allonger par terre et de manger…"

La voix de Yahvé diminuait peu à peu.

Sarah, toutes griffes dehors, se jeta sur le symbole de l'infini.

Une fois l'ordre revenu, il fallut entraîner Mme Noyes à l'écart et plonger ses doigts en sang dans une jarre de vinaigre avant de les bander.

Sarah fut réprimandée, mais gentiment, par Yahvé, et, après qu'Abraham et elle eurent été installés dans les profondeurs du grand fauteuil de Dieu, Celui-ci se tourna vers Noé en disant : "Montre-moi encore ce tour avec la bouteille et la pièce de monnaie."

Après que Noé eut exécuté *Le Masque de la Création* et Yahvé narré la parabole de rabbi Akiva et du verger, l'archange Michel sortit de nouveau dans la nuit.

Il se sentait profondément perturbé car, même si le docteur Noyes et sa famille avaient réussi dans une certaine mesure à guérir de Sa mélancolie le Seigneur Dieu Yahvé, les événements survenus dans le pavillon bleu n'en comportaient pas moins une dimension sinistre. Michel ne pouvait se défaire de cette impression ; quelque chose ne tournait pas rond, son intuition le lui soufflait en permanence. L'escapade et la réapparition d'Abraham, entre autres. Même la découverte de la plume, pourtant d'une importance capitale, n'expliquait pas entièrement son trouble. Quant à la décision de Lucy d'endosser le rôle d'Eve, bien que révoltante par ses implications et son audace, elle ne faisait que le conforter dans ses soupçons.

Mais il y avait plus – plus même que la somme de tous ces éléments insolites : c'étaient les questions soulevées par l'aversion grandissante de Yahvé pour l'humanité et la peur des réponses qu'elle risquait de susciter, associées à la présence de Lucy en ces lieux.

Les assistants de Michel étaient restés auprès de Lui. La Garde ne devait en effet jamais relâcher sa surveillance, même dans le pavillon des amis les plus proches et les plus fiables de Yahvé. Aussi l'archange Michel se trouvait-il tout seul dans le noir, l'épée sur la hanche, sa lance à la main.

Les étoiles et la lune (les vraies, celles-ci) se reflétaient sur son plastron, faisant luire d'un doux éclat doré la surface martelée qui représentait les batailles passées et les triomphes inévitables. Michel n'avait jamais subi qu'une seule défaite. La guerre qu'il avait menée contre Lucifer, décrétée victorieuse dans les cieux, n'apparaissait pas comme telle à ses yeux. Non, à ses yeux, son frère n'avait pas été vaincu ; il s'était échappé.

La montagne résonnait de toutes sortes de sons – certains en provenance du pavillon bleu, d'autres de l'obscurité. Des oiseaux qui ne pouvaient pas ou ne voulaient pas dormir se mettaient soudain à chanter. Grillons et grenouilles faisaient également entendre leurs voix mais se déplaçaient sans cesse – d'abord tout près, puis plus loin et ensuite dans la pente en direction du bois –, ce qui les rendait impossibles à situer. La renarde glapit sur la gauche de Michel et le renard lui répondit quelque part derrière lui, haut dans la cédraie. Une créature poussa un cri d'agonie au cœur du bois et la chouette prit son essor pour aller festoyer dans les arbres. Loin, très loin, peut-être au-delà de la rivière, s'éleva soudain un autre cri, affirmatif celui-là, émanant d'une bête assez grosse : *"Je suis là, où es-tu ?"* Immobile, Michel écoutait tout, voyait la lune et les étoiles et pouvait sentir les bouquets d'arbres, les champs à moitié fauchés, la terre elle-même, les fleurs dans le jardin de Mme Noyes, la poussière et les cendres de l'arrière-cour, les relents énigmatiques de l'étang. De toutes les demeures de Dieu, songea-t-il, celle-ci est sans doute la plus mystérieuse. Le Ciel, avec ses soleils et sa blancheur éblouissante, était parfait et prévisible – connu ; le Jardin, si exubérant fût-il, n'en restait pas moins vide ; la route jusqu'à Nod, toute de poussière pâle, et Nod elle-même, avec ses cachettes vert émeraude et ses champs rougis par les coquelicots, étaient un havre, oui, mais où n'existait aucun rival : c'était un endroit réservé aux dormeurs. Or Michel était bien réveillé. Il ne se reposait jamais et n'en avait jamais envie.

La plume lui brûlait la cuisse à travers sa poche quand il commença à descendre de la montagne. Pourtant, il n'était pas incommodé par cette chaleur. Elle lui rappelait d'autres temps, certains meilleurs et certains pires : lorsqu'il avait marché contre les armées de son frère et triomphé ; lorsqu'il avait voulu le séduire et échoué.

Même Yahvé refusait d'admettre que la bataille avait été perdue. "Il est parti, n'est-ce pas ? Il a été poussé et il a chu ?

— Oui, père."

(Non, père : s'il a chu, c'est parce qu'il a sauté.)

"Nous avons vu son étoile descendre.

— Oui, père.

— Où a-t-elle atterri ?"

(Ici-bas.)

"En enfer."

Le Seigneur Dieu Notre Père à Tous ne devait jamais apprendre la vérité, avait décidé Michel. Le plus Ancien des Anciens était tellement affaibli et abattu, tellement distrait par les péchés de l'humanité que Lui dire la vérité, Le forcer à reconnaître que Lucifer avait rejoint la race humaine Le pousserait aux limites de… de quoi ?

La folie ?

Yahvé au bord du gouffre.

Déséquilibré.

Sans qu'il Lui restât la force de sauter (s'Il en décidait ainsi), mais juste la tendance du grand âge à tomber.

Pourtant, l'archange Michel pouvait Le sauver.

Le versant de la montagne grouillait de vie nocturne : souris, furets, scarabées, chouettes… Au bas de la pente, près des clôtures, les fées semblaient dans un état de grande excitation. Un être bondissait hors du bois, et de toute évidence, s'il sortait ainsi à découvert, c'était à cause d'elles. Il ne put cependant ni franchir la barrière ni passer entre les planches, et, se retrouvant acculé, il commença à paniquer.

Lorsque Michel aperçut dans le halo de lumière autour des fées une queue immense qui fouettait l'air, apparaissant et disparaissant par intermittence, il reconnut aussitôt un très vieil ennemi : le dragon.

"Ah !" s'exclama-t-il, galvanisé par la perspective du combat, la plus noble des occupations.

D'une main il brandit sa lance, assurant son équilibre alors même qu'il dévalait le flanc de la montagne ; de l'autre, il libéra l'épée de son fourreau, prêt pour la décapitation dont l'image se formait déjà dans l'air devant lui.

Si les fées coopéraient, elles pourraient inciter le dragon à se précipiter droit sur la lance, auquel cas le plaisir de la victoire serait gâché au moins en partie, puisqu'il n'y aurait pas de poursuite, pas d'affrontement final, pas de cri de soumission poussé par celui qui admet sa défaite. En attendant, un dragon restait un dragon et chaque fois que l'un d'eux était mis à mort, c'était un nouveau coup porté à Lucifer. Et qui sait ? Ce dragon-là abritait peut-être le traître lui-même.

Or les fées ne coopérèrent pas. Lorsqu'elles virent la silhouette de l'ange se détacher de la montagne, la lance brandie et l'épée à moitié dégainée, elles s'immobilisèrent, stupéfaites.

En général, un humain se précipitant ainsi dans la pente ne pouvait être que Cham ou Sem, voire au pire Japhet. Mais un ange d'une telle stature, luisant à la lueur de la lune et des étoiles, se ruant vers elles armé, c'était une autre histoire. Il y avait déjà dans le bois un ange solitaire – le tueur de chiens –, et voilà maintenant qu'un second surgissait !

Même si elles étaient aussi peu désireuses que l'archange Michel d'admettre la défaite, les fées possédaient cependant une nature timide et prudente. Leur zèle, leur attachement à une certaine forme d'ordre, leur sens du devoir risquaient de leur attirer plus sûrement des ennuis que toute forme d'audace ou de témérité. Attaquer les dragons ne leur procurait aucun plaisir ; pour elles, c'était plutôt une obligation : il fallait un immense courage pour affronter ce genre de créature mais cela faisait partie des tâches dont l'on devait bien se charger.

Ce dragon en particulier – objet de toutes les attentions – se distinguait par sa masse imposante ; de fait, il était même obèse. Depuis des semaines, il se repaissait des habitants de la forêt, et il avait finalement traversé la rivière à la recherche d'animaux plus petits, plus doux au goût, se nourrissant de fruits et d'écorce, afin d'apporter la touche finale à son repas avant de se retirer. Sur le trajet vers les bauges, il s'était arrêté pour tenter d'attraper un jeune lémurien à qui, par une étrange coïncidence, les fées avaient prévu d'offrir des moucherons au miel.

Voyant leur jeune ami menacé, les fées avaient abandonné les moucherons pour lancer l'offensive. Leur stratégie se fondait sur le fait que les dragons étaient sujets aux infarctus et perdaient tous leurs repères en cas d'exposition à certains jeux de lumière. Alarmé et ébloui par leur apparition soudaine, le dragon avait été détourné de la proie convoitée et repoussé vers la clôture. Presque aussitôt, dans les affres de la confusion la plus totale et de la peur inspirée par ce qu'il croyait être les premiers signes d'une crise cardiaque imminente, il s'était coincé entre les planches de la barrière.

Lorsque l'archange Michel parut à son tour, le dragon dut certainement penser qu'il risquait sinon un infarctus, du moins une expérience funeste. Il expédia dans toutes les directions des piquets de la clôture dont certains allèrent même se loger entre les branches d'arbres. Le feu et le bruit constituant ses meilleures armes, il voulut se servir des deux, mais peut-être parce qu'il avait trop mangé ou parce qu'il se sentait trop désorienté, ses tentatives ne donnèrent guère de résultats. Ce fut à peine s'il parvint à produire quelques étincelles sèches et quelques grondements faibles.

Entre-temps, les fées s'étaient réunies dans un bignonia proche d'où, en compagnie de Bip, de Ding et de plusieurs autres lémuriens, elles assistaient à la scène.

L'archange Michel était maintenant sûr de n'avoir jamais vu un dragon aussi gigantesque, aussi brillant, aussi beau. Toute son imagination s'employait à justifier pourquoi une telle créature devait être – était sûrement – son frère Lucifer.

Pour commencer, l'orgueil de Lucifer exigeait sans conteste un animal de cette taille. Sa magnifique peau écailleuse, son allure aussi superbe qu'imposante en faisaient une remarquable incarnation. Au paradis, il n'y avait pas de dragons. Lucifer choisissait néanmoins toujours ce rôle lorsque, enfant, il jouait avec son frère qui, lui, préférait celui du pourfendeur.

Et aujourd'hui, ils se retrouvaient là tous les deux, comme autrefois – Lucifer paré de ses écailles, Michel de son armure –, mais ils ne jouaient plus. Tous les soleils blancs du paradis n'avaient jamais autant brillé que le reflet de la lune terrestre dans les yeux de Michel en cet instant, alors qu'il se penchait vers son frère se débattant dans la clôture qui l'avait pris au piège. Un seul coup porté juste entre les omoplates – la pointe de la lance s'enfonçant profondément, traversant d'abord la colonne vertébrale puis le cœur jusqu'à la terre meuble que la bête avait labourée dans sa lutte désespérée – eut raison de l'ennemi. Un dernier souffle de feu s'éleva – une simple petite flamme inoffensive – et le dragon tomba sur le flanc aux pieds de l'archange.

Il sentait les pins, les plantes aquatiques et la mousse calcinée, et ses grands yeux bleus semblaient – mais c'était forcément une illusion – emplis de larmes.

Frappé de stupeur et d'horreur, l'archange Michel tremblait si violemment qu'il ne put retirer la lance ni soulever sa jambe pour la placer sur la bête et adopter ainsi l'élégante pose traditionnelle de *L'Ange terrassant le dragon* – une main sur le fourreau, un pied sur le cou de l'animal.

Il dut respirer profondément pour calmer le martèlement dans sa poitrine jusqu'au moment où, enfin, il recouvra la force de bouger.

Son pied s'éleva vers l'épaule du dragon, sa main vers l'épée à sa taille. Ses orteils progressèrent sur le dos suintant jusqu'à trouver le creux qu'ils cherchaient à l'endroit où la pointe de la lance était entrée, perçant les os, et il demeura ainsi, parfait à la lueur de la lune et des étoiles, silhouette nimbée d'or dominant son frère, dont il déposerait la tête devant Yahvé.

"C'est fait, dit-il. Une bonne fois pour toutes.

— As-tu parlé ?" s'enquit une voix.

L'archange Michel se figea.

Etait-ce le dragon ?

"J'ai cru entendre quelqu'un", reprit la voix. Mais d'où venait-elle ?

"Est-ce toi ? demanda enfin Michel au dragon. As-tu parlé ?

— Non, c'est moi. Là-haut, au-dessus de toi."

Michel leva les yeux, manquant perdre l'équilibre.

Parmi les branches en surplomb se trouvait Lucy – vêtue d'un habit clair, tournant vers lui un visage blanc fendu par un large sourire.

"Quel spectacle merveilleux ! commenta-t-elle. Bel effort, mon canard. Tu as pris ce dragon pour moi, n'est-ce pas ? Mais non, il n'était pas moi et je ne suis pas lui."

Sans quitter son frère des yeux, Michel s'éloigna de la dépouille. "Oui, c'est vrai, j'ai cru que je t'avais vaincu, admit-il. Mais je ne suis pas complètement idiot. Quelque chose en moi savait que ce ne pouvait pas être toi. Cette bête n'était pas assez fière ; elle n'a même pas résisté. Toi, tu aurais fait un meilleur usage du feu…

— Oh que oui !"

Michel se prépara à retirer la lance.

"Tu es bien sûr de vouloir faire ça ? interrogea Lucy. Je veux dire, tu tiens vraiment à découvrir qui tu as tué ?"

En retirant la lance, Michel libérerait la forme captive du dragon – s'il y en avait une –, qui deviendrait brièvement visible au moment de s'échapper. Tous les dragons n'en abritaient pas, mais l'on supposait que c'était le cas en particulier pour les plus gros.

"Alors ? le provoqua Lucy.

— Puisque je t'ai manqué encore une fois, je me moque de savoir de qui il s'agit." Sur ces mots, Michel retira la lance.

Lucy se pencha en regardant la bête dans l'herbe, dont la queue était toujours coincée entre les lattes de la clôture. Bip, Ding et les fées tendirent également le cou, espérant la délivrance d'un prisonnier ami, ou du moins le frisson procuré par la vue d'un démon mis à mal. Mais rien. Pas le moindre changement.

Le dragon gisait là, encore fumant, ayant décidément tout d'un dragon. Mort, de surcroît.

"Oh, quel dommage ! s'exclama Lucy. C'est même en quelque sorte une double déception pour toi, n'est-ce pas, Michel, mon chéri ? Non seulement ce n'est pas moi, mais ce n'est personne. Bah, tant pis ! Tu auras sûrement plus de chance la prochaine fois."

Michel essuya la lance sur l'herbe, puis leva de nouveau les yeux vers son frère dans l'arbre.

"Tu sembles bien t'amuser, observa-t-il.

— Beaucoup, en effet, répondit Lucy, qui se laissa glisser jusqu'au sol.

— Qu'escomptes-tu de tout cela ?

— De tout quoi ?" Lucy secoua ses jupes vaporeuses avant de porter une main à ses cheveux.

"D'abord, tu t'es habillé en femme. Et en étrangère, qui plus est.

— Il n'y a aucun mal à s'habiller en femme ! Après tout, ce déguisement en vaut bien un autre. Et si je puis me permettre, qu'entends-tu au juste par «étrangère» ?

— Quelqu'un qui n'est pas de la région, répondit Michel comme s'il citait le règlement en usage chez les gardes des frontières.

— Les yeux bridés et le reste ? Les cheveux très, très noirs et le visage très, très blanc ? Ça ne te plaît pas ? Moi, j'adore !" Lucy avança de quelques pas dans l'herbe pour montrer sa robe – à la fois ample et resserrée à la taille par une large ceinture sombre. Très vite cependant elle trébucha, sans tomber pour autant. "Désolée, dit-elle. Je ne maîtrise pas encore totalement la technique. Mais cela ne saurait tarder…"

Michel la regarda évoluer entre le clair de lune et l'ombre des arbres, puis il dit : "Le bruit court que tu vas te marier.

— En effet.

— Mais c'est un… un…

— Un homme, oui. Et alors ?" Lucy tira sur ses gants pour faire paraître ses doigts encore plus longs.

"Mais tu es un… un…

— Ah, ne viens pas me dire que je suis *un homme*!

— Non, ce n'est pas ce que j'allais dire. N'empêche, tu es masculin."

Lucy haussa les épaules. "J'aime me déguiser. J'ai toujours aimé, tu ne l'ignores pas. En pape, en roi… Et pourquoi pas ? C'est plutôt innocent.

— Ça ne le sera pas s'il te met dans son lit. C'est la coutume parmi les humains, tu sais."

Elle sourit. "Oui, je sais.

— Dans ce cas, que comptes-tu faire ?

— Ce ne sont pas tes affaires, me semble-t-il, mais puisque tu insistes, sache que j'improviserai au fur et à mesure." Lucy leva les yeux vers le pavillon bleu sur la montagne – brillant, presque translucide dans l'obscurité. Son humeur parut devenir grave, soudain, à mille lieues des propos légers que Michel et elle avaient échangés jusque-là. "Comment va-t-Il ? demanda-t-elle. Il m'a paru si vieux… si malade…

— Il est en train de mourir."

Lucy contempla un instant son frère puis, très lentement, reporta son attention sur le pavillon.

"Il ne peut pas mourir…

— Je le croyais aussi. Mais c'est Dieu. Et si Dieu veut mourir…

— Alors que Sa volonté soit faite.

— Exactement."

Un silence presque total s'ensuivit, seulement troublé par les insectes et les grenouilles. Dans les arbres, fées et lémuriens s'étaient endormis.

"Ne serait-ce pas merveilleux si nous pouvions pleurer, toi et moi ? reprit Lucy.

— Si nous pouvions pleurer, je doute fort que tu verses des larmes sur Son sort, répliqua Michel. Sur le tien, oui, peut-être, compte tenu de ce

maudit orgueil qui t'a poussé à t'imaginer Son
égal...

— Je n'ai jamais pensé une chose pareille ! Pas
une seule fois. J'ai juste dit...

— *Pourquoi ?* Tu as juste dit *Pourquoi ?*
Pourquoi ceci, pourquoi cela... Comment as-tu
osé ?

— Ah, ne commence pas, Michel ! Je n'ai pas
envie de t'écouter. Ce que tu peux être assom-
mant, parfois... Tout comme cette conversation,
d'ailleurs."

Au sommet de la montagne, un coq s'était mis
à chanter malgré l'obscurité, et les deux frères
se rendirent compte qu'il devait être très tard. Ou
très tôt.

"J'aurais dû deviner, observa Lucy. En général,
je ressens un élancement juste avant l'aube. Mais
depuis que mon étoile est tombée, j'ai tendance à
oublier l'heure."

Ils se regardèrent.

"Va-t'en", ordonna Lucy.

Michel commença à s'éloigner mais ne put résister à la tentation de se retourner. "J'ai juré de
ne pas Lui révéler que tu étais là. Cela gâcherait
Sa vie pour le restant de Ses jours s'Il apprenait
que tu es sur terre et non en enfer.

— Quel dommage ! ironisa Lucy. J'allais justement te demander de Lui transmettre mes amitiés.

— C'est un message que je ne Lui délivrerai
jamais, déclara Michel. Jamais.

— Oui, eh bien... J'imagine que nous serons
amenés à nous revoir, toi et moi. De toute façon,
je ne doute pas que je vais te manquer, comme
d'habitude."

Sans un mot, Michel se détourna pour gravir la
montagne. Lucy le regarda partir avec un mélange
de soulagement et de regret. La compagnie des

humains ne valait pas celle des anges, ces derniers ne le savaient que trop bien. Michel allait lui manquer plus que ses autres frères ; comme pour tous les ennemis du monde depuis toujours, la haine qu'ils se vouaient se teintait également de dévotion. Voire d'amour.

"Au revoir !" cria-t-elle.

Michel continua d'avancer droit devant lui.

"Au revoir ! répéta Lucy. N'oublie pas – n'oublie jamais que seul l'archange Michel peut me tuer ! Personne d'autre ! Personne ! Jamais !"

Le coq chanta de nouveau.

Les premières lueurs pâles de l'aube se profilèrent à l'est. Elles étaient gris argent.

Michel leva sa lance en une sorte d'adieu, et, toujours sans se retourner, poursuivit son chemin jusqu'au sommet de la montagne.

L'herbe remua. Un oiseau chanta. La première bête fit son entrée dans le champ. Lucy se drapa étroitement dans son image. Elle se préparait une existence solitaire, ici, mais aussi merveilleuse. Après tout, si elle avait rejoint la race humaine, c'était pour une bonne raison.

Un jeune animal était perché sur la clôture – un de ces gros oisillons dégingandés, tout de taches, d'yeux arrondis et d'ailes à peine esquissées. Il n'avait pas encore de queue. C'était peut-être un corbillat, avec un bec jaune et nu qui ne cessait de s'ouvrir pour crier : "A manger ! A manger ! J'ai faim ! Donnez-moi à manger !", pendant que sa mère fouillait la dépouille du dragon à la recherche de petits morceaux de foie ou de cœur. *J'ai faim ! J'ai faim ! Donnez-moi à manger ! A manger ! A manger !*

Le grand cri de la vie – de toutes les créatures vivantes.

Donnez-moi à manger.

Voilà pourquoi Lucy avait rejoint l'humanité. Pour survivre. Echapper à l'holocauste dans les cieux. Et empêcher l'holocauste sur terre.

Personne n'avait pu dormir.

Yahvé était assis sur les marches de Son estrade, derrière Hannah allongée sur le sol à Ses pieds et au-dessus de Noé installé sur le premier degré.

La grande bouteille de verre, la pièce de monnaie en cuivre et la cruche d'eau pure étaient toujours posées sur la table près d'eux, pareilles aux pions d'un jeu entre hommes et dieux.

Le Seigneur avait pleuré une bonne partie des dernières heures de la nuit ; à présent, Il discourait avec fébrilité.

Noé avait-il compris la parabole du verger ? N'était-il pas monstrueux que même les plus sages d'entre les sages dussent tenter de s'arroger le pouvoir de leur Dieu ? Qu'ils osent Lui demander *Pourquoi* et *Comment* ? Noé avait-il réellement saisi le sens de ce récit ?

Oui.

Alors Yahvé rapporta de nouveau les horreurs de Son voyage : les huées, les assassinats, les carnages, les épouvantables scènes de dépravation et d'ignominie… Et durant tout ce temps Il joua avec la pièce, avec la grande bouteille de verre, avec le pichet – versant, versant, versant…

Enfin, Il se leva.

Noé l'imita.

Hannah fut priée de se redresser alors qu'elle sombrait dans un état dangereusement proche du sommeil.

Tous trois se tinrent immobiles.

Soudain, Yahvé dit à Noé : "Dans Notre histoire du verger, Nous n'avons pas parlé de morale. Or cette morale – telle qu'elle existe entre Nous, toi et Nous, toi et ton Dieu – est la suivante : seuls les élus choisis par le Seigneur peuvent entendre la Parole…"

Noé sentit un frisson glacé le parcourir – celui de la révélation.

Il venait d'être choisi.

"Allons donc nous promener dans le verger, dit Yahvé en plaçant Son bras autour des épaules d'Hannah pour S'appuyer sur elle. Tu peux venir avec nous, ajouta-t-Il à l'adresse de la jeune femme, et rester près des portes, mais tu ne peux pas entrer."

Lorsqu'ils s'éloignèrent, au moment où le soleil semblait sur le point de se lever malgré l'absence de l'étoile du matin, Yahvé dit à Noé : "Ce tour que tu as présenté, avec la bouteille, la pièce… Par le seul ajout de l'eau…"

La chose disparaît.

Ils se rassemblèrent à l'endroit où le chemin tournait sur le versant de la montagne : Yahvé et le docteur Noyes au milieu ; Hannah, Sem, Japhet et Emma groupés d'un côté ; Cham dans l'ombre du pavillon, en attente.

L'archange Michel supervisait le placement des cavaliers – séparés chacun de dix pas, prêts à précéder la voiture ainsi que son cortège d'anges et d'acolytes. Parmi ces derniers, certains marcheraient et d'autres voyageraient dans des chariots tirés par des mules. Tous les grands animaux dans leurs immenses cages avaient été confiés aux bons soins de Noé. Aucune explication n'avait été donnée quant à cette décision, en tout cas sous forme de déclaration publique, mais le docteur Noyes en connaissait manifestement la raison, et, pour autant que chacun pût en juger, paraissait satisfait que tant de bêtes appartenant à tant d'espèces différentes fussent placées sous son toit et sa responsabilité.

Le soleil s'était finalement levé, mais pas avant midi, pendant que Yahvé et Noé se promenaient dans le verger. Si Hannah, restée près des portes, n'avait rien entendu de leur entretien, elle avait cependant bien remarqué la gravité de leur expression pendant qu'ils conversaient. De nouveau, Yahvé avait pleuré ; de nouveau, Il avait été obligé de s'accorder de longues haltes le temps de recouvrer une contenance. Hannah ne savait rien de plus. Lorsqu'ils avaient enfin mis un terme à leur conciliabule, Yahvé souriait alors que Noé était très pâle, visiblement épuisé et en nage. Mais ils n'avaient rien dit ni l'un ni l'autre.

Quand il fut bientôt l'heure pour Yahvé de partir, Mme Noyes sortit de la maison en serrant Mottyl dans ses bras. Elle avait préparé une jarre de tisane à la camomille additionnée de petits morceaux de glace pour la maintenir au frais, et elle l'offrit au Seigneur.

Celui-ci fit don à Noé de Ses deux chats, Abraham et Sarah. Il s'en sépara à regret, les couvrant de baisers et multipliant les adieux, avant de se tourner vers Sa voiture.

Mme Noyes se vit enfin accorder le privilège dû à son rang : elle prit place avec Mottyl un pas derrière et à gauche de Noé.

Yahvé en avait maintenant terminé avec les discours. Ses gestes étaient à la fois amples et majestueux – comme définitifs. Peut-être avait-Il l'intention – qui sait ? – de laisser une impression durable de Sa personne. Il paraissait extrêmement fatigué.

L'archange Michel lui-même ouvrit la portière du coche, et, au moment où le Seigneur dressait les bras pour saisir les sangles grâce auxquelles Il se hisserait à l'intérieur, résonna un bruit qu'au début personne ne reconnut.

Venu des profondeurs sombres de la voiture, il rappelait la rumeur d'une conversation perçue au bout d'un couloir enténébré d'une longueur incalculable. Mottyl fut la première à en identifier la source.

Des mouches – un bon millier de mouches en attente.

Quand Il les entendit, Yahvé marqua une pause, mais presque aussitôt, sans se retourner, Il se souleva, et, poussé par Michel, Il disparut.

La portière se referma avec un claquement creux.

Un immense nuage de poussière s'éleva. Les cavaliers, les chevaux ailés, le coche lui-même, les anges à pied et tous les chariots commencèrent à descendre de la montagne, suivis par Noé et sa famille agitant la main tandis que tous les moutons s'écriaient : *Hosanna !*

Les autres n'avaient-ils rien deviné ? se demanda Mottyl. Etait-elle la seule en plus de Yahvé à connaître la signification de la couronne de mouches ?

De fait, il en était ainsi. En acceptant d'entrer dans la voiture, de s'asseoir en présence des insectes et de refermer la portière, Dieu le Père de Toute la Création avait consenti à Sa propre mort.

LIVRE DEUX

*D'entre les animaux purs et les
animaux qui ne sont pas purs, les
oiseaux et tout ce qui se meut sur
la terre, il entra dans l'arche auprès
de Noé, deux à deux, un mâle et
une femelle, comme Dieu l'avait
ordonné à Noé.*

Genèse, VII, 8-9.

Bon nombre de raisons valables, aussi bien stratégiques que pratiques, justifiaient la construction de l'arche en haut de la montagne. Entre autres, le sommet était nu : il n'y avait rien à part le pin et l'autel de la famille Noyes. Juste en dessous, à l'autre bout, s'étendait un pré circulaire où poussaient en abondance des fleurs bleu pâle et de hautes herbes bruissantes. Mais avant le début des travaux Sem avait eu la présence d'esprit de le faucher, et lorsque les charretiers arrivèrent, apportant le bois coupé dans la forêt de l'autre côté de la rivière, les bêtes purent se nourrir de fourrage. Ainsi, durant les jours qui précédèrent le début des pluies, le pré prit l'allure d'un chantier poussiéreux grouillant de monde – et ainsi sa vue ne causa aucune inquiétude aux enfants du peuple qui allaient et venaient sur la route. "Oh, regardez ! disaient-ils. Quelqu'un va faire fortune dans le commerce du bois d'œuvre."

Le choix d'un matériau se porta finalement sur le bois de gopher – un bois solide, à la texture légère, qui possédait certaines des qualités du liège. Poutres et planches furent découpées dans des arbres gigantesques à l'écorce d'un vert bilieux et à la pulpe jaune. On ne les trouvait que fort loin, dans la forêt de l'autre côté de la rivière. Des équipes de géants blonds peu loquaces furent embauchées dans cette région presque exclusivement peuplée de géants blonds et d'étrangers de petite taille au langage inintelligible. Géants et nains n'avaient pas toujours vécu en ces lieux, même si personne ne se rappelait les avoir connus sans eux. La forêt n'appartenait jadis qu'aux dragons – à une époque reculée dont aucun être vivant ne se souvenait.

Si les frères d'Emma comptaient parmi ces grands hommes blonds, le docteur Noyes avait cependant formellement interdit à sa belle-fille de leur adresser la parole. L'association de la réserve naturelle du peuple de la forêt et du diktat du docteur Noyes engendra un silence des plus insolites sur le chantier. Sem donnait les ordres mais, semblable lui-même à un bœuf, il se montrait presque aussi taciturne que les autres charpentiers. Ainsi, c'était une assemblée de muets qui s'activait.

Pour sa part, Noé s'en réjouissait. Il n'avait pas à affronter toutes sortes de questions, en particulier sur l'arche, auxquelles il n'avait pas de réponse à apporter. Oh, les conjectures allaient bon train, sans aucun doute : *Pourquoi faisons-nous cela ?* Toutefois, elles n'étaient jamais formulées. De temps à autre, Noé surprenait des regards intrigués, des grattements de tête et des expressions reflétant la perplexité générale suscitée par l'entreprise. Les hommes autour de lui le prenaient manifestement pour un vieux fou, mais de toute façon ils l'avaient toujours considéré comme tel, aussi l'arche ne leur semblait-elle qu'une manifestation supplémentaire de son esprit dérangé. Eh bien, qu'il en soit ainsi. Noé s'en moquait. Le moment venu, ces travailleurs rentreraient chez eux et lui-même ne les reverrait jamais : ils se noieraient tous, emportant avec eux leurs opinions.

La situation était beaucoup plus difficile pour Emma, à qui ses frères adorés manquaient terriblement. Accompagnée de Mme Noyes, elle-même très attachée à la famille de sa jeune belle-fille, elle grimpait sur la montagne le matin de bonne heure pour observer à l'abri des regards l'arrivée des convois. Mais une fois la journée de labeur commencée la poussière et l'agitation sur le chantier étaient telles que les deux femmes ne parvenaient pas à reconnaître ceux qu'elles cherchaient. D'autant que tous étaient grands et blonds, et que bientôt leur visage se transformait en masque de sueur et de crasse dissimulant les derniers vestiges d'individualité et de caractère.

Un jour, pourtant, Mme Noyes eut la certitude d'avoir aperçu le père d'Emma qui, des années plus tôt, leur avait livré du bois de chauffage. Il conduisait l'un des chariots, et comment aurait-elle pu oublier ce bel homme au visage plein de douceur ? Il paraissait si abattu quand son enfant avait été emmenée de l'autre côté de la rivière pour épouser Japhet que Mme Noyes l'avait plaint de tout son cœur. Sa femme et lui avaient beaucoup de garçons – des centaines, semblait-il – mais seulement deux filles, Emma et sa sœur Lotte.

Lorsque Mme Noyes eut fait part de sa découverte à Emma, toutes deux se postèrent près de la route au-dessus du verger, où les arbres empêchaient Noé de les voir. Elles patientèrent pendant deux longues heures, risquant à tout instant le courroux du docteur, jusqu'au moment où enfin, à l'approche du crépuscule, le dernier chariot cahotant apparut sur le chemin de terre, avec à l'arrière une horde de jeunes gens dont les jambes pendaient dans le vide et à l'avant un homme qui ne pouvait être que le père d'Emma – son "Pa", comme elle l'appelait.

Mme Noyes alla se placer devant les bœufs, qui cheminaient lentement, puis agita son tablier pour les obliger à s'arrêter.

Une fois le chariot immobilisé et toute la poussière alentour en partie retombée, Mme Noyes, entraînant Emma dans son sillage, se dirigea droit vers le conducteur. "Laisse-nous descendre avec toi jusqu'au bas de la montagne, dit-elle. Cela ne nous dérange pas de remonter à pied."

Sans un mot, le père d'Emma porta les doigts à son toupet en guise de salut puis sourit. Il tendit la main pour hisser Mme Noyes – aussi facilement que si c'était une poupée de chiffon – sur le siège à côté de lui, alors que les frères d'Emma faisaient monter cette dernière avec eux dans la caisse où, assise les jambes pendantes elle aussi, elle fut aux anges durant tout le trajet.

Mme Noyes s'enquit de la mère d'Emma, de Lotte et de la vie de l'autre côté de la rivière.

La mère d'Emma se portait bien et avait fort à faire pour nourrir la bande de jeunes gens à l'arrière du chariot, lui expliqua l'homme d'une voix teintée d'amusement et d'affection. Il était tout dévoué à son épouse et savait qu'elle n'avait rien d'une esclave. La vie de l'autre côté de la rivière était "terriblement dure mais également merveilleuse, pour peu qu'on le décide, dit-il. Ma femme n'irait pas s'établir ailleurs et moi non plus…"

Pour Lotte, en revanche, c'était différent. Sa sœur Emma lui manquait "affreusement" mais sa santé était bonne. "Sinon, c'est comme d'habitude…", ajouta-t-il, énigmatique. Lotte ne se marierait jamais ; elle était appelée à ne jamais quitter sa famille – pour une raison qui, même si elle était connue de Mme Noyes, ne fut pas évoquée.

"Oh, comme j'aimerais qu'Emma soit autorisée à venir vous voir ! s'exclama Mme Noyes. Je trouve complètement insensé d'être obligée de vous l'amener de cette façon, pour une visite aussi secrète et brève. Mais il ne nous donnera pas la permission de vous rendre visite et nous n'avons d'autre choix que de lui obéir…

— J'ai remarqué", répliqua le père d'Emma, qui la gratifia d'un magnifique sourire.

Mme Noyes s'empourpra. Elle se montrait aussi indocile qu'une épouse pouvait l'être en voyageant ainsi sur un chariot en compagnie d'un homme, et pourtant elle éclata de rire, ravie par cette escapade dont elle savourait chaque instant. Le simple fait d'apprendre que Lotte et la mère d'Emma étaient toujours en bonne santé, d'entendre le rire si rare d'Emma à l'arrière du chariot, de partager un court moment avec cet homme grand, sain et aimant – tout cela valait bien chaque minute de péril et de danger.

Ils étaient maintenant arrivés au bas de la montagne.

Une fois descendue, Mme Noyes marcha jusqu'à l'arrière du chariot pour saluer les frères d'Emma, pendant que celle-ci allait dire bonjour et au revoir à son père.

Mme Noyes ne les regarda qu'un instant, et la scène manqua lui fendre le cœur. Le géant blond couvert de poussière serrait sa fille – petite et brune comme sa mère – contre son épaule, ainsi qu'il devait la serrer enfant, tandis qu'elle s'agrippait à lui en pleurant.

Enfin, le père d'Emma, conscient qu'ils avaient repoussé jusqu'à sa plus extrême limite le délai accordé, dit à Mme Noyes de ramener Emma dans son foyer.

Mais soudain, ce "foyer" ne se trouvait plus au sommet de la montagne mais de l'autre côté de la rivière, et cette pensée rendit les adieux doulou- reux.

Mme Noyes, qui avait pris Emma par la main, regarda le grand chariot de bois s'éloigner peu à peu dans l'obscurité grandissante et la poussière. "Au revoir !" crièrent-elles. Et Emma d'ajouter : "Dis à Ma et à Lotte que je les aime !" En guise de salut, toutes les mains pâles se levèrent à l'arrière du chariot, qui disparut ensuite au détour d'une courbe sur le chemin.

En remontant, Emma ne dit qu'une chose : "Merci."

Sa belle-mère lui pressa la main. "De rien, ma chère enfant. Nous devrions toutes les deux éprou- ver de la gratitude pour ce moment."

Emma ignorait que son père, sa mère, ses frères et Lotte allaient se noyer. Mme Noyes, qui en était informée, n'arrivait pas à croire que ce fût vrai et redoutait le jour – qu'elle devinait proche – où le docteur Noyes prononcerait les mots à voix haute.

Il n'y eut plus de rencontres entre Emma et son père ou ses frères. Japhet avait conçu des soup- çons en découvrant un soir sa femme assise près de la piste avec un panier de fruits, et, sachant son beau-père et ses beaux-frères dans l'équipe des travailleurs, il lui avait interdit d'y retourner. Cette fois, la mesure fut efficace : Emma fut placée sous la garde vigilante d'Hannah et, à la nuit tombée, enfermée dans sa chambre.

L'édification de l'arche était une entreprise colos- sale et, une fois en place la quille et la membrure, il devint évident qu'il s'agirait de la plus gigantesque structure jamais construite dans toute la région. Les ouvriers la considéraient avec une révérence égale à celle que leur inspirerait un temple, contribuant ainsi à maintenir une atmosphère agréable où *personne ne posait de questions puisque toute question était superflue*. Noé pouvait donc désormais regarder chacun d'eux droit dans les yeux et le mettre au défi de contester la grandeur du projet. Comme si la grandeur de l'arche suffisait à justifier son existence.

Au milieu de toute cette activité fébrile, Cham et Lucy se marièrent. Le docteur Noyes s'en indigna, Hannah refusa d'en parler et Japhet en conçut une immense jalousie. Il supposait, à juste titre, que son frère ne se verrait imposer aucun délai entre la joie de la noce et les joies de la couche nuptiale. Pourquoi Cham, qui n'avait jamais jusquelà regardé une femme ni même mentionné le nom d'une femme, avait-il autant de chance ? Ce n'était pas juste. Japhet allait détester le couple – d'abord en secret, puis ouvertement – pour le restant de ses jours. D'autres obtenaient soit par leur naissance soit d'un simple claquement de doigts tout ce que lui-même passait son temps à désirer. Lui seul devait affronter toutes sortes de difficultés ; lui seul vivait l'enfer.

Quant au docteur Noyes et à Hannah, même si la perspective d'accueillir sœur Lucy (comme il convenait désormais de l'appeler) au sein de la famille suscitait chez eux désapprobation et mécontentement, que pouvaient-ils faire sinon parcourir le voisinage à la recherche d'une autre candidate ? Mais une telle initiative aurait pris des semaines et risquait de toute façon de ne rien leur valoir de mieux qu'une nouvelle Emma. Or Yahvé avait clairement énoncé Son édit : "Noé, sa femme, ses trois fils *et les trois femmes de ses fils.*" Telle devait être la famille Noyes quand elle entrerait dans l'arche, et maintenant que Cham avait épousé Lucy, telle elle était.

Hannah avait pour sa part d'autres préoccupations. Au cours du deuxième mois suivant le début des travaux, à peu près au moment où Cham se mariait, elle avait fini par admettre sa grossesse. Elle était enceinte de trois mois – ou peut-être de quatre ? Une erreur était-elle possible ? Chaque fois que ses menstrues ne survenaient pas, elle tentait de toutes ses forces de nier que le phénomène avait commencé quatre mois plus tôt. Le premier mois il s'agissait d'un simple hasard ; elle souffrait d'une grande nervosité ; elle avait perdu la notion du temps, mal compté… En tout cas, trois fut le chiffre qu'elle annonça à Sem. Si la suite des événements lui donnait tort, eh bien, elle ne serait pas la première femme à accoucher prématurément, et ensuite l'excitation liée à l'arrivée de l'enfant suffirait à dissiper l'envie de procéder à des calculs.

Néanmoins, Hannah priait tous les soirs : "Je vous en prie, faites que je me trompe."

L'arche fut terminée le jour où se levèrent les tempêtes de sable.

Jamais l'on n'avait rien vu d'aussi laid. Elle trônait, désertée, en haut de la montagne, et outre sa poupe et son château informes elle présentait une couleur affreuse, rendue plus horrible encore par les larges traînées de poix qui dégoulinaient le long de ses flancs tel un glaçage immangeable sur un gâteau empoisonné.

Noé se fit accompagner par Hannah au sommet de la montagne, qu'ils gravirent au milieu de

tourbillons de sable, afin de pouvoir bénir la mons-
truosité puis s'en éloigner aussitôt.

En la regardant, Noé regretta dans un moment
de faiblesse de ne pas pouvoir renégocier son con-
trat avec Yahvé. Cette création hideuse balayée
par des bourrasques de poussière allait peut-être
devenir son foyer pour les cent années à venir,
et il n'y avait rien à dire pour sa défense sinon, du
moins l'espérait-il, qu'elle était capable de flotter.

Immobiles dans la cour, également environnés
par des nuages de sable, Mme Noyes, Emma,
Cham et l'élégante Lucy regardaient en silence les
derniers chariots emporter les équipes de charpentiers silencieux. Personne n'agita la main, personne ne cria : "Au revoir !" L'ultime image de ces
hommes fut celle de leurs jambes pendantes et de
leurs têtes baissées, et l'ultime image des chariots
et des bœufs fut celle, fantomatique, d'une flotte
entière de bateaux plats entraînés par une rivière
de sable.

Le vent souffla encore pendant deux ou trois
jours – un vent chaud, constant, rasant, qui descendait de la montagne comme s'il prenait naissance au sommet. La nuit, il faisait entendre des
sons bien à lui mais dans la journée il résonnait
de cris d'oiseaux perdus, emportés bien au-delà
des arbres vers le ciel d'un bleu incroyablement
limpide. En dessous, des nappes de poussière
ainsi que des tourbillons de gravillons et de brindilles obscurcissaient la terre.

Si l'on ne voyait pas grand-chose dans ces conditions, il restait cependant possible de contourner la difficulté en marchant à reculons, dos aux
rafales. Ainsi, autant gravir la montagne pouvait
se révéler malaisé, autant la descendre était une
vraie partie de plaisir.

Après avoir consulté l'édit – moitié calendrier, moitié règlement –, Noé avait conclu que le moment était venu, malgré le vent et la poussière, d'embarquer les animaux.

Une décision qui déclencha aussitôt le chaos.

D'abord parce qu'il n'y avait personne pour aider les membres de la famille. Tous les charpentiers et tous les journaliers avaient été renvoyés et se trouvaient désormais à des lieues de distance, vivant sans le savoir leurs derniers jours.

La visibilité constituait un problème évident, de même que la possibilité d'établir et de préserver le tracé d'un parcours jusqu'à l'arche. Il fut décidé qu'à condition de tendre des cordes et des chaînes entre les arbres il serait plus simple d'utiliser le chemin existant. Au moins, une clôture en bordait déjà certaines parties – sur un côté, voire sur les deux –, et il présentait l'avantage d'aller du pied de la montagne jusqu'au sommet.

Restait le plus gros problème : les bêtes elles-mêmes.

Oh, c'était très bien d'avoir écrit "deux à deux" dans l'édit, sauf que les animaux ne vont pas par couples, et que choisir telle jument pour accompagner tel étalon était beaucoup plus facile à dire qu'à faire.

La sélection des moutons en particulier se révéla cauchemardesque. Mme Noyes, qui leur avait appris à chanter, avait ses préférés ; de fait, ils l'étaient *tous* mais il ne pouvait y en avoir que sept : un bélier, six brebis, pas d'agneaux. En fin de compte, il fallut éloigner de force Mme Noyes avant de confier le soin à Sem de procéder au choix.

Il fut ensuite nécessaire d'ouvrir les cages de tous les grands mammifères pour les lâcher dans le pré : éléphants et lions ; girafes et chameaux ; hippopotames et buffles… soixante-dix couples d'animaux au total, agressifs pour une bonne moitié et tous terrifiés.

Japhet eut alors l'idée de mettre à profit ses techniques de chasse : il fit monter Lucy et ses frères sur des chevaux puis leur fournit des lances à manier comme des aiguillons. Pendant ce temps, Mme Noyes et Emma furent chargées des oiseaux aquatiques et des animaux plus petits en cage – lapins, cochons d'Inde, rats, etc. En l'occurrence, la partie "etc." remplissait des pages et des pages, et Hannah devait comparer à sa liste chaque animal de chaque espèce et de chaque sexe que l'on devait pousser, porter ou mener à bord d'une manière ou d'une autre.

Certains furent piétinés dans la pente ou attaqués par des bêtes folles de panique et abandonnées sur place. Quelques-uns s'enfuirent en passant sous les cordes ou en sautant par-dessus les clôtures, et se perdirent à jamais. D'autres s'aventurèrent dans la cour et même dans la maison. Mme Noyes emporta le paon sur l'arche mais ne vit nulle part sa femelle. Lorsqu'elle trouva enfin la paonne, le mâle s'était échappé dans l'intervalle et elle n'eut d'autre solution que de se lancer de nouveau à sa recherche.

Dans le pré, Marmottin et la renarde s'étaient tapis au fond de leurs terriers, persuadés que la terre elle-même avait pris vie. Des souris furent ensevelies vivantes et des démons saisis d'épouvante détalèrent.

De fait, le vacarme du gigantesque défilé et non moins gigantesque rassemblement portait jusqu'à l'autre bout de la forêt, et il se poursuivit encore une nuit et deux jours.

A un certain moment, Emma et Mme Noyes, montées sur le toit de la maison pour aller chercher un couple de cigognes, firent une pause pour contempler la montagne, l'arche et la rivière. Elles découvrirent une interminable masse de dos, d'épaules et de têtes progressant contre le vent et à travers la poussière ; certaines de ces têtes, dotées de cornes ou de bois, étaient levées bien haut, d'autres au contraire, toutes de front massif et d'yeux aveuglés par le sable, restaient baissées. Tous les animaux criaient sous l'effet de la peur et de la confusion, et beaucoup appelaient leurs jeunes égarés ou leurs semblables enfermés dans des enclos, des parcs ou des étables – condamnés. Au-dessus d'eux, dans le ciel immense grouillant d'oiseaux, il n'y avait aucune trace de nuage mais juste un soleil impitoyable, apparemment déterminé à ne pas se coucher.

Ce fut alors que Mme Noyes se tourna vers Emma et, la prenant par les épaules, lui dit : "Ma chère enfant, n'oublie jamais ce que tu as vu aujourd'hui, car c'est le début d'un nouveau monde."

Emma continua de regarder pendant que Mme Noyes se dirigeait vers l'extrémité du toit, où elle s'assit pour pleurer dans l'ombre d'une cheminée.

A la cuisine, Mottyl s'était cachée sous le fourneau. Même son œil aveugle ne se ferma pas.

Mme Noyes courait à perdre haleine le long des couloirs de plus en plus sombres, jupes et tabliers retroussés au-dessus des cuisses, en proie à la terreur indicible d'une mère hagarde, incapable de retrouver ses enfants alors même qu'elle les entend appeler au secours. La fumée déferlait dans la maison, d'une ouverture à l'autre, et si Mme Noyes pensa au début que le feu avait pris à l'intérieur, elle ne tarda cependant pas à apercevoir le bûcher embrasé au-delà de la porte ; elle comprit alors que ce n'était pas la bâtisse qui brûlait mais quelque chose d'autre – quelque chose de vivant.

Elle ne s'arrêta qu'une seconde – juste le temps de lever les bras pour se protéger de la chaleur et d'enrouler un tablier autour de sa tête, car l'air grouillait d'étincelles grosses comme des oiseaux et elle avait les cheveux aussi secs que de l'amadou –, avant de reprendre sa course à travers les tourbillons de fumée, essayant désespérément de découvrir la source de ce gémissement suraigu qui était – sans être – un cri familier. Elle tentait également de distinguer et de dénombrer les formes qui se déplaçaient avec elle au milieu de la fournaise – l'on se serait cru dans une fournaise, à présent – et de déterminer s'il s'agissait de silhouettes humaines – ses fils, son mari, ses belles-filles…

Rien de ce qu'elle voyait bouger n'avait de pattes ou de jambes, mais juste des bras, des cous et des têtes qui flottaient parmi les vagues de fumée, pareils à des créatures émergeant de flots bouillonnants, replongeant puis refaisant surface. Et encore, avant de disparaître.

Il ne servait à rien d'appeler. Elle n'avait plus assez de voix de toute façon, et chaque fois qu'elle ouvrait la bouche, les cendres s'engouffraient à l'intérieur. Le vent – qu'il attisât les flammes ou fût produit par elles – faisait en outre entendre un grondement qui semblait surgir du brasier lui-même.

Soudain, sans prévenir, Mme Noyes chuta. Brusquement précipitée sur le sol en dessous de la fumée, elle s'aperçut alors que ses paumes la brûlaient – et que cette brûlure lui avait été infligée par un lambeau de chair en feu. Levant les yeux, elle reconnut enfin les formes qui évoluaient autour d'elle : moutons, vaches, chèvres, chiens…

Immobile, comme enracinée sur place, Mme Noyes scruta les alentours en plaquant une main sur sa bouche. Peu à peu, alors qu'elle regardait et écoutait, une certitude effroyable s'imposa à elle. Elle savait désormais ce qui se passait, et la panique suscitée par cette révélation pétrifia ses jambes autant qu'elle amollit son esprit, la paralysant sous l'emprise d'une seule pensée : *Tout ce qui se produit ici est délibéré et ce feu signifie le sacrifice de centaines d'êtres.*

Noé !...

Si seulement sa voix lui revenait ! Si seulement elle pouvait en recouvrer ne serait-ce qu'un filet...

Noé... !

Arrête !

Mais non, rien. Aucun mot ne franchit ses lèvres. Seuls résonnaient autour d'elle les cris de toutes ses bêtes – de tous ses moutons, ses chevaux et ses chiens – menées à la crémation au nom de Dieu.

Enfin elle réussit à bouger, et au moment où elle se tournait vers l'animal le plus proche, qu'elle eût été bien en peine d'identifier, une voix s'éleva pour dire : "Mère, tes jupes sont en feu", aussi calmement que si elle disait : "Tes lacets sont défaits…"

Le visage devant elle lui était familier, malgré ses traits souillés de suie et déformés par les boursouflures. C'était Cham, qui l'avertissait du danger puis tombait à genoux afin d'essayer d'éteindre les flammes avec ses mains, mais pas avant de lui avoir confié un être vivant que Mme Noyes pressa machinalement contre son sein sans même savoir ce que c'était, pendant que son fils s'activait autour d'elle.

Lorsqu'il se fut redressé, il la prit par les épaules, tira sur le tablier pour lui protéger les cheveux et l'entraîna loin du cœur du brasier, jusqu'à la bordure de la cour la plus abritée de la fumée ; à cet instant seulement, elle entendit gémir la créature dans ses bras et vit que c'était Mottyl, aveugle et pleine. "Allait-il la sacrifier elle aussi ? demanda-t-elle. Pour Yahvé ?"

Cham détourna les yeux, empli de honte.

Mme Noyes laissa échapper un cri. "Je le tuerai ! Oui, je le tuerai."

Son fils contempla le sol en feignant de n'avoir pas entendu.

Avec une grande douceur, Mme Noyes se servit d'un morceau d'étoffe pour apaiser la chatte – essuyant les yeux laiteux et malvoyants, soulevant le petit corps alourdi pour lui permettre de s'allonger contre elle. De se sentir en sécurité.

"A-t-il réellement l'intention de tous les tuer – tous ces animaux ? reprit-elle en cherchant autour d'elle un signe du docteur Noyes ou de ses autres fils. Jusqu'au dernier ?

— Il a dit que c'était le sacrifice ultime avant d'embarquer, expliqua Cham. Le cadeau qu'il faisait à Yahvé pour..." Malgré ses efforts, il ne put réprimer un sourire : "... pour nous avoir épargnés."

Mme Noyes poussa un léger grognement avant de poser son menton sur la tête de Mottyl.

"Je ne partirai pas, décréta-t-elle. Qu'il aille au diable ! Je me fiche d'être «épargnée» ! C'est aussi simple que cela. Je ne partirai pas."

Elle s'éloigna de quelques pas puis se tourna de nouveau vers son fils.

"Viendras-tu avec moi ?"

Cham ne bougea pas.

Après tout, il était jeune et tout juste marié. Il voulait monter à bord de l'arche, il voulait être épargné. Mme Noyes était toute prête à le comprendre, et, de fait, elle lui fut reconnaissante de se pencher vers elle comme pour lui signifier

179

qu'en d'autres circonstances il l'aurait certainement suivie.

"Très bien", conclut-elle, souriante. Sans se départir de son sourire, elle plissa les yeux pour mieux examiner son fils, mémorisant son expression et la façon dont il se tenait. Enfin, elle murmura : "Au revoir" et, serrant toujours Mottyl contre elle, elle s'apprêtait à descendre de la montagne quand, soudain, quelqu'un se dressa sur son chemin et la prit par la main.

C'était Sem, qui se contenta de dire : "Il veut te voir." Et de lui presser l'épaule pour l'inciter à l'accompagner.

Ils montèrent jusqu'au sommet de la montagne où Noé s'était hissé le plus loin possible au-dessus de l'holocauste. Il se tenait sur l'autel familial, donnant presque l'impression de vouloir s'immoler – même si Mme Noyes savait cette éventualité des plus improbables. La cloche sacrificielle sonnait.

Noé avait levé les bras au-dessus de sa tête et incliné son visage vers le ciel, de sorte que son épouse ne voyait de lui que sa robe blanche salie, sa barbe broussailleuse et sa crinière neigeuse rejetée en arrière.

Sem la tenait toujours par l'épaule, les doigts de sa grande main calleuse lui enserrant les os, et elle sentait l'odeur du feu sur le bras de son fils, mêlée aux relents de chair calcinée, d'herbe brûlée et de terreur animale venus de partout ailleurs. Mme Noyes plaqua la chatte contre elle en tirant le lambeau de tissu jusque sous son menton afin d'essayer de la dissimuler.

Quand il eut achevé de dire sa prière, que Mme Noyes écouta les yeux grands ouverts et la tête haute, Noé baissa les bras et regarda sa femme.

"Tu avais disparu, fit-il remarquer.

— J'étais occupée.

— Je vois."

(Qu'elle se fût employée à préparer des réserves pour une traversée de plusieurs mois ne fit même pas l'objet d'un commentaire.)

"Tu souhaitais ma présence ?

— Oui, répondit le docteur Noyes. J'avais espéré que tu assisterais au sacrifice. Que tu y prendrais part.

— Je n'avais aucun désir d'y prendre part mais j'y ai bel et bien assisté, merci.

— Tu sembles fâchée, femme.

— Je le suis, en effet."

Hannah aida Noé à descendre de l'autel. Mme Noyes s'aperçut alors que sa belle-fille était revêtue de blanc immaculé.

"Nul doute que tu es surmenée…, reprit Noé, faisant allusion à l'agacement de son épouse.

— Pas du tout, répliqua-t-elle. A vrai dire, je me sentirais même plutôt euphorique, merci.

— Le sacrifice t'a-t-il transportée ?

— Pas franchement, non."

Le docteur Noyes ne prêta aucune attention à cette réponse, se bornant à s'asseoir sur l'autel pour relater les événements de l'après-midi.

"Si tu veux connaître le sens de tout ceci – le plus grand sacrifice que nous ayons jamais offert à notre Seigneur –, je peux te résumer la situation en une phrase…

— Je préférerais que tu t'abstiennes.

— Ah non. C'est impossible. Tu es mon épouse, et par conséquent je suis responsable de ton instruction."

Au même moment, Hannah s'avança, apportant de l'eau avec laquelle le vieil homme se rinça les mains ; ensuite, elle s'agenouilla pour lui laver les pieds pendant qu'il poursuivait sa conversation avec Mme Noyes.

"Nous avions le devoir de ne pas gaspiller ces bêtes qui, après tout, étaient des spécimens sacrificiels de choix élevés uniquement dans ce but, expliqua-t-il. Quelque chose comme une centaine de moutons, une cinquantaine de têtes de bétail, divers oiseaux, sans parler des chèvres... tous auraient dû se noyer. Quel immense gâchis c'eût été ! Impardonnable. Alors, en guise d'adieu et, je te le répète, en signe de gratitude envers notre Seigneur...

— Tu n'as pas mentionné les chevaux.

— Pardon ?

— Les chevaux. Tu ne les as pas mentionnés. Pas plus que les autres animaux d'ordinaire exclus du sacrifice, comme les cochons, les bœufs, les mules, les dindes, les chiens, les paons et les paonnes. Ou encore...

— Assez !

— Ou encore ma chatte !" hurla Mme Noyes – et même si sa voix s'était brisée en prononçant les mots, elle les avait néanmoins formulés ; ainsi, son époux comprendrait qu'elle savait ce qu'il avait fait et ce que son acte signifiait pour elle.

"Ta chatte ?

— Oui."

Mme Noyes écarta le morceau d'étoffe pour donner un aperçu de Mottyl blottie dans son giron, terrifiée par la présence du docteur.

Celui-ci aspira de l'air entre ses dents en bois, produisant ce son sifflant qui était toujours le signe chez lui d'un grand déplaisir. Il agita ensuite la main, complètement indifférent à Mottyl, en disant : "Nous avons déjà deux chats, femme. Deux chats très spéciaux, devrais-je ajouter... et l'édit spécifie très clairement *deux – et seulement deux.*

— Tu pourrais faire une exception.

— Ah oui ? Et pourquoi, je te prie ?

— PARCE QU'ELLE EST A MOI !"

Hannah chancela, renversant la moitié de l'eau dans la coupe.

Personne ne bougea, pas même Noé.

Enfin, constatant que ni ses paroles ni la manière dont elle les avait énoncées n'avaient eu d'effet, Mme Noyes murmura :

"Je ne viendrai pas, Noé. Si ma chatte… si Mottyl ne vient pas, je ne viens pas non plus."

Cette fois Hannah grimaça, persuadée que la terre allait s'ouvrir.

D'un coup de pied, Noé expédia au loin la coupe, puis il se redressa de toute sa hauteur comme s'il n'avait jamais été vieux, comme s'il était un géant dans la force de sa jeunesse, et, après avoir écarté un bras, il frappa Mme Noyes d'un revers de main.

Elle s'effondra, bien entendu, et Mottyl affolée sauta à terre avant de s'enfuir.

Mme Noyes observa une immobilité totale. Elle ne pouvait penser qu'à une chose : *Elle est aveugle et je ne la reverrai jamais.*

Le docteur Noyes s'assit. En vérité, il y était obligé : l'effort qu'il avait dû fournir pour gifler sa femme l'avait presque privé de forces et, brusquement, il sentait à nouveau peser sur ses épaules tout le poids des ans.

Il parvint néanmoins à rassembler ses esprits, et pendant qu'Hannah achevait de lui laver les pieds après avoir versé dans la coupe une cruche d'eau fraîche, il tenta de raisonner Mme Noyes, qui semblait à peine l'entendre.

"Il y a d'autres chats… de très beaux chats, Abraham et Sarah… et la tienne est vieille, elle est pleine, c'est une simple créature née dans le bois –, sans compter qu'elle ne voit plus rien. Elle n'aurait pas manqué passer par-dessus bord…" Il faillit ponctuer cette remarque d'un petit rire doux. "Imagine alors ce que tu aurais ressenti devant un tel sort : *engloutie par la mer*…

— Elle est déjà perdue, abandonnée ainsi…

— Bon, quoi qu'il en soit, tu es bien mieux sans elle et elle est bien mieux là où elle est. Elle mourra parmi les siens, où est sa place."

Noé sourit, son épouse garda le silence, et ainsi la question parut réglée. Puis Mme Noyes se leva, lui aussi, et tous deux contemplèrent le flanc de la montagne, à distance l'un de l'autre, immobiles entre la grande arche derrière eux et les feux sacrificiels en dessous. "Nous avons fait pour le mieux, dit-il. Nous avons fait ce qui est juste. Nous obéissons à Dieu. Et lorsque nous monterons ensemble dans l'arche, nous aurons rempli notre mission ici, nous pourrons nous consacrer à celle qui nous attend et nous nous réjouirons d'avoir accompli notre devoir. N'est-ce pas ?"

Non.

Elle ne se réjouirait pas.

Et elle ne lui pardonnerait pas.

Jamais.

Très lentement, il se mit à pleuvoir.

Après des semaines et des semaines de sécheresse, les premières gouttes apportèrent une vague de soulagement. Cham, Lucy et Emma sortirent sur le pont de l'arche tandis qu'Emma se mettait à danser en chantant des comptines : "Pluie, pluie, va-t'en et reviens dans quelque temps", ou encore : "Il pleut sur ma fenêtre, il pleut sur ma porte, faites qu'il ne pleuve plus sur ma tête !" En vérité, il y eut tant de chansons, tant de rires, tant de courses folles et de sauts dans les flaques que personne ne parut remarquer, au début, le caractère étrange de cette pluie. Jusqu'au moment où Emma, le doigt tendu vers Lucy qui arborait une longue robe blanche, s'écria : "Regardez ! C'est de l'eau colorée !"

C'était vrai. Elle était mauve.

Le troisième jour, les nuages descendirent presque jusqu'à frôler les plus hautes branches du pin et le toit de l'arche. Les profondes ravines creusées dans l'argile teinte en mauve, où les pluies créaient ruisseaux et cascades, commencèrent – très lentement d'abord – à charrier un courant beaucoup moins coloré et beaucoup plus puissant. Les grondements du tonnerre encore lointains résonnaient partout, cernant la montagne de leurs échos. Ce fut alors que les gouttes, ayant perdu leur aspect translucide et mauve, prirent une apparence laiteuse, opaque, amenant Noé à énoncer un jugement : ce qui avait été une pluie "maléfique" était maintenant une pluie "passionnée" déversée et gâchée par le ciel sur la terre agonisante. Il la nomma la "pluie d'Onan".

Mme Noyes avait disparu.

Personne n'avait pu la retrouver.

Le docteur Noyes était dans tous ses états.

Ce n'était pas la perspective de perdre un être aimé qui l'accablait, il fallait bien l'admettre, mais plutôt celle de perdre un être dont il avait besoin. Sans Mme Noyes, l'arche ne pourrait prendre le départ et sa mission serait vouée à l'échec. Tel était l'édit de Yahvé : "… toi, tes fils, ta femme et les femmes de tes fils…" Si ces huit-là n'étaient pas réunis, il n'y aurait pas de salut.

185

Hannah rejoignit le docteur Noyes sous son parapluie, et tous deux, postés sur le pont au-dessus de la passerelle, scrutèrent la pluie.

"Elle nous fera tous tuer", dit le docteur Noyes.

Hannah resserra son châle autour de son ventre.

"Elle nous fera tous tuer ! cria le docteur vers le ciel. ELLE NOUS FERA TOUS TUER ! IL FAUT L'ARRÊTER !"

Au début, Mme Noyes erra sous la pluie au pied de la montagne tandis que le bois se remplissait peu à peu de chiens et de dindons renégats venus des propriétés abandonnées plus loin sur la route. D'autres animaux avaient également commencé à apparaître sur les berges de la rivière gonflée et parmi les arbres, et, bientôt, ils furent si nombreux que les lémuriens grimpèrent jusqu'aux cimes en criant : "Il n'y a plus de place ! Plus de place !"

Dans un coin de sa tête, Mme Noyes conservait l'espoir vague, quoique de plus en plus faible à présent, de découvrir Mottyl au milieu de ces flots de créatures égarées, de pouvoir compter sur la magie de la providence pour les aider toutes les deux à se retrouver.

Elle ne vit cependant aucune trace de sa chatte, ni dans les hautes herbes désormais couchées sur le sol, ni à l'orée du bois, ni sur les portions de route de moins en moins longues qu'elle pouvait encore parcourir malgré son épuisement. Dans ses vêtements trempés, environnée par l'odeur de la laine mouillée, du tablier brûlé et de ses cheveux roussis, elle avait l'impression d'être un feu que l'on aurait arrosé pour l'éteindre. Elle aurait dû avoir froid, mais non : la pluie était étonnamment tiède, voire parfois presque chaude, et la vallée disparaissait sous des brumes ondoyantes qui rappelaient les volutes de vapeur montant des marmites mises à mijoter sur le fourneau.

Chaque fois que l'herbe bougeait, qu'une brindille craquait ou qu'une branche tombait, Mme Noyes s'immobilisait en murmurant : "Motty ? Mottyl ?" Il ne servait à rien d'élever la voix pour essayer de couvrir les glapissements des lémuriens. Le monde n'était plus qu'un désert sauvage, et si elle devait retrouver sa chatte, ce serait purement par hasard.

Dans le noir – car il faisait toujours noir à présent –, Mottyl fuyait la voix de Noé, l'odeur du brasier et la puanteur de la chair carbonisée. Si tous avaient le feu pour ennemi, la chatte nourrissait en outre une crainte toute particulière envers le docteur Noyes, responsable de sa cécité et meurtrier de ses petits. Aujourd'hui, il avait également essayé de la tuer.

L'obscurité dans laquelle elle se mouvait n'était pas totale. Mottyl en distinguait les lisières – de fines bordures claires, floues, sur lesquelles se découpaient des formes statiques ou même parfois en mouvement : une envolée d'oiseaux, la course d'un chien, les bonds saccadés d'un lémurien… Arbres, rochers et murs étaient ses adversaires les plus redoutables car ils se dressaient soudain devant elle, plats et unidimensionnels, sans jamais se révéler dans leur totalité, rendant bien trop souvent la collision inévitable.

Elle descendit de la montagne en essayant de rassembler tous ses souvenirs de murs, d'arbres et de portes, de se remémorer leur emplacement ainsi que celui de ses passages habituels – les minuscules rais de lumière qui lui servaient de repères –, mais lorsqu'elle dut faire un grand détour en territoire inconnu pour éviter le cercle

187

de crémation au milieu de la cour, elle s'empêtra presque aussitôt dans les dépouilles fumantes achevant de se consumer sur le pourtour.

Mottyl criait rarement. Stoïque de nature, elle avait l'habitude de garder le silence quand elle avait peur et de se cacher quand elle avait mal. Mais là, au milieu de cette cour, les narines assaillies par l'horrible odeur du poil brûlé, les oreilles résonnant du grésillement des entrailles enflammées, les pattes engluées dans des coulées de moelle suintante et l'esprit envahi par la terreur de la fumée et du feu qu'elle ne parvenait pas à voir, elle se sentit submergée et, figée sur place, elle rejeta la tête en arrière en poussant une longue plainte.

Personne ne l'entendit.

Il n'y avait autour d'elle que des morts survolés par des buses tournoyant en silence au-dessus d'eux.

Lorsque, enfin, Mottyl recouvra la capacité de bouger, il s'était mis à pleuvoir et elle avait perdu tout sens de l'orientation.

Mme Noyes fut bien obligée de chercher à manger, puisque jardins, celliers et caves avaient tous été vidés. Les œufs dans le poulailler, les sacs de farine dans la réserve, le moindre bout de viande dans le fumoir et les herbes suspendues aux poutres de sa cuisine d'été pour les faire sécher – tout avait disparu, jusqu'au moindre grain de céréales dans le grenier à blé. Il ne restait absolument plus rien : ce qui n'avait pas brûlé se trouvait maintenant au fond des cales de l'arche. Et dire qu'elle avait pris part à cette entreprise ! songea Mme Noyes. De son plein gré, qui plus est...

Bon.

Il y avait de l'herbe détrempée, des racines amères, des baies jaunes aigrelettes dans les plantes grimpantes et il devait y avoir aussi des pommes…

Mais oui ! Quelle idiote elle faisait !

Bien sûr qu'il y aurait encore des pommes dans le verger… Après tout, ils étaient si peu nombreux à pouvoir les cueillir ! Les femmes n'avaient absolument pas le droit d'y toucher, de même que les enfants et les animaux domestiques. Seuls les anciens tels que Noé – des hommes ayant été initiés aux mystères – pouvaient se nourrir dans le verger. Pourtant, celui-ci regorgeait de pommiers par dizaines, riches de leurs fleurs au printemps et du parfum de leurs fruits sous les pluies de l'automne. Pourquoi n'y avait-elle pas pensé plus tôt ?

Elle se mit à courir en dépit de la boue, de l'herbe glissante et du fouillis de fleurs enchevêtrées qui recouvraient le versant de la montagne. Elle coupa à travers champs pour gravir la pente, montant à l'oblique vers la piste, le mur de pierre hérissé d'éclats de verre et la porte qui restait toujours verrouillée mais qu'elle ouvrait déjà en imagination.

Toutes ces pommes seront à moi, pensa-t-elle.

Au moment d'atteindre le chemin, le souffle lui manqua et elle dut s'arrêter quelques instants. Elle se laissa choir par terre, d'abord sur les genoux puis sur le flanc…. "Rien qu'un petit moment de repos", murmura-t-elle. Mais soudain elle se redressa.

Ben Azai était mort… Ben Zoma avait perdu l'esprit… Ben Abuya avait déraciné les plantes de la raison…

Et tout cela, avait dit Yahvé, *parce qu'ils avaient pénétré dans le verger.*

Mme Noyes s'affaissa de nouveau, la hanche contre une grosse pierre ronde – et peut-être fut-ce la pression douloureuse de cette pierre s'enfonçant dans ses os qui l'incita à penser : *Mais ils n'y sont pas allés pour cueillir des pommes... Non, ils voulaient la connaissance, et moi, tout ce que je veux, c'est de quoi manger !* (Elle se releva.) *De plus, l'un d'eux a survécu, n'est-ce pas ? N'est-il pas sorti indemne du verger ?*

Oui.

Elle tourna la tête vers le chemin menant à la porte munie d'une chaîne et d'un cadenas.

Rabbi Akiva est entré indemne dans le verger et il en est sorti indemne.

Il en irait de même pour elle.

Mme Noyes déchira l'un de ses jupons en longues bandes épaisses dont elle enroula une partie autour de son cou en prévision d'une future utilisation qu'elle ignorait encore ; elle avait cependant été épouse et mère suffisamment longtemps pour savoir que tout, absolument tout, peut servir un jour. Avec les autres, elle se fabriqua une sorte de bandage pour ses mains, ne laissant apparaître que les pouces. Le résultat n'allait pas sans rappeler une paire de mitaines en coton – informes certes, mais qui feraient l'affaire.

Il lui était venu à l'esprit que l'ouverture de la porte risquait de déclencher les effets de quelque sortilège que Yahvé ou Noé aurait prononcé pour protéger la serrure. Qui sait si le feu de Saint-Elme ou le serpent d'Eden n'allait pas apparaître ? Cette perspective ne l'enchantait pas du tout, loin s'en fallait. Mieux valait donc tenter de passer par le mur malgré les éclats de verre.

Par leur seule volonté, les aveugles peuvent développer la faculté de voir. S'ils ne distinguent pas les choses clairement, il leur est néanmoins possible de donner forme à une ombre ou d'identifier une source de lumière.

Mottyl avait elle aussi trouvé le verger, mais plus tôt que Mme Noyes. Ce n'était pas un endroit qu'elle avait beaucoup fréquenté dans le passé, avant tout parce que le docteur Noyes et Hannah avaient laissé leur odeur sur tous les chemins ; même les piliers encadrant la porte empestaient la sueur de leurs mains. Il y avait bien longtemps, elle avait voulu sauter sur le mur et s'était coupé les coussinets ; elle n'était cependant qu'un chaton à l'époque et ne conservait de l'incident qu'un souvenir des plus vagues. Alors qu'elle s'en approchait ce matin-là, après le sacrifice des animaux, ses voix lui soufflèrent de se méfier, sans toutefois rien ajouter de plus.

Le jour ne s'était pas encore levé et seule une faible lueur éclairait le ciel. Du monde autour d'elle, Mottyl n'avait qu'une impression générale de grisaille, de formes mouvantes derrière un double voile de brume – celui de la pluie et de la vapeur montant de la terre – que rendait encore plus opaque son œil affligé par la cataracte. Elle avait passé les heures les plus noires de la nuit agrippée à une branche de conifère, sans jamais vraiment s'endormir, les oreilles dressées et les griffes enfoncées profondément dans l'écorce – si profondément qu'un filet de résine avait parfumé ses rêves. Son pelage tacheté de roux, de blanc et de noir sentait encore le feu et la fumée, mais l'odeur s'était atténuée pendant son séjour dans l'arbre sous la pluie, au point de devenir presque imperceptible. En attendant, si les dragons tant redoutés surgissaient, ils ne manqueraient pas de la repérer immédiatement, car sa propre odeur était exacerbée par l'humidité de son poil et la chaleur dégagée par son corps dans la fraîcheur matinale. Consciente du problème, elle se demanda où elle pourrait trouver des bouses pour s'y rouler ou des herbes aromatiques, peut-être, qui auraient le double avantage d'apaiser ses piqûres de puces et de la revigorer.

Les pommes de l'autre côté du mur répandaient une senteur entêtante dont l'attrait n'avait toutefois pas la même connotation pour elle que pour Mme Noyes. De fait, Mottyl ne la considérait pas comme une promesse de nourriture mais plutôt comme un repère pour l'aider à se situer : elle lui fournissait un centre autour duquel décrire un cercle, et ainsi déterminer distance et direction presque de la même manière qu'avant, quand les maisons et au moins certaines personnes de son entourage lui apportaient la sécurité – quand elle avait la possibilité d'estimer sa position grâce à l'odeur de Mme Noyes, de la cuisine ou de sa chère véranda avec ses bordures où elle aimait à s'allonger au soleil, son fauteuil au siège tendu de tissu et aux accoudoirs huilés par des siècles de sueur sur les paumes de Mme Noyes… Aussi, tout en approchant du verger, Mottyl se réjouissait-elle de sentir les pommes.

Ainsi en allait-il, de toute évidence, pour une nuée d'oiseaux. Pas très gros mais très bruyants. Si seulement ils voulaient bien s'accorder sur le genre de sons à produire ! Les cimes résonnaient de toute la gamme de leurs chants, mêlée à d'autres appels évoquant des aboiements de chien, des glapissements de lémurien, une voix de femme. Et même des bourdonnements, comme les horloges et autres mécanismes du docteur Noyes…

Des étourneaux.

Mottyl se précipita dans la pente vers le verger. La lumière s'amplifiait, à présent, bien que le soleil n'eût pas encore daigné paraître.

Si seulement ses propres voix intérieures parlaient moins fort, elle pourrait tenter de sauter sur le mur en toute impunité... Mais voilà, elles refusaient de se taire. Pis, leur niveau sonore ne cessait d'augmenter, jusqu'à devenir franchement irritant.

Pourquoi ne me dites-vous pas ce qu'il y a, au lieu de me seriner tout le temps : "Méfie-toi ! Méfie-toi !" ? Dites-moi donc pourquoi je devrais me méfier et de quoi ! Y a-t-il quelqu'un ici ? L'ange ? L'ange est-il ici ?

Non. Juste des oiseaux. Pas de danger.

Alors quoi ?

Le mur. Le mur.

Ah. Comme si ça pouvait m'aider ! Expliquez-moi pourquoi le mur.

Impossible, nous ne nous en souvenons pas. C'est juste que... Le mur, le mur, méfie-toi.

Mottyl ne se trouvait plus qu'à six ou sept bonds du mur, qu'elle "voyait" comme une longue forme sombre dessinant une sorte de ruban à travers la grisaille. L'odeur des pommes montait vers elle, accompagnée par le cri des étourneaux.

Ces oiseaux-là, petits, maigrichons et tout en nerfs, n'offraient presque rien à manger, sans compter que leur chair peu abondante n'avait rien d'agréable : elle était amère et teintée d'un arrière-goût métallique rappelant celui de la rouille dans certaines sources et mares. On y décelait même de vagues relents d'aloès, comme s'ils se nourrissaient de baies empoisonnées et de feuilles de houx. N'empêche…

Assise sur son derrière tel un lapin, Mottyl leva la tête vers les arbres emplis de chants.

"Oiseau ! appela-t-elle. Oiseau ?"

Aussitôt, les étourneaux se turent.

Mottyl s'aplatit, s'élança en diagonale dans la pente puis s'immobilisa.

"Oiseau…, appela-t-elle de nouveau, mais plus doucement. Oiseau ?" répéta-t-elle en modulant ses inflexions. Elle utilisait une technique proche de celle dont elle se servait pour attirer les souris, mais en y mettant une touche de brusquerie car sa voix devait monter au lieu d'être dirigée juste au-dessus du sol, à travers les herbes.

"Oiseau !" Intonation cinglante, cette fois. "Oiseau !"

Dans les arbres, les étourneaux surpris chuchotaient.

Sachant maintenant qu'elle avait attiré leur attention, Mottyl se mit à bavarder.

A condition de trouver le ton juste, la parole pouvait se révéler merveilleusement fatale. Tous les oiseaux ne cédaient pas à la tentation, bien sûr. S'il était par exemple impossible de piéger ainsi un merle, les étourneaux en revanche, tout comme les vachers et les pinsons, incapables de résister, venaient pratiquement se jeter dans la gueule de l'ennemi qui leur parlait.

De fait, l'un d'eux se laissa séduire.

Il quitta le pommier pour venir se poser sur le mur, d'où il observa en marmonnant le fouillis d'herbe mouillée et de buissons en contrebas.

Mottyl maudissait sa cécité. Elle savait que l'oiseau était là, mais sa forme se confondait avec celle des pierres autour de lui. Si seulement il pouvait bouger ! Elle maudissait aussi le poids de ses chatons, suffisamment important à présent pour la déséquilibrer quand elle bondirait – alors que si elle avait joui d'une bonne vue il n'en aurait pas été ainsi.

Parle encore. Vas-y, parle, le supplia-t-elle. *Parle !*

Comme s'il avait entendu sa prière, l'oiseau s'adressa à ses semblables dans les arbres.

Furtivement, sous le couvert d'un bosquet de myrtes, Mottyl rampa vers la voix, prête à jaillir quand la pression des branches sur son dos s'allégerait, lui signifiant ainsi qu'elle en avait atteint l'extrémité… *Continue à parler. Parle encore. Parle…*

L'étourneau se penchait, à présent, scrutant le sol au pied du mur, oubliant toute prudence dans sa quête d'éventuels insectes.

Mottyl, qui n'était plus qu'à un seul bond de sa proie, ne doutait plus désormais d'avoir isolé sa silhouette parmi les pierres.

Soudain, l'oiseau poussa un cri.

Il l'avait repérée.

Elle s'élança.

Au même moment, l'étourneau s'envola, et la chatte, à quelques centimètres du mur, entendit brusquement ses *voix* hurler…

DU VERRE !

Tous les étourneaux s'égaillèrent en poussant des cris d'indignation alors que la silhouette de Mottyl montait haut dans les airs, passait au-dessus des morceaux de verre fichés dans le mur et retombait du côté du verger. Ils allèrent se poser de nouveau dans les rangées d'arbres un peu plus loin, où ils se dispersèrent parmi les pommes et les feuilles telles des harpies piaillant toujours : *"Un chat ! Un chat ! Un chat !"*

Encore ébranlée, Mottyl se tapit contre le mur, le cœur battant, la langue dégoulinant de bave et les oreilles couchées. Elle avait toutes les peines du monde à recouvrer son souffle, d'autant que l'air brumeux autour d'elle grouillait de petits points blancs qui lui donnaient le tournis. Au fond de son ventre, elle sentait ses bébés – alarmés par tant d'agitation – bouger et se pousser. En hâte, elle s'étendit sur le flanc et s'étira de tout son long afin de leur donner plus de place. Puis, les yeux fermés pour ne plus voir la lumière, elle se concentra sur sa respiration, s'efforçant d'inspirer plus profondément afin d'attirer l'oxygène dans ses poumons tout en repliant le bout de ses pattes – ouvert, fermé, ouvert, fermé –, jusqu'au moment où, lorsque les tressaillements, soubresauts et autres frissons se furent apaisés, elle put enfin entendre d'autres battements de cœur que les siens.

Un.

Deux. Trois.

Quatre. Cinq…

Rien.

Six, il aurait dû y en avoir six.

Où es-tu, six ? Où es-tu ?

Rien.

Mottyl se coucha de l'autre côté.

Six ? Six ?

Six ?

En appui sur la courbe de son dos, elle baissa la tête vers son ventre et se mordilla la peau afin d'obliger les bébés à se manifester de nouveau. *Allez, bougez ! Bougez !*

Ils remuèrent tout doucement, cette fois, chutant à travers les liquides dans lesquels ils baignaient. Un, deux, trois…

Quatre.

Cinq.

Six.

Mottyl s'allongea contre le mur et somnola pendant cinq bonnes minutes. Six cœurs en plus du sien battaient à l'unisson sous la pluie.

Le verger avait l'air si paisible avec ses sentiers herbeux et ses alignements d'arbres que Mme Noyes trouvait particulièrement étrange d'avoir peur d'un tel lieu. Pourtant, elle se sentait bel et bien effrayée. Toute sa vie durant, on l'avait confortée dans l'idée que seules les femmes bénéficiant de privilèges particuliers avaient le droit de marcher sous ces arbres et de fouler cette herbe. Des femmes comme Hannah, par exemple – qui, à sa connaissance, était l'unique représentante du sexe faible à avoir obtenu les concessions nécessaires.

Elle s'approcha du mur.

Bien consciente toutefois de l'éventualité d'un espion sur l'arche, elle se mouvait le plus près possible du sol. Accroupie, pressant ses mitaines de coton dans la boue, elle s'employa à traverser la dernière partie à découvert du chemin, et enfin se jeta contre le mur au pied duquel poussaient une profusion de groseilliers susceptibles de la dissimuler aux regards.

Elle patienta.

Pas un bruit sinon celui de la pluie, pas la moindre indication que ses mouvements eussent été épiés.

Le mur, qui la dominait à présent, était un peu moins grand qu'elle. Les pierres elles-mêmes étaient pointues et les morceaux de verre plus abondants que dans son souvenir.

Bon, plus vite je m'y attaquerai, plus vite ce sera fini.

Elle se redressa de toute sa hauteur et tira sur les extrémités de ses mitaines pour les resserrer autour de ses poignets. Elle plaça ensuite les mains, prudemment mais fermement, à l'endroit où les éclats semblaient les moins dangereux, prit appui sur ses paumes et…

Oh, Seigneur.

Elle s'était coincée.

Entraînée par le poids de ses jupes, elle s'était effondrée sur sa hanche au sommet du mur et elle sentait maintenant les pointes de verre s'enfoncer lentement dans sa chair comme autant de dents de dragon.

Craignant d'élargir ses blessures si elle bougeait, Mme Noyes demeura indécise quelques instants puis, comme d'autres effectuent des pompes sur un seul bras, elle se hissa au-dessus de l'obstacle et se laissa rouler de l'autre côté. Elle devait saigner, mais, si elle ne regardait pas, elle éviterait sûrement de s'évanouir.

Après avoir dormi cinq minutes, Mottyl – soulagée et heureuse de savoir tous ses bébés en vie – se réveilla toujours affamée.

Une fois assise, elle huma l'air et se rendit bien vite compte qu'elle n'était pas seule dans le verger.

La renarde était là elle aussi.

Mottyl sentit ses poils se hérisser. Elle n'y pouvait rien, c'était instinctif : lorsqu'on flairait la renarde, il fallait se préparer à se défendre, même si la meilleure des défenses consistait à fuir le plus loin possible. En l'occurrence, il n'était pas évident de savoir où se trouvait exactement l'ennemie ; tout comme elle, la renarde devait probablement chercher à manger. Il n'était pas rare de la voir fouiner dans le verger et à la lisière des champs en quête de lapereaux. Mais ce jour-là, compte tenu de l'humidité de l'air et de l'absence de vent, son odeur était omniprésente, portée partout par la brume.

Sa cécité rendait Mottyl plus vulnérable. Après tout, elle représentait une proie facile pour n'importe quel animal capable de déceler sa faiblesse, et pour peu que l'animal en question fût suffisamment gros, alors ses bébés et elle seraient condamnés. Oh, elle se battrait, évidemment. Sans pour autant avoir l'assurance de gagner, hélas…

Concentrée, elle tendit l'oreille. Aucun son ne s'élevait alentour – aucun, en tout cas, qu'elle associerait à un renard.

Mottyl s'écarta du mur et, tout en s'efforçant d'éviter les formes menaçantes des troncs, elle s'aventura sous les frondaisons en se disant qu'en cas de nécessité elle pourrait toujours grimper dans un arbre.

Brusquement la renarde se jeta sur elle – apparemment surgie des hautes herbes.

Mais déjà Mottyl bondissait vers le pommier le plus proche en espérant que les branches allaient soutenir son poids.

Au pied de l'arbre, la renarde glapissait comme une folle. Furieuse d'avoir laissé échapper sa proie, elle l'invectiva copieusement à travers le feuillage pendant que Mottyl, désormais à l'abri, s'installait plus confortablement en prévision d'un long siège. Contre toute attente, cependant, un phénomène fort curieux se produisit.

Alors qu'elle se déchaînait, la renarde s'interrompit soudain au beau milieu d'un jappement et se laissa tomber sur le flanc. Mottyl l'entendit haleter puis, peu à peu, elle commença à distinguer un autre son : son ennemie, de toute évidence à bout de forces, s'était mise à gémir ; d'un instant à l'autre, elle allait hurler. Il n'y avait plus rien à manger, plus d'endroit sûr où se réfugier... Elle allait mourir de faim, ses petits avaient déjà péri...

Or Mottyl venait de découvrir une pleine couvée d'œufs dans le nid d'un geai.

"Hé, renarde ?"

Celle-ci leva les yeux.

La chatte poussa deux œufs hors du nid et en garda trois pour elle.

"Tiens, mange."

Le verger s'étendait devant Mme Noyes dans toute sa splendeur parfaitement ordonnée.

Elle s'élança, ou plutôt boitilla rapidement jusqu'à l'arbre le plus proche, couvert de pommes d'un jaune clair et doux ; elle en cueillit trois à la suite, qu'elle croqua en se servant de ses deux mains gantées pour les porter à sa bouche. Elle se désaltérait en même temps qu'elle mangeait, laissant le jus couler au coin de ses lèvres, le long de son menton et de sa gorge jusqu'au creux de ses seins. C'était un véritable bain de nectar dont elle se délectait, regrettant de ne pouvoir presser les trognons pour s'en imprégner les cheveux. La chair de ces pommes était à son sens plus exquise que tout ce qu'elle avait pu goûter jusque-là – même si n'importe quel aliment lui eût sans doute fait le même effet, puisque la moitié de son plaisir au moins consistait à pouvoir apaiser sa faim et sa soif avec autre chose que de l'eau.

En regardant alentour, elle constata que bien des arbres étaient encore chargés de fruits. *Je dois me constituer une réserve de l'autre côté du mur*, pensa-t-elle. *Ainsi, quand je voudrai manger, je ne serai pas obligée de porter ces mitaines ridicules ni de risquer des coupures aux jambes.*

Rouges, vertes, violettes, jaunes et même blanches – les pommes emplissaient son tablier à mesure qu'elle secouait les branches puis se penchait pour ramasser les fruits déjà tombés à cause de la pluie. L'herbe embaumait leur senteur sucrée, mêlée à la sienne propre, avivée par l'humidité, et Mme Noyes songea que l'on ne pouvait garder meilleur souvenir de la terre que celui des branches noueuses de ses arbres, de la saveur de ses fruits, du parfum de son herbe et de la tiédeur de ses gouttes d'eau.

Deux tabliers pleins suffiraient à la nourrir pendant au moins un mois, même si elle ne pensait pas pouvoir rester aussi longtemps en vie. Assise par terre, Mme Noyes dévora dix pommes d'affilée. Elle avait retroussé ses jupes pour laisser la pluie lui laver les jambes, et chaque fois qu'elle terminait un fruit elle en frottait doucement le trognon sur ses plaies. Si l'acide la piquait, elle savait qu'il favoriserait la cicatrisation.

L'abondance des pluies aussi bien que leur durée étaient imprévisibles, mais la connaissance qu'elle avait de la sournoiserie de Noé et le souvenir qu'elle gardait de la fureur de Yahvé l'avaient préparée à ne pas espérer la modération. Le temps pouvait très bien se maintenir ainsi pendant des jours, adouci par ces légers brouillards tièdes que l'on nommerait plus tard "brumes d'Ecosse". Cela ne se prolongerait cependant pas éternellement ; le tonnerre sacré finirait sans aucun doute par résonner, ponctué par un déchaînement d'éclairs déchiquetés – ces éclairs dont Yahvé se servait si souvent pour désorienter Son peuple en le plongeant dans la crainte. Il y aurait aussi les trombes d'eau. Les rideaux aveuglants de neige fondue. Les torrents gonflés par les orages fracassants et les tornades. Et enfin… quoi ? Les étangs allaient repousser leurs limites, les rivières déborder de leur lit, les mares dévaleraient le flanc de la montagne alors que les cascades seraient réduites au silence, englouties par la montée des eaux et l'affaissement des montagnes. Et après…

Mme Noyes se leva.

Elle jeta le dernier trognon, s'essuya la bouche d'un revers de main et émit un léger rot. *Je suis pareille à une vache*, songea-t-elle. *Debout sous la pluie, le regard perdu dans le vague… Je ne vais plus tarder à ruminer !*

Et après…

Elle ne pouvait imaginer la suite, même si elle ne doutait pas que d'autres en seraient capables. De fait, Yahvé et Noé l'avaient déjà imaginée. Mais ce n'était pas à elle de s'en mêler. Pour sa part, ce serait toujours bien plus de pluie qu'il ne lui en fallait, elle l'avait compris dès les premières gouttes.

Mme Noyes se retourna un court instant pour contempler le verger en prenant une profonde inspiration afin de s'imprégner de son parfum sucré. Ce faisant, elle décela une odeur autre que celle des pommes. "Je sens un animal", dit-elle à voix haute. Gros ? Petit ? Dangereux ? Inoffensif ? Comment aurait-elle pu le savoir ? C'était juste… un animal.

"Mottyl ?"

Non. L'odeur évoquait une créature plus sauvage.

Mme Noyes secoua ses jupes puis, après avoir balancé sur ses épaules les tabliers remplis de pommes, elle entreprit de descendre la pente. Pour quelque mystérieuse raison, elle trouvait étrangement réconfortant ce mélange de senteurs. Peut-être parce qu'il lui apportait la preuve qu'une autre créature vivante errait sur la montagne ? Si seulement il avait pu s'agir de sa chatte…

Mottyl trottinait le long du bois. Dans l'air du soir s'élevaient les cris des lémuriens qui réclamaient le soleil. La chatte pensait à Bip et à Ding, espérant qu'ils étaient en sécurité à bord de l'arche.

La pluie incessante et l'herbe mouillée l'avaient trempée jusqu'aux os ; aussi, avant de pénétrer dans le bois, s'assit-elle sur la clôture brisée près de laquelle l'archange Michel avait tué le dragon afin d'essayer de se sécher un peu en se servant de sa patte pour lisser son poil et en chasser l'eau.

Installés dans le bignonia, Bip et Ding l'observaient sans toutefois avoir la certitude que c'était bien Mottyl. Elle leur semblait si petite !

"Est-ce toi, Mottyl ?" Bip se laissa glisser le long de l'une des branches les plus souples, projetant sur tout ce qui se trouvait en dessous les gouttelettes accrochées aux feuilles.

"Bip ?

— Pourquoi n'es-tu pas chez toi ?"

Mottyl ne perdit pas de temps à lui expliquer qu'elle avait fui le docteur Noyes. Son seul souci était en effet d'emmener ses amis dans l'arche.

Elle leur parla des animaux embarqués deux par deux et affirma qu'elle n'avait pas encore vu de lémuriens à queue annelée ; Bip et Ding devaient donc assurer leur salut en gagnant le refuge au plus vite.

Bip restait néanmoins sceptique. "Ce n'est qu'une averse ! D'accord, la plus terrible que l'on ait jamais vue. Mais la sécheresse qui l'a précédée était aussi la plus terrible que l'on ait jamais vue, alors il fallait s'attendre à des pluies pareilles.

— Non, décréta Mottyl, catégorique. Vous n'y survivrez pas, croyez-moi. Il se passe quelque chose d'épouvantable."

Ding se balança souplement dans l'arbre pour les rejoindre. "Quoi ? Qu'y a-t-il de si épouvantable ?"

La chatte hésita à mentionner la mort imminente de Yahvé et le pacte conclu entre le docteur Noyes et Lui afin de détruire le monde. Si l'existence de ce pacte tenait de la supposition, d'une simple rumeur, l'arche en revanche était bien réelle et tangible, tout comme la pluie, aussi constituaient-elles des arguments plus convaincants.

Finalement, elle dit à Bip et à Ding que s'ils montaient à bord et qu'elle s'était trompée il leur suffirait de redescendre. Mais si au contraire elle avait raison, ils seraient déjà en sécurité lorsque le malheur frapperait.

"Et toi, alors ? s'enquit Bip.

— J'attends encore, prétendit Mottyl. Je vous rejoindrai le moment venu. D'abord, il me reste une ou deux choses à faire.

— Comme donner naissance à tes chatons ?

— Peut-être. Ou peut-être pas."

Bip jeta un coup d'œil à Ding. Ce "Ou peut-être pas" ne lui disait rien qui vaille.

"Tu te sens bien ?" Ding s'inquiétait elle aussi pour Mottyl. "Tu n'as pas d'ennuis, au moins ?

— Non, je n'ai pas d'ennuis. Et oui, je vais bien. Ce qui ne sera pas votre cas si vous ne partez pas tout de suite pour l'arche."

Au bout du compte, à contrecœur ("Nous préférerions que tu nous accompagnes"), Bip et Ding acceptèrent de gravir la montagne.

Le bois était devenu le centre des errances de chacun : un havre pour toutes sortes de créatures dans toutes sortes d'états, un endroit où nicher pour les oiseaux, une cachette pour les blessés et un marché pour les prédateurs. Animaux des marais, animaux des champs, animaux des rivières, animaux domestiques, tous forcés de quitter leur habitat, venaient s'y réfugier. Chasseurs et proies ; hôtes et parasites ; diverses espèces de volatiles, de mammifères et d'insectes – tous en compétition pour les mêmes aliments – rôdaient dans la pénombre du crépuscule. Aucune baie, aucune feuille, aucune grenouille ni aucune souris ne leur échappait. Ecureuils, lapins, singes, taupes et une dizaine d'espèces d'oiseaux, incapables de trouver un abri, faisaient entendre leurs cris partout dans l'air empuanti par le sang et les charognes.

Pourtant, même les victimes potentielles ne pouvaient se résoudre à déserter le bois, comme si les arbres, et eux seuls, représentaient le salut.

Mottyl, ayant fait ses adieux à Bip et à Ding, pénétra à son tour sous le couvert, avec prudence mais sans inquiétude particulière. Son expérience de la cécité avait renforcé sa détermination à survivre. Aussi, forte d'une longue pratique, se dirigeait-elle vers son objectif la tête basse et les épaules en avant. Elle voulait atteindre l'arbre presque de l'autre côté du bois, près de la route, là où Cornella avait bâti son nid. S'il y avait bien quelqu'un capable de l'aider, c'était la corneille. Et elle le ferait, Mottyl n'en doutait pas. Après tout, elles n'étaient pas amies depuis tant d'années pour rien ! Il leur était arrivé si souvent de se rendre service, d'échanger nourriture ou mises en garde… Or ce dont Mottyl avait à présent besoin par-dessus tout, c'étaient des yeux et du nid de Cornella.

Et que n'aurait-elle donné pour manger quelque chose ! Les œufs, pas très gros, n'avaient fait que lui aiguiser l'appétit.

Les griffes rentrées, ses bébés oscillant dans son ventre, Mottyl se remit en marche, décidée à grignoter des insectes si elle ne trouvait rien d'autre sur son chemin.

Les fées se dispersèrent devant elle en poussant des cris perçants. Tant d'étrangers avaient envahi leur domaine qu'elles ne savaient plus où se cacher. Certaines avaient déjà péri, d'autres étaient si affaiblies qu'elles pouvaient à peine se soulever du sol. Toutes leurs réserves de vivres traditionnelles – diverses variétés de miel et de résine d'ordinaire si abondantes – avaient été vidées, de sorte que le bois était devenu un désert pour elles. Mottyl en croisa au moins trois nuées si épuisées qu'elle dut les contourner ; elles n'avaient même plus la force de bouger.

C'était une période si étrange pour Mme Noyes, ainsi obligée de vivre dans la solitude la plus totale en ayant perdu la notion du temps, de se nourrir exclusivement de pommes et de dormir dans les arbres… Il lui arrivait toutefois, quand elle se promenait dans les champs ou suivait un sentier vierge de toutes traces, de sentir le poids de la civilisation s'alléger sur ses épaules, pour sa plus grande satisfaction. Quel fardeau il avait constitué jusque-là ! "Pensez donc !" disait-elle aux oiseaux. Toutes ces manières – tous ces carcans : ces "mon seigneur" et ces "ma dame", cette façon de s'incliner, de faire des révérences et de baiser les mains, de se baisser et de se redresser au signal convenu… Ou encore d'utiliser couteaux, cuillères et assiettes dans l'ordre requis, de relever ses cheveux, de porter coiffes, foulards et voiles pour couvrir ceci et cela afin de ne pas corrompre ces messieurs, sachant que l'époux ne manquerait pas d'arracher les étoffes chaque fois qu'il aurait envie de prendre son plaisir ! La tyrannie du temps, le rituel quotidien de la violence, toutes ces prières, tout ce sang et ce vin, et la monotonie du protocole : toujours devoir demander l'autorisation avant de s'exprimer, de toucher quelque chose ou de bouger. Sans parler des mensonges... des sourires vides... des pichets de gin dissimulés...

Un matin, Mme Noyes souleva ses jupes et, accroupie en face des fenêtres d'une carriole abandonnée, elle urina.

C'était si bon !

Simplement de se tenir ainsi, genoux écartés, cuisses et parties intimes exposées à la pluie, en savourant le plaisir d'arroser l'herbe...

... comme si l'herbe en avait besoin...

Soudain, Mme Noyes se redressa en hâte et rabaissa ses jupes. Elle sentit même sa main se porter malgré elle à ses cheveux puis vérifier le boutonnage de son col.

Il y avait quelqu'un, là-bas.

Quelqu'un qui marchait...

Mme Noyes appuya l'avant-bras sur son front pour tenter d'empêcher la pluie de lui couler dans les yeux.

Une silhouette voûtée avançait de l'autre côté de la rivière.

Pour un peu, Mme Noyes l'aurait appelée. Pour un peu, elle aurait agité la main. Pour un peu, elle aurait dévalé la pente. Mais elle n'en fit rien. Au lieu de quoi, elle demeura immobile.

Cette présence était peut-être dangereuse.

De quoi pouvait-il s'agir ? Ou plutôt, de qui ?

Paraissait-elle toute petite à cause de la distance ? Ou était-ce un animal... un nain... un enfant ?

Une illusion ? Un fantôme ? Sa mère ?

"Oh ! Mère..."

Mme Noyes se frotta les yeux.

Mais non. Ce n'était pas le fantôme de sa mère et ce n'était pas non plus une illusion. Il y avait réellement quelqu'un là-bas. Une personne.

La rivière avait énormément gonflé et le courant était devenu si rapide qu'il emportait tout sur son passage, même les objets les plus volumineux – arbres entiers, chariots de ferme, panneaux indicateurs, placards publics venus des villes lointaines : MARCHÉ DE RUE ou AVIS A LA POPULATION : SACHEZ QUE…

Quiconque se tenait sur l'autre rive cherchait manifestement à traverser sans y parvenir. Les étendues les moins profondes, situées jusque-là dans la partie la plus large du méandre, s'étaient transformées en véritable torrent. Alors l'inconnu allait et venait le long de la berge, s'aventurant de temps à autre dans l'eau avant de battre précipitamment en retraite, effrayé. Mme Noyes, qui l'observait de la montagne d'en face, fit à son insu quelques pas dans la pente, traînant derrière elle ses tabliers de pommes.

Pour autant qu'elle pût en juger à travers la brume qui empêchait toute vision claire et interdisait toute certitude, il devait s'agir d'un nain, car la créature avait des jambes extrêmement courtes. Ou d'un enfant, peut-être ? se dit-elle en faisant de nouveau quelques pas. A présent, elle avait atteint le bas de la pente sans en avoir conscience, chaque aperçu de l'inconnu l'incitant à avancer comme si elle était attirée par un aimant. La silhouette portait sans aucun doute ce qui ressemblait à une robe d'enfant légèrement déchirée, coupée dans un coton clair, avec de petites manches ballons, un volant dans le bas et un col blanc souple. C'était de fait une fort jolie robe, agrémentée d'une large ceinture bleue nouée dans le dos.

Un souvenir troublant avait commencé à prendre forme dans l'esprit de Mme Noyes, dont les yeux fixaient toujours la silhouette et ses lents allers-retours entre le bord de l'eau et la terre ferme… la façon dont elle contemplait les flots… dont elle se penchait gauchement pour en effleurer la surface comme si elle voulait vérifier qu'ils étaient bien réels, puis dont elle reculait… le regard lent, presque triste qu'elle promenait sur les pierres, sans doute pour tâcher d'évaluer dans quelle mesure elles pouvaient lui être utiles…

Elle, elle, elle.

Lotte.

Oui, c'était Lotte. La sœur d'Emma.

Mme Noyes se mit à courir, lâchant ses tabliers de pommes, soulevant ses jupes afin de pouvoir aller plus vite sur l'herbe, la route, les cailloux.

Oh, mon Dieu ! C'était Lotte. Toute seule.

Lotte était la sœur aînée d'Emma, mais personne chez les Noyes n'avait jamais eu connaissance de son âge exact. Ils savaient juste qu'Emma avait onze ans lorsqu'elle avait épousé Japhet, un événement qui remontait à environ une année. L'âge de Lotte n'avait toutefois aucune importance – du moins, son âge physique. C'était son âge mental qui comptait, situé "quelque part entre zéro et deux ans" avait estimé Noé lorsqu'il l'avait décrite. Les parents de la petite, eux, ne parlaient jamais d'elle en ces termes ; ils l'aimaient de tout leur cœur malgré le danger qu'il y avait à aimer une telle créature. Obligés de garder son existence secrète, ils l'élevaient à l'écart de leurs autres fils et fille – à l'écart de tous. Mme Noyes en savait elle-même long sur la question depuis que, bien des années plus tôt, elle aussi avait eu un enfant semblable à Lotte – et avait fait ce que la plupart des gens faisaient en pareil cas.

Elle l'avait tué.

Parfois, si on ne le tuait pas soi-même, d'autres s'en chargeaient. C'était la règle même si elle n'avait pas valeur de loi. La loi ne se prononçait pas sur de tels points, peut-être parce qu'elle partait du principe que tous les êtres civilisés connaissaient les règles. Mme Noyes leur avait brièvement désobéi en laissant vivre son fils illicite, tout comme les parents de Lotte laissaient vivre leur fille, et les conséquences s'étaient révélées tragiques. Car elle en était venue à aimer cet enfant durant sa courte, très courte existence. Jamais elle n'avait oublié son bébé indésirable, son paria, ni la façon dont elle l'avait perdu. Aussi, tout en applaudissant les parents de Lotte pour le courage dont ils faisaient preuve en gardant leur fille, s'était-elle également inquiétée pour eux, car il n'y avait aucun moyen d'éviter la destinée d'un tel être.

Mme Noyes se souvenait encore du jour où elle avait découvert l'existence de Lotte.

Un soir – des mois avant le mariage de Japhet et d'Emma, et même avant leurs fiançailles –, elle était partie à la rivière chercher des écrevisses. Mottyl l'accompagnait. C'était au printemps, peut-être, ou au début de l'été. Sur l'autre rive, les arbres en bordure de la forêt s'éclairaient de petites feuilles d'un vert tendre dont l'odeur, associée à la senteur sucrée de la résine, parfumait l'air. Cette soirée, résonnant de chants d'oiseaux et de jacassements de lémuriens, nimbée de brume et teintée d'orange clair, lui avait paru enchantée.

Mme Noyes s'était munie d'une lanterne en plus de son seau, même si elle ne comptait pas l'allumer trop tôt. Il lui semblait de toute façon qu'on ne devait pas la voir très distinctement, avec ses jupes retroussées et ses sandales abandonnées loin derrière elle sur les cailloux, car la lumière déclinante se concentrait sur la berge opposée, et elle-même se tenait baissée près de la surface des flots. Les mains plongées dans l'eau, elle soulevait des galets en s'efforçant de ne pas effrayer les écrevisses quand une ombre ou un reflet avait attiré son attention... la silhouette de promeneurs sur la rive... ainsi qu'un rire.

Lorsqu'elle avait levé les yeux, Mme Noyes l'avait vue pour la première fois : Lotte, entourée du bûcheron et de sa femme. Elle l'avait d'abord prise pour un animal familier, avant de s'apercevoir que "l'animal familier" portait une robe.

Tous les trois marchaient tranquillement, flânaient, s'attardaient dans les lueurs du couchant comme Mme Noyes elle-même aimait à le faire, chacun des adultes tenant la petite par une main, et elle n'avait pu détacher les yeux de cette scène, fascinée qu'elle était par l'image de la joie et du bonheur auxquels elle avait dû elle-même renoncer – dont elle s'était privée et avait privé son enfant en consentant à ce meurtre.

Mme Noyes progressait à travers le brouillard, l'enfant devant ses yeux évoluant entre passé et présent. *Pourquoi ne cries-tu pas ? Peut-être t'entendra-t-elle...*

Non. Cela ne ferait que l'effrayer.

Elle trébucha pour la centième fois et tomba à genoux dans l'herbe au bord de la rivière en crue. Il lui vint à l'esprit, au moment où elle s'asseyait sur ses talons, que son corps commençait à en avoir assez de la douleur et des meurtrissures.

"Bonté divine, ça fait mal !" lança-t-elle à voix haute.

Quelqu'un l'entendit, de toute évidence ; elle distingua une vague de bruissements autour d'elle.

Les fées ? Près de la rivière ? Personne n'avait jamais entendu dire une chose pareille. Elles ne s'approchaient jamais de l'eau, de peur d'être emportées par le courant.

Grimpaient-elles sur elle ?

De ses doigts douloureux, Mme Noyes effleura les plis mouillés de ses jupes et de ses tabliers puis fouilla ses poches. Mais elle n'en retira que des chiffons souillés et sa collection habituelle de bonnets de dentelle déchirés, de bouts de ficelle… Elle se passa également la main sur les épaules, sans découvrir la moindre fée.

Aucune.

Néanmoins certaine qu'elles se trouvaient tout près, Mme Noyes s'adressa à elles. "Vous ne devriez pas être là, dit-elle, sans trop savoir dans quelle direction se tourner. C'est dangereux…"

Une autre vague de bruissements résonna sur sa gauche, à environ huit pas, approchant parallèlement de sa silhouette accroupie. Mme Noyes s'adressa de nouveau aux créatures invisibles, utilisant ses intonations maternelles, heureuse pour changer de ne presque plus pouvoir parler. Certaines voix humaines – et toutes lorsqu'elles montaient en puissance – avaient pour effet de soulever les fées comme un brusque coup de vent et de les entraîner jusque dans les arbres. Mme Noyes se rappelait encore la dernière fois où elle avait crié vers les fées – quand elles avaient survolé la maison et tracé le signe interdit de l'infini, dont Lucy lui avait expliqué plus tard qu'il s'agissait d'un avertissement : *Le temps n'est pas ce que tu crois. Sois prudente.* C'était maintenant à son tour de les avertir.

"Vous feriez mieux de retraverser la route et de retourner dans le bois, où est votre place. Vous y serez en sécurité. La rivière est mortelle."

Elle les voyait, à présent – du moins, elle distinguait la trace de leur présence dans l'herbe, où elles formaient une vaste assemblée, peut-être même une communauté tout entière : elles étaient des centaines, qui couvraient au moins un mètre carré de végétation détrempée. Le son se rapprochait toujours de Mme Noyes, mais il s'était fait plus ténu ; peut-être avaient-elles envoyé une délégation. Il évoquait des cristaux en formation – des tintements de verre semblables "à des carillons à vent", comme elle l'avait dit un jour à Hannah, qui n'avait jamais ni vu ni entendu de telles créatures. "Des carillons à vent, mais pas…" Mme Noyes peinait à le décrire. Le son était unique.

"Oui ?" Mme Noyes, assise toute droite sur ses talons, ramena son châle autour de ses épaules en regardant le sol. "Il ne faut pas monter sur moi, déclara-t-elle. Je risque de devenir dangereuse. Je vais traverser la rivière pour aller chercher cette enfant de l'autre côté et vous pourriez vous noyer."

Le léger écho d'un conciliabule, quelque part près de sa hanche, lui parvint.

Tout en patientant, elle scruta la brume pour essayer d'apercevoir Lotte, qui arpentait toujours l'autre rive. La robe de la fillette était trempée. Peut-être avait-elle fait une tentative pour entrer dans l'eau pendant qu'elle-même était distraite par les fées.

"Dites-moi vite ce que vous attendez de moi", reprit-elle.

Un murmure monta de l'herbe, puis Mme Noyes sentit un frisson la parcourir. Les passagers prenaient place à bord, manifestement, comme d'autres avaient embarqué sur l'arche ; la délégation grimpait sur sa cuisse, sur son bras…

"Mais je vais traverser la rivière, répéta-t-elle, craignant pour leur vie. Vous ne comprenez pas ? Vous allez mourir…" Puis elle songea : Pourquoi ne s'envolent-elles pas ? Que leur est-il arrivé ? Peut-être sont-elles malades… "Je vais devoir nager, insista-t-elle. Vous voyez ?" Ses protestations ne servirent cependant à rien. La délégation, qui avait atteint son coude, progressait maintenant parmi les plis de son châle en direction de ses épaules, et lorsqu'elle marqua une pause Mme Noyes attendit sans bouger.

Un signal résonna soudain – une sorte de commandement cristallin –, et l'herbe se mit aussitôt à ondoyer tandis que s'élevait une nouvelle vague de bruissements féeriques. Les fées affluaient vers Mme Noyes, toutes autant qu'elles étaient, pressées de rejoindre leurs semblables sur ses épaules.

"Dépêchez-vous, alors, leur conseilla-t-elle. Si vous voulez absolument traverser, vous devez faire vite. Cette enfant n'attendra pas et moi non plus."

Elle les sentit se masser par centaines sur sa cuisse, le long de son flanc puis sur son bras et sur le châle, comme la délégation quelques instants plus tôt, et elle leur recommanda de ne pas se cacher dans ses poches, si confortables et sûres fussent-elles à première vue. "Elles vont se remplir d'eau", expliqua-t-elle.

Lorsqu'il lui sembla que toutes les fées étaient "à bord", elle déclara : "Je vais me lever, à présent. Tenez-vous bien…" Elle se redressa en chancelant. Quoique relativement léger, le poids de

214

ses passagères avait néanmoins tendance à la déséquilibrer. Certaines longeaient son épaule en direction de son cou, d'autres s'agrippaient déjà à ses cheveux.

"Je vais avancer, les prévint-elle. Voilà, je fais un pas…"

Au moment où elle se mettait en marche, les fées grimpèrent dans sa chevelure, où elles se servirent des mèches pour s'attacher.

La rivière était tiède, comme la pluie, mais à l'endroit où se trouvait autrefois le bord peu profond, l'eau atteignit rapidement les genoux de Mme Noyes, et ensuite ses cuisses, sa taille, ses seins… A mi-parcours ou presque, elle se rendit compte qu'elle avait commis une regrettable erreur en s'abstenant d'appeler Lotte plus tôt car désormais, à cause des fées dans ses cheveux, elle ne pouvait plus l'appeler du tout. Le seul son de sa voix risquait de précipiter ses passagères dans les flots. Elle ne pouvait que…

Prier, faillit-elle se dire, *pour que Lotte ne prenne pas peur lorsqu'elle me verra arriver.*

Mais non, je ne prierai pas – pas Toi, là-haut, que Ton désir de vengeance a rendu fou. Je ne T'adresserai plus jamais la moindre prière. Je les adresserai à quelqu'un d'autre, n'importe qui, n'importe quoi… Je prierai…

La rivière.

Oui.

Chère rivière, je t'en supplie, permets-moi de rallier l'autre berge. J'implore ta pitié et je te demande pardon de t'envahir ainsi. Mais prends en compte cette enfant qui a peur de toi et veut, et doit, passer de l'autre côté. Or je suis la seule à pouvoir l'emmener, alors je t'en supplie, permets-moi de traverser… Amen.

Ah oui, et j'implore aussi ta clémence au nom de ces créatures effrayées qui voyagent avec moi.

Un son chantant s'éleva dans ses cheveux, comme si les fées avaient entendu ses prières, et elle les sentit s'accrocher plus fermement, se plaquer plus étroitement contre son crâne alors qu'elle atteignait le milieu du cours d'eau, où le courant était le plus fort.

L'espace d'un instant effrayant, Mme Noyes eut l'impression que ses pieds perdaient prise et allaient être emportés ; alors elle se détourna pour avancer à contre-courant, progressant de côté tel un crabe.

Lotte les regardait du haut de la berge où elle avait grimpé. Elle avait placé ses mains sur sa tête pour se protéger de la pluie, et elle semblait avoir reconnu Mme Noyes car elle n'essayait pas de fuir.

"Chère rivière, je t'en prie…" supplia Mme Noyes à haute voix.

Les fées chuchotaient elles aussi. Si elles n'étaient pas déjà en train de réciter des prières, elles avaient tout intérêt à le faire très vite.

Les vêtements de Mme Noyes, gonflés par l'eau, s'étalaient autour d'elle, l'entraînant sous leur poids. Toujours consciente du regard de Lotte, elle se tourna légèrement vers la rive en maintenant ses bras juste au-dessus de la surface. "Oh, je t'en prie, fais que cette enfant ne me voie pas me noyer…"

Mme Noyes lutta de toutes ses forces contre le courant jusqu'au moment où, peu à peu, elle sentit le fond remonter. Ses aisselles et son sternum émergèrent, puis ses seins, et enfin la pression s'allégea autour de sa taille ; elle se croyait alors en sécurité, arrivée saine et sauve de l'autre côté quand, tout d'un coup, elle perdit pied et fut submergée.

Les fées vont périr ! Oh, Yahvé... espèce de Salaud !

Elle battit des jambes et moulina des bras pour tenter de résister à l'attraction des profondeurs semblables à une sorte de fosse. Désespérément, elle essaya de toucher le fond avec ses orteils mais il s'obstinait à lui échapper.

Enfin, les membres faibles, les poumons sur le point de se remplir d'eau, toussant, crachant et assurément promise à une mort certaine, Mme Noyes perçut la dureté de la roche sous ses talons. Cette fois, la fosse était derrière elle.

Elle dut se hisser sur la rive en s'agrippant à des arbustes qu'elle suppliait en silence : *Tenez bon, je vous en prie !* Après un ultime effort, elle s'effondra sur l'argile au-dessus du niveau des eaux, les bras en croix et les mains dans les herbes aplaties.

Lotte, les doigts dans la bouche, la regardait.

Lorsque Mme Noyes leva les yeux vers elle, un large sourire découvrit les dents de l'enfant qui, de plaisir, se mit à sautiller sur place.

Mme Noyes rampa sur l'argile, les herbes et les pierres, jusqu'au moment où elle estima avoir recouvré suffisamment de forces pour se redresser. Une fois debout, elle fit signe à Lotte de garder le silence et porta la main à ses cheveux.

"Etes-vous là ? Etes-vous là ?" murmura-t-elle à l'adresse des fées.

Il lui sembla au début qu'elle n'obtiendrait pas de réponse, mais peu à peu elle décela un mouvement – qui se traduisait par une sensation de chatouillement – accompagné de tintements à peine audibles.

Elle monta un peu plus haut sur la berge pour se rapprocher des arbres dont la vue causa une grande agitation sur son crâne.

"Voulez-vous que je vous pose par terre ? demanda-t-elle. Les arbres sont peut-être dangereux, vous savez. C'est la forêt, ici, pas le bois."

Aussitôt, elle sentit que l'on tirait sur presque tous les cheveux de sa tête.

"Très bien, je vais m'agenouiller pour vous permettre de descendre."

Mme Noyes se baissa puis inclina son front jusqu'à terre comme pour prier. Toutes les fées se ruèrent vers le sol, criant et chantant, avant d'aller se placer devant leur bienfaitrice. Lorsque celle-ci leva la tête pour les regarder, Lotte s'approcha d'elle et lui tendit la main. L'enfant semblait elle aussi consciente de la présence des fées, car elle contemplait l'endroit devant Mme Noyes où les touffes d'herbe ployaient et semblaient plus mouillées que les autres.

"Au revoir, dit Mme Noyes. Au revoir et bonne chance !"

Une volée de tintements cristallins s'éleva, beaucoup plus sonore cette fois, évoquant un cri de joie.

Merci.

Mme Noyes hocha la tête et se remit debout sans lâcher la main de Lotte. La terre devant elles fut balayée par une grande vague de bruissements, puis plus rien.

Les fées n'étaient cependant pas allées bien loin. Comme si l'épreuve de la rivière leur avait par magie rendu leurs pouvoirs, elles s'étaient dirigées vers les arbres gigantesques dont les suintements de résine ambrée devaient constituer une denrée essentielle. Certaines parvenaient même à voler, bien que leurs lumières fussent faibles et à peine capables de les soulever du sol.

Elles grimpaient à présent, légères, se bousculant vers les filets de résine poisseuse, et une fois qu'elles les eurent atteints, leur victoire donna lieu à de telles réjouissances et à un tel festin que l'on aurait pu croire à une scène de débauche – presque à une orgie. Manifestement, la résine les sauverait, tout comme les pommes avaient sauvé Mme Noyes. Et celle-ci se demanda comment elle avait pu accorder si peu d'attention aux arbres dans sa vie.

Lotte s'était mise à jacasser et à pousser de petits cris. Elle était seule depuis si longtemps au bord de la rivière qu'elle désespérait de voir arriver un jour un sauveur.

"Où sont tes parents ?" demanda Mme Noyes.

Aussitôt, l'enfant se tut.

"Ils sont allés en ville ?"

Les yeux fixés sur ses pieds, Lotte fit non de la tête.

"Ils sont restés à la maison, alors ?"

De nouveau, l'enfant fit non de la tête en évitant le regard de Mme Noyes.

"T'es-tu enfuie ?" (Non.) "Est-ce que quelqu'un sait où tu es ?" (Peut-être.) "T'a-t-on demandé d'attendre ici ?" (Pas vraiment. Non.) "Lotte, dis-moi la vérité…" Mme Noyes se mordilla la lèvre avant de poser l'ultime question. Elle avait peur de connaître la réponse et ne tenait pas à en obtenir une confirmation. En même temps, elle n'avait pas le choix. "T'ont-ils laissée ici ?"

Lotte mit les mains derrière son dos, gratta le sol avec son pied et pinça les lèvres en réfléchissant.

"Lotte ? Parle-moi."

L'enfant leva vers elle des yeux pleins de larmes.

"T'ont-ils laissée ?"

Oui.

Mme Noyes franchit la courte distance qui les séparait, tomba à genoux devant elle et la serra contre son cœur. "Ne t'inquiète pas, murmura-t-elle. Je vais t'emmener de l'autre côté de la rivière et au sommet de cette montagne... Tu vois ?" Elle tendit la main et Lotte regarda dans la direction indiquée. "Nous irons ensemble et, là-haut, nous serons en sécurité. Je te le promets. Je te le promets. D'accord ?"

Lotte hocha la tête et noua ses bras autour du cou de Mme Noyes. Celle-ci l'embrassa avant de se relever sans la lâcher. La rivière lui paraissait encore plus large et profonde que lorsqu'elle l'avait traversée quelques minutes auparavant. "Je suis plutôt douée pour franchir les cours d'eau et sauver des vies..." Elle força un petit rire pour rassurer Lotte. "Je viens d'amener toutes ces fées en sécurité... Tu as remarqué ? Il y en avait des centaines."

De nouveau, Lotte hocha la tête. Elle s'agitait, jouait avec la robe de Mme Noyes, attrapait les cordons du col et les suçait.

"Bon, voilà ce que tu vas faire, dit Mme Noyes. Tu vas grimper sur mes épaules et me tenir fermement. Tu as compris ?"

Encore un hochement de tête.

"Allez, monte."

Mme Noyes hissa l'enfant sur son dos puis marcha vers l'eau.

"N'aie pas peur..."

La première image qu'elles découvrirent en descendant sur la berge fut celle d'un important groupe de moutons, tous morts, emportés par le courant.

Plus loin, un immense corps plat impossible à identifier tournoyait lentement au milieu des flots agités – une dépouille si grande qu'elle poussait devant elle toutes sortes d'objets : des chaises brisées, un vaisselier, une paire de chaussures et un chapeau de soleil…

Mme Noyes recula. Quelque chose, peut-être une main humaine, lui avait effleuré très légèrement la cheville sous la surface. Elle ne pouvait prendre le risque de forcer Lotte à entrer dans l'eau ; l'enfant deviendrait folle de terreur. Déjà, elle hurlait en lui martelant l'épaule.

Non.

Il devait y avoir un autre moyen de traverser.

Mais le pont le plus proche se situait à plusieurs lieues. Elles ne pouvaient espérer l'atteindre avant la tombée de la nuit.

Mme Noyes posa Lotte sur le sol et la prit fermement par la main.

"N'aie pas peur. Je ne vais pas t'obliger à te mouiller. Je me demande s'il ne serait pas possible de fabriquer un pont…"

Lotte regarda aussitôt la forêt d'un air entendu. Après tout, son père et ses frères étaient bûcherons ; elle avait dû assister à l'abattage de nombreux arbres et peut-être même à la construction de nombreux ponts. Néanmoins, comment accomplir un tel exploit sans l'aide d'une hache ? Jamais elle n'y parviendrait, songea Mme Noyes. A moins d'essayer de pousser les troncs pour les faire tomber ?

Elle s'en alla bel et bien inspecter les arbres pour voir si certains étaient "poussables" et, ce faisant, elle tourna le dos à la rivière. Mais pas Lotte qui, au bout d'un moment, lui tira très fort la manche.

Enfin, Mme Noyes regarda derrière elle, pour découvrir alors un miracle : un homme dans une barque.

"Ohé !" cria-t-elle.

Il ne l'entendit pas.

Peut-être était-il sourd. Ou peut-être, sur la rivière elle-même, le déferlement des flots était-il plus bruyant que sur la berge.

Mme Noyes agita la main.

Aucune réaction.

L'homme, seul à bord, était assis au milieu de l'embarcation, les rames dans les mains. Il se tenait courbé comme sous l'effort mais il ne semblait guère obtenir de résultats ; de fait, la barque avait commencé à tourner en rond et se rapprochait lentement de la rive.

Mme Noyes se pencha pour examiner plus longuement et attentivement l'occupant du bateau…

Puis elle prit une décision.

"Attends-moi ici, Lotte. Tu dois me promettre de ne pas bouger d'un pouce. Moi, je vais aller aider ce gentil monsieur à amener sa barque tout au bord. Ensuite, nous traverserons à la rame. Ne serait-ce pas merveilleux ?"

Déjà, elle se laissait glisser le long de la berge et entrait dans l'eau jusqu'à la taille. Quelque chose l'effleura sous la surface, lui fouetta les jambes et tenta de l'entraîner vers le fond mais, résolue à l'ignorer, Mme Noyes s'en débarrassa d'un coup de pied.

Atteindre la barque se révéla relativement facile. Elle se trouvait maintenant tout près de la berge, et Mme Noyes n'eut qu'à la saisir par la poupe.

Aussitôt, l'homme s'écroula par-dessus ses rames. *Je dirai qu'il dort*, décida sans délai Mme Noyes. *Je le pousserai à l'avant et je dirai à Lotte que le malheureux s'est épuisé à ramer depuis la ville.*

C'était manifestement un habitant des villes, à en juger par ses beaux habits et ses ongles manucurés. Sa mort ne devait pas remonter à bien longtemps, car son corps était encore souple quand

222

Mme Noyes le déplaça jusqu'à la poupe, où elle l'installa dans une position crédible, tête basse et bras croisés.

Une crise cardiaque, songea-t-elle. *Tant mieux pour lui.*

"Viens, Lotte. Il faut partir !"

Lotte était docilement assise à la poupe pendant que Mme Noyes, en face d'elle, ramait. Par chance, sa seule corpulence suffisait à former un rempart efficace entre le propriétaire de la barque et l'enfant. Celle-ci semblait tout à fait convaincue par l'histoire de l'extrême fatigue due à des efforts éreintants.

Lorsque, de temps à autre, Mme Noyes jetait un coup d'œil par-dessus son épaule, elle tentait de ne pas regarder l'eau mais seulement la berge opposée.

Heureusement, il n'y avait plus de moutons. Moult objets flottaient cependant à la surface, le plus surprenant étant sans doute une corde à linge avec les vêtements de toute une famille – père, mère, enfants, bébés –, étalés dans les eaux troubles.

Lorsqu'elles atteignirent l'autre rive, Mme Noyes expliqua à Lotte que le monsieur assoupi ("N'offre-t-il pas l'image même du bien-être ?") avait sûrement envie de poursuivre son voyage, même s'il dormait encore. Il ne manquerait sans doute pas de se réveiller une fois parvenu à destination, aussi convenait-il de le laisser partir.

"Au revoir, dit-elle. Va en paix." Et de pousser doucement la barque vers le milieu de la rivière en crue. Quelques instants plus tard, l'embarcation avait disparu, emportant l'homme qui les avait sauvées à son insu.

Après avoir croqué quelques pommes, Mme Noyes et Lotte, main dans la main, gravirent la montagne.

"N'aie pas peur."

Emma fut appelée et priée de rejoindre le docteur Noyes et Hannah qui se tenaient sur le pont de l'arche, abrités par le grand parapluie noir.

Lorsqu'elle découvrit Lotte, Emma laissa échapper un hoquet de stupeur. Elle avait peur. L'existence de sa sœur était un secret, et, il y avait bien longtemps, sa famille lui avait fait jurer de ne jamais en parler. Or à présent Lotte était là, au vu et au su de tous. Malgré sa joie, Emma aurait voulu se cacher. Mais Hannah la força à reprendre sa place et le docteur Noyes la retint d'une main posée sur la nuque.

"Es-tu sûr de vouloir qu'Hannah entende ce que j'ai à dire ?" demanda Mme Noyes à son époux.

La question dérouta Noé. Il se doutait que Mme Noyes n'hésiterait pas à recourir à la ruse mais il n'avait pas imaginé un tel coup bas. Pendant quelques instants, il réfléchit aux dommages éventuels si Hannah restait. Il était pourtant entendu depuis longtemps entre sa femme et lui que rien ne devait jamais transpirer au sujet de Lotte et des… autres enfants-comme-Lotte. Dans ces conditions, il ne pouvait pas croire un seul instant qu'elle fût sur le point de trahir leur secret. Mais en même temps elle se battait pour sauver sa vie et celle de Lotte ; autrement dit, elle ne respecterait aucune règle.

Il hocha la tête et se tourna vers Hannah.

"Rentre, ordonna-t-il. Je t'appellerai quand ce sera fini."

Hannah dut fournir un immense effort pour réprimer sa curiosité et formuler un "Oui, père" courtois en réponse. De mauvaise grâce, elle tendit le parapluie à Emma en disant : "N'oublie pas tout ce qu'il y a encore à faire. Quand tu en auras terminé ici, je compte sur toi dans la cambuse."

Emma sortit son mouchoir (un chiffon) pour se moucher en même temps qu'elle attrapait le parapluie de son autre main. Le docteur Noyes lui relâcha la nuque et elle demeura humblement près de lui en espérant que la suite des événements connaîtrait un dénouement heureux.

Quand Hannah fut trop loin pour les entendre, le docteur Noyes toisa son épouse et Lotte. "Bon. Vas-y, femme, je t'écoute. Mais rappelle-toi : Emma est ici pour prendre congé de sa sœur, pas pour écouter une chanson et danser." Il ajusta sa robe puis poussa un profond soupir avant d'ajouter : "Je suppose que tu vas me proposer un marché. Alors…

— Il n'y a pas de «marché» qui tienne, décréta Mme Noyes. J'ai l'intention de monter à bord et d'amener Lotte avec moi.

— Tu rêves ! répliqua le docteur Noyes. C'est hors de question.

— Tiens donc… Eh bien, dans ce cas, je raconterai à Emma pourquoi elle a été choisie pour épouser Japhet…

— Vas-y, ne te gêne pas. Raconte-lui tout", déclara Noé.

Mme Noyes fut stupéfaite mais elle s'efforça de n'en rien montrer. Au lieu de quoi, elle laissa échapper un petit rire en écartant d'un geste la suggestion. "Tu n'es pas sérieux, dit-elle. Tu ne peux pas décemment souhaiter que cela se sache.

— J'ai dit : «Ne te gêne pas, raconte-lui tout.»

— Mais…

— Raconte-lui."

Troublée, son épouse serra un peu plus fort la main de Lotte et toussota. Lorsqu'elle reprit la parole, elle s'adressa cette fois à sa jeune belle-fille.

"Je regrette d'avoir à te révéler cette histoire. Cela ne me paraît pas juste. Toi et moi avons eu des différends mais je t'aime, Em, je tiens à te le préciser avant de commencer."

Ce début eut pour effet de provoquer un silence instantané. Même le docteur Noyes fut impressionné. Emma écoutait d'un air grave ; de toute évidence, elle éprouvait pour sa belle-mère un respect dont il n'avait jamais soupçonné l'existence.

Mme Noyes haussa la voix juste assez pour couvrir le bruit de la pluie.

"Tu as été élevée dans l'idée que ta famille était la seule à avoir un enfant-comme-Lotte. Eh bien, c'est faux. D'autres personnes en ont eu aussi, dont…" Elle gratifia son mari d'un regard presque tendre. "… le docteur Noyes et moi. Nous avons eu un enfant-comme-Lotte. Il y a dix-huit ans."

Si Emma en conçut de l'inquiétude, elle n'en souffla pas mot. Oui, elle avait toujours entendu dire que Lotte était unique et que l'on ne devait jamais parler d'elle car les gens ne comprendraient pas. Elle dévisagea d'abord Mme Noyes, puis sa cadette, qu'elle adorait, et enfin le docteur Noyes, qui se détourna.

"Tu sais peut-être, ou peut-être pas, poursuivit Mme Noyes, que le docteur et moi avions autrefois une famille différente. Avec beaucoup, beaucoup d'enfants : dix au total. Mais ils sont tous morts. Un fléau s'est abattu, qui en a emporté six. Six enfants merveilleux… disparus d'un coup…"

Le docteur Noyes lui jeta un coup d'œil agacé. "Au fait.

— Les quatre autres sont morts pour diverses raisons : accidents, fièvres, bêtes sauvages... Il nous a fallu très longtemps, au docteur et à moi-même, pour nous remettre. Nous les aimions énormément...

— Continue !"

Mme Noyes toussota. Enfin, elle reprit : "Au fil du temps, nous avons tout recommencé. Nous avons eu d'autres enfants. Et d'autres encore. Une nouvelle famille. Sem a été le premier et, pendant un moment, le seul survivant. Après lui, nous avons eu – je ne me rappelle plus au juste – encore deux ou trois fils et filles qui sont morts. Puis Cham est arrivé. Et ensuite..."

Ce fut au tour du docteur Noyes de laisser échapper une petite toux sèche et brutale.

"Tu ne veux pas que je lui dise ?" demanda Mme Noyes.

Il lui fit signe de poursuivre et laissa son regard se perdre dans le vide.

"A la naissance de Japhet..." Mme Noyes s'interrompit.

Emma qui, le front plissé, paraissait concentrée et dont les doigts s'activaient sur le manche du parapluie comme pour compter, s'écria soudain : "Dix-huit !"

Sa belle-mère attendit.

"Japhet a dix-huit ans", déclara Emma.

Mme Noyes hocha la tête. Près d'elle, Lotte s'agitait ; elle la prit dans ses bras et l'enveloppa de son châle, amenant son crâne juste en dessous de son propre menton.

Une expression d'égarement et d'incrédulité totale se reflétait désormais dans les yeux d'Emma. "Tu as dit que cet autre enfant-comme-Lotte était né il y a dix-huit ans..."

Cette fois, Mme Noyes ne se donna pas la peine de hocher la tête. Elle laissa Emma aller jusqu'au bout de son raisonnement.

"Est-ce que… essaies-tu de me faire comprendre que…" Non. C'était impossible. Japhet n'était pas comme Lotte. "Je ne saisis pas, avoua enfin Emma, complètement dépassée.

— Japhet avait un frère jumeau", annonça Mme Noyes.

Silence.

"Oh, Seigneur…, murmura Emma d'une voix assourdie. Un frère jumeau comme Lotte, tu veux dire ?

— Exact."

Nouveau silence. Puis, de nouveau : "Oh, Seigneur…"

Mme Noyes se tourna vers son mari. "Tu tiens toujours à ce que je continue ?

— Vas-y, grommela-t-il. Qu'on en finisse.

— Eh bien, dit Mme Noyes à Emma, c'est là que vous entrez en scène, Lotte et toi."

Les yeux d'Emma s'étrécirent. Elle se méfiait de ce qu'elle risquait encore d'apprendre.

"C'est moi, j'en ai bien peur, qui ai aperçu Lotte la première, raconta Mme Noyes. Et comme une idiote, je n'ai pas pu garder cela pour moi. C'était trop incroyable, après tout ce temps, de voir un autre enfant semblable au frère de Japhet…

— Où est-il ? s'enquit Emma en jetant un coup d'œil par-dessus son épaule comme si elle s'attendait à le découvrir derrière elle.

— Je vais te répondre bientôt, dit Mme Noyes. Mais d'abord je dois t'expliquer certaines choses sur Lotte et toi. Sinon, tu ne comprendras pas ce qui est arrivé au frère de Japhet, et Dieu sait que ce serait peut-être préférable…"

Noé grimaça en entendant le nom de Dieu. C'était un réflexe chez lui.

"Voilà, quand je l'ai vue – Lotte, je veux dire –, je suis remontée en courant à la maison – j'étais si excitée ! –, et en arrivant chez nous, j'ai annoncé à Noé : «Il y en a un autre ! Un autre comme…»"

Furieux, Noé l'interrompit : "Ce bébé n'avait pas de nom.

— Faux, il en avait un, affirma sa femme. Tu le sais parfaitement. Il s'appelait Adam.

— Il suffit !

— Il s'appelait Adam, s'entêta Mme Noyes. En apercevant Lotte, j'ai eu l'impression de retrouver mon Adam et je t'ai dit, je t'ai dit…" Elle s'accorda une seconde pour recouvrer une contenance. "Eh bien… je n'aurais rien dû dire, c'est sûr. J'aurais dû conserver le secret, tout comme ton père et ta mère voulaient conserver le secret, Emma. Mais je les avais vus se promener près de la rivière, avec Lotte entre eux. Et ils avaient l'air si heureux… Non, pas heureux. Tristes. Oui, *tristes*. Alors j'en ai eu le cœur brisé, j'ai pensé combien c'était extraordinaire que quelqu'un ait assez de courage, de fierté et… d'amour pour garder un tel enfant. Et j'ai pensé aussi : Noé a le droit de savoir qu'il y en a un autre. Il a le droit de savoir que certains parents les laissent vivre. Que ce que nous avons fait était mal ! cria-t-elle à Noé. MAL !"

Son époux se détourna sans un mot.

Emma attendit, s'interrogeant peut-être sur le sort réservé à Adam, mais ne comprenant manifestement toujours pas en quoi cette histoire la concernait ou concernait son mariage avec Japhet.

Mme Noyes l'éclaira.

"Je n'aurais pas dû en parler au docteur Noyes, poursuivit-elle. Jamais je ne me le pardonnerai. J'ai commis l'erreur d'oublier qui il était et…" Elle marqua une pause. "Je suis désolée, parce que si tu as été choisie pour épouser Japhet, c'est à cause de Lotte. Quand Noé a appris l'existence de ta sœur, il a d'abord pris peur. L'apparition d'autres enfants comme le nôtre risquait de réveiller la mémoire de quelqu'un, même s'il n'y avait plus personne pour se souvenir. Personne à part nous, bien sûr… Alors il a pensé à Lotte toute une nuit ; une nuit entière il a réfléchi. Et le lendemain matin – j'ai tout de suite deviné qu'il n'avait pas dormi –, il est entré dans la cuisine en disant : «Tu connais les parents de cette enfant ?» Et moi de répondre : «Evidemment. Il m'apporte mon bois, elle confectionne mes dentelles.» Et je lui ai demandé pourquoi il s'intéressait à eux. Alors il a dit : «Ne t'occupe pas de cela. Surtout, ne t'occupe pas de cela…» Oh, Seigneur, je ne te le pardonnerai jamais", ajouta-t-elle à l'adresse de Noé. Puis, à l'intention d'Emma : "Nous nous sommes rendus chez toi, où il a demandé à voir les filles de ton père, persuadé qu'on ne lui montrerait pas Lotte. Mais peu importait. Tout ce qu'il voulait, c'était savoir s'il n'y aurait pas par hasard une fille en âge d'être mariée pour épouser Japhet, notre fils. Or tu étais là.

— Pourquoi ? interrogea Emma. Pourquoi ?

— C'est on ne peut plus simple, en vérité, déclara Mme Noyes. Lorsque nous sommes descendus de la montagne pour traverser la rivière, il m'a tout expliqué : son grand dessein, son intrigue. Si Japhet, dont le jumeau était pareil à Lotte, épousait une fille dont les parents avaient donné naissance à un enfant comme notre Adam, alors nous ne saurions être tenus pour responsables de tous les futurs Lotte et Adam : personne ne pourrait blâmer Noé Noyes, le confident de Yahvé, le véritable héritier du nom du Vieil Adam. Et puisque Japhet était le plus susceptible d'engendrer un enfant-comme-Lotte ou un enfant-comme-Adam, alors la sœur de Lotte, Emma, devait être courtisée et amenée à tout prix au sein de la famille. Ainsi, lorsqu'un bébé viendra au monde, il pourra être considéré comme étant le tien, Emma, et pas celui de Japhet. Ce sera ton sang qui coulera dans ses veines, pas le sien. Ta lignée… ta responsabilité… ta faute. Par conséquent, c'est à toi qu'il reviendra de faire ce qu'il faut."

Emma tremblait. Elle parvenait à retenir ses cris de peur et d'incompréhension, mais pas ses larmes. "Quoi ? Qu'entendez-vous par «faire ce qu'il faut» ?

— Ce que nous avons fait à Adam. Ce que tes parents ont refusé de faire à Lotte."

Sa belle-fille la regardait toujours.

Les yeux fermés, Mme Noyes serra Lotte contre elle. L'enfant s'endormait, et elle la berça un moment avant de reprendre la parole. "Nous l'avons tué, révéla-t-elle. Je l'ai tué…" Elle regarda Noé. "Nous l'avons tué."

La pluie.

Et la question informulée : Comment ?

Mme Noyes plaça les mains sur les oreilles de Lotte. "Nous l'avons noyé, révéla-t-elle. Pas dans la rivière, elle n'était pas assez profonde à l'époque. Non, nous l'avons noyé dans la mare. Aucun des autres ne l'a su… Japhet n'était encore qu'un bébé né la veille. Quant à Sem et à Cham… nous les avions envoyés loin d'ici. Ils ne l'ont jamais vu. A ce jour, ils ne se doutent de rien…" Elle reporta son attention sur Noé. "Mais Emma pourrait parler, bien sûr."

La posture de Noé fut sensiblement affectée par cette dernière remarque. Il se voûta.

"Elle n'aura qu'à leur glisser quelques mots, insista Mme Noyes, pour que tous tes beaux projets tombent à l'eau. Evidemment, si Lotte était autorisée à embarquer, Emma n'aurait plus rien à dire. Et au cas où un tel enfant viendrait à naître, alors la cause de son état serait évidente. Ce sont les termes du marché que je te propose, Noé. Et je ne doute pas qu'Emma les accepte aussi, dans l'intérêt de Lotte…

— Oui, approuva aussitôt Emma. Oui, j'accepte." Elle n'avait pas tout saisi mais elle en savait suffisamment pour comprendre qu'un *Oui* sauverait la vie de sa sœur, et c'était l'essentiel. "Oh oui, répéta-t-elle. J'accepte."

Le docteur Noyes n'avait toujours pas soufflé mot.

Enfin, il baissa les yeux vers son épouse. "Très bien. Tu as gagné, femme. Tu peux l'amener à bord."

Mme Noyes n'en crut pas ses oreilles. Elle ne s'attendait pas à remporter une victoire.

"C'est vrai ?

— Oui, répondit Noé. Amène-la à bord, mais pas encore à l'intérieur. Tu dois me donner le temps d'aller en informer nos fils, et, avant, de trouver une raison pour justifier cette entorse à l'édit." Il y avait presque de la tendresse dans le regard qu'il posa sur Lotte endormie entre les bras de Mme Noyes. "Je dirai qu'il y a eu un mort. Ils comprendront. Je dirai qu'il y a eu un mort et que ce… cette enfant…" Il prononça le mot d'une voix empreinte de dégoût, presque de répulsion. "… est autorisée à embarquer en tant que…

— … remplaçante.

— Oui, c'est cela. Une remplaçante. Ils comprendront. Il le faudra bien."

Sur ces mots, le docteur Noyes parut se ressaisir. Il se redressa, peut-être en prévision de la confrontation avec ses fils, prit le parapluie des mains d'Emma et se dirigea vers la porte sous le dais. "Je n'en ai pas pour longtemps, déclara-t-il. Dans l'intervalle, amène-la à bord."

A peine avait-il disparu dans l'ombre derrière la porte qu'Emma laissa libre cours à ses larmes de joie.

"Chut, chut…, murmura Mme Noyes. Nous ne devons pas réveiller ta sœur maintenant. Laissons-la dormir. Quand elle ouvrira les yeux, elle sera bien en sécurité à l'intérieur."

Radieuse, Emma se moucha, s'essuya les paupières et vint se poster au sommet de la passerelle.

Mme Noyes, qui se sentait d'humeur à faire toute seule le défilé de la victoire, s'avança dans la boue et les flaques, et, tenant fermement Lotte contre son sein, s'engagea sur la passerelle. Si Mottyl était là, il ne lui manquerait plus rien, et même l'horreur du déluge imminent lui paraîtrait presque acceptable.

Lorsqu'elle se retrouva enfin à bord de l'arche – où elle avait cru ne jamais monter –, elle déposa un baiser sur la tête de Lotte et lui chuchota à l'oreille : "Tu ne crains plus rien, maintenant. Plus rien, comme je te l'avais promis."

Elle aurait pourtant dû savoir à quoi s'en tenir.

Lorsque Noé revint sur le pont, sa femme et leur plus jeune belle-fille étaient blotties l'une contre l'autre sous le dais ; quant à l'enfant, elle dormait toujours dans les bras de sa bienfaitrice. Lui-même n'était pas accompagné par ses fils mais par Hannah, apparemment omniprésente et qui, un sourire aux lèvres, tenait une couverture en laine.

"La pauvre petite doit être trempée, dit-elle à Mme Noyes en s'approchant. Laisse-moi la prendre et la réchauffer dans cette couverture.

233

— Non, déclara Mme Noyes. Je préfère la porter moi-même."

En quête d'un soutien, Hannah se tourna vers le docteur Noyes. Celui-ci demeura imperturbable. Peut-être s'attendait-il à une telle réaction.

"Où sont Sem, Cham et Japhet ? demanda Mme Noyes. Et Lucy ? Où sont-ils tous ?

— En bas, lui répondit son époux d'un ton détaché. Je croyais que tu serais heureuse d'avoir cette couverture. C'est une attention très délicate de la part d'Hannah, tu ne devrais pas la rejeter ainsi. Etant donné les circonstances, j'aurais pensé…"

Il regardait sa femme avec insistance, comme pour lui faire comprendre que leur stratagème échouerait si elle ne leur remettait pas l'enfant.

"Laisse-la prendre dans ses bras cette petite chose, dit-il avec une douceur obséquieuse. Après tout, sœur Hannah est elle-même sur le point de devenir mère… Cette expérience lui sera bénéfique." Il sourit à l'aînée de ses belles-filles.

Elle lui rendit son sourire.

Mme Noyes, qui s'interrogeait toujours sur les motivations d'Hannah, surtout quand elle souriait, se sentit néanmoins tenue d'obéir.

Avec beaucoup de tendresse et de prévenance, elle dénoua les bras que Lotte lui avait passés autour du cou, l'embrassa puis la tendit à Hannah.

Sur le coup, celle-ci en resta bouche bée.

"Mais elle… elle porte une robe !" s'exclama-t-elle soudain.

Sa surprise ne semblait pas feinte. Mais Mme Noyes, absorbée par ses efforts pour ne pas réveiller la petite, se contenta de dire : "Doucement, il faut la laisser dormir…

— Bien sûr, déclara Hannah, qui enveloppa dans la couverture Lotte assoupie tout en formulant à son sujet une remarque encore plus étrange que les précédentes. Je n'aurais jamais pensé qu'ils puissent être si mignons", dit-elle – des propos bien curieux dans la bouche d'une femme enceinte.

Elle se dirigea ensuite vers la porte, mais au moment où Mme Noyes et Emma s'apprêtaient à lui emboîter le pas le docteur Noyes s'interposa, le bras tendu.

"Que fais-tu ? demanda Mme Noyes.

— Tu dois attendre", répondit son époux.

Aussitôt, Mme Noyes fut saisie de panique.

"Laisse-moi passer, ordonna-t-elle. Laisse-moi passer !"

Elle se mit à marteler de ses poings le bras de son mari, et même son visage, en criant à Emma : "Empêche Hannah de l'emmener ! Arrête-la ! Arrête-la !"

Mais le docteur Noyes fit un croc-en-jambe à Emma et frappa sa femme d'un coup si puissant qu'il l'envoya contre la cloison. Il n'y avait pas eu pareille manifestation de violence depuis le massacre des animaux. "Oh, mon Dieu ! s'époumonait Mme Noyes. Oh, mon Dieu ! Oh, Lotte…" Elle criait à s'en déchirer les cordes vocales. "Oh, mon Dieu !"

Ce fut Japhet qui la tua.

Et si Mme Noyes ne devait jamais pardonner à Hannah, sa belle-fille ne joua toutefois aucun rôle dans cette triste affaire. Elle ne fit qu'obéir aux ordres en portant Lotte, enveloppée dans la couverture, de l'autre côté de la porte.

Ainsi que le lui avait recommandé son père, Japhet s'était dissimulé à l'intérieur pour ne pas être vu de sa mère ni d'Emma, et une fois Hannah entrée il s'empara de Lotte et lui trancha la gorge dans son sommeil. Sa belle-sœur tomba aussitôt en état de choc, l'enfant ayant été tuée sous ses yeux, et l'on craignit même qu'elle ne perdît son bébé. Elle s'enferma dans sa cabine et ne parla à personne pendant deux jours.

Comme Mme Noyes et Emma n'avaient pas eu la possibilité de les suivre, elles se trouvaient toujours sur le pont lorsque Japhet apparut avec la dépouille de Lotte.

"Donne-la à ta mère, dit Noé. Qu'elle puisse la pleurer. Toi, va donc te récurer. Tu as du sang partout sur le visage et les bras."

Japhet remit le corps à Mme Noyes.

Celle-ci se tenait toujours adossée à la cloison contre laquelle son mari l'avait projetée. Elle prit Lotte sans un mot et se laissa glisser sur le pont, l'enfant ensanglantée gisant sur son tablier. La robe de coton était déchirée, le col blanc devenu écarlate. Mme Noyes disposa Lotte de façon à lui appuyer la tête sur son cœur puis, figée dans une immobilité totale, elle la tint serrée contre elle en regardant la pluie.

Pour une fois, Emma ne pouvait pas pleurer. Lorsqu'elle alla se poster à la proue de l'arche, le seul son qui s'échappait de ses lèvres était une sorte de mélopée.

De son côté, le docteur Noyes se retira dans sa cabine.

Environ une demi-heure plus tard, un bruit résonna dans l'escalier à l'intérieur et Cham accourut sur le pont.

"Mère ?"

Il s'agenouilla devant elle et tenta de lui prendre les mains.

Elle ne put que murmurer : "Je t'en prie... Tu ne peux pas me réconforter quand les morts sont déposés dans mes bras."

Cham s'assit sur ses talons en courbant le dos sous la pluie. Il demeurerait auprès de sa mère aussi longtemps que nécessaire.

Lucy approcha à son tour, munie de son parasol en papier tout déchiré, et vint se placer à côté de lui en fixant Mme Noyes et Lotte de ses étranges yeux verts. Sa longue robe de plumes n'était même pas mouillée, malgré les trous dans le parasol, mais le noir de ses cils avait coulé sur son visage anguleux.

Enfin, Mme Noyes se redressa, imitée par Cham, et leva le petit corps vers la pluie.

"Il n'y a pas de Dieu, déclara-t-elle. Il n'y a pas de Dieu digne de cette enfant. Alors je la rendrai au monde auquel elle appartient."

Sur ces mots, elle serra de nouveau Lotte contre elle et, après un dernier regard en direction de Cham et de Lucy pour les remercier d'avoir veillé en sa compagnie, elle descendit la passerelle.

"Au revoir", fit Cham – à sa mère ou à Lotte, nul n'aurait su le dire. Curieusement, il n'avait même pas élevé la voix.

Japhet se frotta à l'aide de brosses, de pierres ponces et enfin de cendres. Ce fut très éprouvant, même si sa peau avait développé une certaine résistance à la douleur en raison de toutes les séances de récurage qu'il s'était imposées dans ses tentatives pour se débarrasser de la teinture bleue.

Il avait toujours été d'une docilité irréfléchie. Aussi, lorsque son père lui avait ordonné de se nettoyer, avait-il obéi sans protester. Il trouvait cependant étrange tout ce remue-ménage autour de son geste. Après tout, il n'avait fait que tuer un singe. Or un singe n'était qu'un animal. Il n'avait rien d'humain.

Mme Noyes emmena Lotte vers la propriété sans cesser de lui parler sur le trajet ; elle lui tenait la tête contre son sein, la paume plaquée sur sa blessure et les doigts posés sur sa joue. Elle disait : "Il pleut encore plus fort qu'avant. De véritables trombes d'eau ! Mais ce n'est pas grave. Pas pour quelqu'un qui a déjà traversé la rivière, n'est-ce pas ? Toi et moi, nous sommes des vétérans de la guerre contre les rivières… Qui se préoccupe de la pluie ? Pas moi, ni toi. De toute façon, elle est brûlante, pas du tout comme celle que nous avons connue, toi, moi et les fées – tu te rappelles ? Cette pluie toute douce et tiède. N'était-ce pas agréable ?" Elle pressa le pas. "Nous descendons dans la pente, maintenant. Tu le sens ? Allez, hop, nous voilà !"

Elle glissa sur une portion du chemin transformée en bourbier, recouvra son équilibre et continua d'avancer en appuyant les talons dans la gadoue aux endroits où les pierres s'étaient détachées et avaient été emportées. Bientôt, elle abordait sa partie préférée de l'itinéraire, sous les arbres entre l'autel et la propriété – ces grands cèdres majestueux dans lesquels grimpait Cham lorsqu'il voulait regarder les étoiles, et dont il redescendait le matin venu pour aller étaler toutes ses observations sur la table de la cuisine : "Celle-là, c'est l'étoile-loup, mère, rouge le matin et rouge le soir…" Aujourd'hui, toutes les étoiles avaient disparu.

"Et alors ? Hein, Lotte ? Quelle importance ? Que les étoiles aillent en enfer !"

Elle scruta le ciel à travers les branches dégoulinantes. "Pourquoi ne pas les noyer aussi, espèce de Salaud ! Noie donc les étoiles ! Qui s'en soucie ? Et cette maudite lune aussi ! Après tout, nous n'en avons pas besoin ! Ni moi ni personne…"

Le chemin grouillait maintenant de grenouilles et de crapauds qui montaient vers l'arche.

"Repartez, leur conseilla Mme Noyes. Vous ne serez pas les bienvenus là-haut. Allez donc vous asseoir sous vos champignons. Suivez mon exemple : enterrez les morts et réjouissez-vous. Tu es enfin libre, pas vrai, Lotte ? Plus de rivières à traverser. Plus de sorties forcées pour être abandonnée sous la pluie."

La maison se dressait devant elle.

Mme Noyes en apercevait déjà le toit, avec sa mousse et ses plantes grimpantes, ses tuiles, ses cheminées, ses nids et même ses cigognes.

"Vous n'avez donc rien de mieux à faire ? cria-t-elle aux oiseaux – mais son cri n'était qu'un simple chuchotement. Vous n'avez rien de mieux à faire que rester là-haut ? Bande d'imbéciles ! C'est la fin du monde !"

Elle sentit des larmes de rage lui monter aux yeux lorsqu'elle vit la bâtisse censée être un havre. A quoi servirait une maison, sinon ? A quoi bon ériger quatre murs et les recouvrir d'un toit ? Même les cigognes connaissaient la réponse à cette question, et aussi les souris et les rats nichés dans les murs et les araignées dans les coins et les charançons dans les lattes du plancher. Même un vulgaire termite le savait !

"Ne t'inquiète pas, dit-elle en tapotant le dos de Lotte. Nous deux, nous n'ignorons pas à quoi servent les maisons. Je n'aurais jamais dû crier ainsi après les cigognes. Quelle idiote je suis ! Le toit, c'est tout ce qu'il leur reste."

Elle avait atteint la terrasse où elle cultivait autrefois des tournesols – le dernier plateau avant les marches qui menaient aux bains et aux latrines. De là, elle voyait la cour, ou plutôt le crématorium jonché de cadavres noircis – vaches, moutons et chèvres, chiens, bœufs et chevaux. Les corbeaux, les bandicoots et les buses s'activaient, indifférents à la pluie.

"Oh, Seigneur…" murmura-t-elle.

Lotte.

"Je ne peux pas t'abandonner ici, à leur merci…"

Mme Noyes fit demi-tour et s'élança sur le chemin en direction des cèdres. Mais elle s'arrêta avant d'avoir fait dix pas.

"Je ne peux te laisser nulle part."

N'est-ce pas ?

Calmée et vaincue, Mme Noyes se tourna de nouveau vers la terrasse et les marches. Et le charnier qui était autrefois son foyer.

"Où est ta mère ? demanda Noé à Cham sur le pont de l'arche.

— Partie, répondit Cham.

— C'est évident. Mais partie où ?

— Je ne sais pas, père. Je ne suis pas allé avec elle…"

Sous le parasol en train de se déliter lentement, Lucy gloussa.

Noé, dont le parapluie noir dépourvu de déchirures ou de trous résistait à l'averse, lui jeta un coup d'œil mais s'abstint de tout commentaire.

"La situation ne prête pas à la légèreté, il me semble, dit-il à Cham.

— J'aurais pensé au contraire que la légèreté ferait l'objet de toutes nos prières."

D'autres gloussements s'élevèrent tandis que Lucy, en appui sur une jambe, se détournait.

Noé s'empourpra en se rendant compte que Cham prenait l'avantage sur lui – une situation intolérable, surtout en présence de cette geisha gloussante au visage blanc. "Qu'essaies-tu au juste de me faire comprendre par cette remarque, mon fils ?

— Je voulais simplement dire qu'au cas où l'arche ne serait pas assez légère pour flotter il serait peut-être plus sage de nous adresser à Dieu."

Une nouvelle fois, Noé jeta un coup d'œil à Lucy pour voir si elle allait pouffer, et ainsi lui indiquer si les propos de Cham étaient drôles.

Apparemment, ils ne l'étaient pas ; Lucy demeura silencieuse.

"Laisse-moi te rappeler une chose, reprit Noé à l'adresse de Cham. A moins que ta mère ne soit ramenée à bord de ce vaisseau, et ce, aujourd'hui même, peu importe qu'il flotte ou pas.

— Je sais, père.

— Alors comment comptes-tu remédier à la situation ?

— Je suppose que je pourrais partir à sa recherche, père. Si tu m'en donnes l'autorisation.

— Oui, oui, je te la donne.

— Merci, père." Cham fit un pas vers la passerelle. "Et emmène donc ta femme avec toi...

— Bien, père."

Mme Noyes installa Lotte dans son fauteuil à bascule, recroquevillée sur elle-même comme si elle dormait. Le petit corps de singe ressemblait tant à celui d'un enfant humain que, de stupeur, elle s'écria à voix haute : "Mais c'en est un ! Lotte, comme mon Adam, a été engendrée par un homme... Cela ne suffit-il pas à la rendre humaine ?" Pour toute réponse, elle n'eut droit qu'au cri collectif des oiseaux occupés à se nourrir.

Elle ne savait que faire. Où pourrait-elle bien laisser Lotte, la déposer en toute sécurité ? Creuser

241

une tombe relevait de l'impossible ou presque sous les trombes d'eau qui se déversaient du ciel. Et il était inconcevable de l'abandonner dehors, alors que tous les charognards se repaissaient des victimes sacrificielles. Elle l'avait trop aimée pour lui infliger pareille fin.

Si seulement il lui restait un pichet de gin…

Il devait bien y en avoir un quelque part. Elle en avait dissimulé une telle quantité au fil des ans !

Elle inspecta le treillage et le bignonia, sans rien trouver.

Le coffre sur lequel elle avait appuyé son pied ?

Rien non plus.

Les lattes du plancher…

Oui, bien sûr ! Il y en avait certainement là-dessous (déjà à genoux, elle s'arrachait les ongles en tirant sur les planches de cèdre), oui, certainement. *J'ai bien dû cacher deux cents pichets sous ces lattes au cours des vingt dernières années. Ou trois cents.*

Elle parvint enfin à soulever une première latte, puis une seconde, et elle s'allongea à plat ventre pour regarder dans l'ouverture.

Une bouffée d'air frais lui monta au visage, imprégnée des odeurs merveilleuses de la terre, des feuilles mortes et des vieilles toiles d'araignée. L'un après l'autre, elle plongea ses bras courts le plus loin possible dans le trou.

Ah !

Oui ! Oui !

Un, deux, trois pichets de gin.

Mais seraient-ils pleins, à moitié pleins ou complètement vides ?

Terrifiée à l'idée de les briser, elle les retira de leur abri comme s'il s'agissait de vases de cristal.

De grâce, de grâce, de grâce…

Prie, Lotte. Prie !

Mme Noyes n'avait pas bu de gin depuis le début des pluies, lorsque Noé avait brisé, ou plutôt avait donné l'ordre à Japhet de briser tous les pichets qu'elle possédait – du moins, tous ceux qu'il pouvait trouver.

Mais pas ces trois-là.

Alléluia !

Et comme Mme Noyes n'avait pas bu de gin depuis le début des pluies, elle n'avait plus été ni ivre ni même grise après la visite de Yahvé.

"Oh, Lotte…, se lamenta-t-elle d'une voix presque chantante. Si seulement tu avais pu voir cet endroit quand il était plein de vie et divinement beau ! La véranda, le panorama, ma chatte… la cour sans ces cadavres… le paysage au-delà de la pelouse… la montagne et le miracle des arbres flottant au-dessus de la brume ! Les lémuriens qui lançaient leur cri vers le soleil et les oiseaux en vol… Oh, Lotte ! Si seulement tu avais pu voir ce monde. Tout semblait si… tout sentait si… oh, c'était merveilleux. Chaque jour, pendant une demi-heure ou une heure, tu n'avais pas besoin de dormir pour rêver. Tout était là, aussi réel que toi et moi. Absolument merveilleux ! Alors je chantais, dans ces moments. Avec Mottyl. Nous chantions tous les soirs – oui, tous les soirs –, et parfois je passais au salon pour me mettre à jouer. Et à chanter. Oh, je les rendais tous fous !"

Elle éclata de rire.

"*Arrête ! Arrête ! Arrête !* me suppliaient-ils. *Arrête ces miaulements plaintifs ! N'as-tu donc aucune pitié ? ARRÊTE !* Oh, je n'arrêtais pas, bien sûr. Jamais. Je baissais d'un ton mais je continuais à chanter. Parce que chanter c'est tout ce qui compte." Mme Noyes porta le pichet à ses lèvres, avala une lente et longue goulée de gin et savoura la lente et longue brûlure de l'alcool dans sa bouche, sa gorge, sa poitrine, son ventre… *Encore ! Encore !*

Elle regarda l'enfant endormie dans le fauteuil à bascule.

"Je parie que tu n'as jamais entendu le son du piano. Peut-être n'as-tu même jamais entendu quelqu'un chanter. Je me trompe ? Ecoute, voilà ce que je vais faire. Je vais te jouer jusqu'à la dernière des chansons que tu auras jamais l'occasion d'écouter. Tiens, attends. Attends…"

Mme Noyes, désormais pompette, franchit l'entrée du salon, où elle alluma une lampe. Après avoir aligné tous les pichets devant elle, elle prit place sur le banc où Mottyl avait l'habitude de la rejoindre et s'offrit une grande rasade d'alcool qui la fit s'étrangler et tousser. Enfin, elle posa les doigts sur les touches.

Elle joua *The Riddle* et aussi *The Foggy, Foggy Dew*. Elle joua *On Top of Old Smokey*, *Scarborough Fair* et *Bendemeer Stream*. Elle joua *Careless Love*, *Home, Sweet Home*, *The Bluebells of Scotland*, *Clementine*, *Au clair de la lune*, *Drink to Me Only With Thine Eyes*, *Auld Lang Syne*, *I Dreamt I Dwelt In Marble Halls*, *The Three Ravens* et *John Peel*. Elle enchaînait les mélodies en même temps qu'elle sirotait son gin, chantant à gorge déployée alors qu'il ne lui restait presque plus de voix mais seulement les vestiges de ce qui était autrefois un croisement entre une soprano pure et une contralto vibrante. *Carry Me Back to Old Virginny*, *Barbara Allen*, *Green Grow the Rushes Oh*, *Shenandoah* et *When Irish Eyes Are Smiling* se succédèrent ensuite.

Comme toujours, elle acheva son récital par ce que Cham avait appelé un jour les "préférées de ses préférées", à savoir le trio de chansons qui ne manquaient jamais de la transporter – et avec elle le piano, le banc, les pichets de gin, Mottyl et le reste, jusqu'à ce que la maison tout entière fût parcourue de vibrations et d'échos. C'était : *Je te ramènerai chez nous, Kathleen* ; *My Lord, What a Morning* ; et l'envolée vaillante de *The Holy City*.

Jérusalem.

Voilà, elle avait fini. C'était terminé.

Elle ôta son pied de la pédale, et pourtant le dernier accord résonna encore longtemps comme si le piano continuait de chanter seul.

Puis ce fut le retour au gin, au silence et aux grondements du tonnerre.

Il n'y aurait plus de musique. Jamais.

Mme Noyes se leva, étourdie par le tumulte des chansons dans sa tête, grandement affaiblie par la faim et enivrée par le gin. Elle se mit à valser, titubant à travers le salon jusqu'à la véranda, où elle s'affala contre le chambranle de la porte avant de chuchoter à l'adresse de Lotte :

"Voilà. Ce sont toutes les chansons qui existent…"

Mais Lotte ne les avait pas entendues.

Morte ou vive, elle avait disparu.

Le fauteuil à bascule était vide.

Durant quelques instants de véritable folie, Mme Noyes cria son nom.

"Lotte ? Lotte ?"

Personne sous la véranda, personne dans le salon. Ni dans la cuisine, ni dans le cellier, ni dans la salle de réception. Alors, où était-elle ? Où ?

Oh, Lotte… Qu'ai-je fait ?

Mme Noyes retourna vers la véranda. *Elle était là. Juste là. Dans le fauteuil.*

Reste calme.

Encore un peu de gin.

Elle renversa la tête pour boire, jusqu'au moment où le liquide déborda de ses lèvres et dégoulina le long de son menton. Alors qu'elle se penchait en avant pour ravaler le trop-plein, elle eut un aperçu du ciel.

Des corbeaux.

Jéhovah !

Aussitôt elle s'élança, sans lâcher ses pichets de gin ni rien, accrochant châles, jupes et tabliers à tous les clous et autres objets saillants que la véranda, les arbres, les clôtures et les framboisiers présentaient sur son passage. La pluie était maintenant si chaude qu'elle sifflait en touchant le sol ; toutes les buses, tous les corbeaux et tous les bandicoots dégageaient de la vapeur alors qu'ils déchiquetaient les restes calcinés des bœufs, des moutons et des chèvres.

"Filez ! Ouste ! Filez !"

Elle se rua parmi les charognards, battant des bras, renversant son gin et agitant son châle au-dessus de sa tête.

"Allez-vous-en ! Allez-vous-en ! ALLEZ-VOUS-EN !"

L'affolement la gagnait, car si elle n'avait encore aperçu Lotte nulle part, elle craignait à tout instant de la découvrir là, au milieu du carnage.

Les buses furent plus faciles à chasser que les corbeaux, qui se contentèrent de sautiller un peu plus loin. Quant aux bandicoots, ils filèrent hors de sa portée avant de s'immobiliser près de cadavres à moitié brûlés et dévorés, la poche pleine de viande et la gueule pleine d'abats. Cette vision mit Mme Noyes dans une telle rage qu'elle se baissa pour ramasser cailloux, pierres et gravillons – tout ce qui lui tombait sous la main –, dont elle se servit comme projectiles. Elle alla même jusqu'à cracher sur eux et, une fois suffisamment proche, leur donner des coups de pied.

"Fichez le camp !"

A un certain moment, elle trébucha sur la carcasse d'une vache à qui elle arracha une côte pour la faire tournoyer dans les airs.

Enfin, elle vit ce qu'elle cherchait.

Ou plutôt, elle vit la robe ornée de la ceinture.

Lotte gisait à plat ventre parmi les moutons, ses longs bras poilus en croix. Son habit était taillé en pièces aux endroits où les corbeaux avaient tenté d'atteindre la chair.

Mme Noyes s'agenouilla dans la boue mêlée de cendres, puis recouvrit du sien le corps de Lotte.

Elle ne prononça pas une parole. Il n'y avait rien à dire.

Si elle ne pouvait se résoudre à regarder la dépouille, elle s'y savait cependant obligée. En la retournant pour la prendre dans ses bras, elle s'aperçut que Lotte n'avait plus d'yeux.

Un grand froid la saisit.

Enfin, elle se leva et emmena Lotte dissimulée sous son châle. Quand les oiseaux plongèrent vers elle, Mme Noyes continua d'avancer, dispersant les bandicoots à coups de pied, enjambant sans émotion les bêtes mortes. Elle marcha jusqu'à la véranda, traversa le salon, passa devant le piano silencieux et se rendit à la cuisine où, enfin, après avoir étendu Lotte sur la grande table en bois, elle s'assit et fondit en larmes.

Mme Noyes monta à l'étage pour aller chercher sa malle à trousseau, qu'elle traîna dans l'escalier – badaboum – puis le long du couloir dallé. Arrivée dans la cuisine, elle fit voler toutes les pièces de brocart hollandais, de soie chinoise et de coton égyptien contenues à l'intérieur. Jamais elle n'avait utilisé ces étoffes. Au fil du temps, elles avaient été mises de côté pour les filles qui étaient mortes, puis pour les belles-filles, les petits-enfants, les arrière-petits-enfants. Bon. Rien ne s'était passé comme prévu. Durant l'une de ses purges fonda-mentalistes, Noé avait décrété que tout linge autre que blanc, noir, brun ou gris était souillé par le péché, aussi brocarts, soies et lins avaient-ils été bannis.

La malle abritait également des pots de bou-tons, des coffrets de boucles, de longues envelop-pes soyeuses remplies de rubans et de précieuses pochettes d'aiguilles, des bobines de fil et des cartes d'agrafes métalliques pour le dos des robes.

Mme Noyes les effleura et but un peu de gin en se demandant comment toutes ces choses avaient pu être ainsi gâchées. Ce n'était pas grave, bien sûr, sinon au regard de tous ces rêves cares-sés pour rien une éternité plus tôt, quand elle était encore une enfant, une jeune fille, une jeune mariée. Toutes ces visions de fenêtres agrémen-tées de rideaux, de longues robes souples, de chapeaux dont les rubans lui descendraient jus-qu'au milieu du dos, de chaises aux assises ten-dues de brocart et de coussins en velours…

Ah ! Elle éclata de rire.

On ne décorait pas une arche avec du brocart hollandais.

Donc… Elle laissa tomber le tissu sur le sol, où elle l'ignora.

Contrairement aux aiguilles. Au fil. Et aux boutons.

Mme Noyes enveloppa étroitement Lotte, dont elle avait croisé sur le cœur les bras simiesques, dans les longues bandes de jupon qui lui avaient servi à se confectionner des mitaines. Elle ne laissa libre que la tête avec sa mâchoire proéminente et son merveilleux sourire. Même dans la mort, Lotte souriait. C'était presque une sorte de revanche. Si seulement le docteur Noyes pouvait la voir en cet instant ! *Je suis un singe, mais j'avais une mère humaine et un père humain,* disait ce sourire. *J'étais aimée, choyée, cajolée par des bras humains.*

Mme Noyes se maudit de s'être montrée plus faible que les parents de Lotte. Bon. Elle devait à présent se racheter. Au moins, Lotte aurait un enterrement humain.

Après avoir baissé les paupières de Lotte sur ses orbites vides, elle posa en guise d'yeux des boutons de cuivre dans le visage noiraud puis, après avoir embrassé les lèvres de l'enfant pour lui assurer que ce qu'elle préparait serait sans douleur, elle s'employa à recoudre la blessure de la gorge avant de nouer un ruban bleu vif à la place du col taché de sang.

Cette tâche achevée, Mme Noyes fabriqua un coussin de brocart plissé qu'elle plaça au fond de la malle. Elle souleva Lotte, l'allongea à l'intérieur, l'entoura de soies chinoises et de lins égyptiens, et enfin, après lui avoir dit adieu, elle referma le couvercle.

"Personne ne pourra plus te toucher, maintenant, affirma-t-elle. Il n'y a plus aucun risque."

Mme Noyes traîna ensuite la malle dans le couloir, poussa la grande porte de chêne et laissa son chargement sur le seuil, comme un défi à l'inondation imminente.

"Voilà, j'ai bien mérité un remontant", déclara-t-elle en s'asseyant sur la malle pour déboucher le dernier pichet de gin.

"Donc, ton père est magicien ? demanda Lucy.
— Oui. En quelque sorte, répondit Cham.

— Sait-il faire de l'or ?

— Il a essayé.

— Et ?

— Echoué."

Lucy sourit. Ils étaient assis sur un rocher sous le plus gros des cèdres, qui les protégeait presque entièrement de la pluie. Lucy arrachait les derniers lambeaux de papier sur son parasol, exposant peu à peu l'armature de bambou.

"C'est ce qui arrive à la plupart des gens, observa-t-elle. D'échouer, je veux dire.

— Comment ça ? s'étonna Cham. Ce n'est pas ce qu'on m'a rapporté.

— Ah bon ?

— *Tout le monde* échoue, affirma Cham. Il n'existe rien de tel que l'alchimie. Ce n'est pas concevable sur le plan scientifique.

— Faut-il toujours que quelque chose soit concevable sur le plan scientifique pour que tu y croies ?

— Eh bien, oui. Oh, je me rends bien compte qu'il y a des exceptions… La musique, par exemple. Oui, il est possible de faire de la musique une science, auquel cas – du moins, de mon point de vue –, elle cesse d'être de la musique pour devenir…

— Quoi ?

— Plus discrète, j'imagine. Calculée et prudente. Timorée."

Il posa une main sur le genou de Lucy. "Quelle chance j'aie eue de te rencontrer… Toi, l'amante et la compagne parfaites. J'avais toujours eu ces conversations tout seul, auparavant – juste entre mon cahier et moi.

— Tu ne discutais pas avec ton père ?

— On ne peut pas avoir de «discussions» avec mon père, Lucy. Avec lui, tout n'est que disputes et ordonnances. Tu as beau lui fournir une preuve scientifique, il trouve toujours moyen de la réfuter. «Les roues à aube n'existent pas, mon garçon !», décrétera-t-il. Même si je lui en montre une."

Lucy éclata de rire.

"Mais lorsque la cendre volcanique est tombée du ciel en plein mois d'août, là, c'était de la neige ! poursuivit Cham. Un miracle ! Pour le coup, il est tout prêt à le croire. Les miracles et l'alchimie. Même s'il a échoué dans ces deux domaines.

— Eh bien, dit Lucy en levant son parasol au-dessus de leurs têtes. Un jour, je lui donnerai des leçons."

A ces mots, Cham se redressa, bouche bée.

Lucy se leva puis épousseta sa robe de plumes pour en faire tomber les aiguilles du cèdre. "Viens, maintenant, dit-elle. Nous sommes censés chercher ta mère."

Cham se mit debout avant de s'écarter d'elle à reculons. "Mais…" Il regardait le parasol.

"Qu'y a-t-il ? demanda Lucy.

— Il est…" Cham montrait du doigt ce qui, quelques instants plus tôt, n'était encore qu'un squelette de bambou. "Il est couvert d'or !

— Très juste.

— Mais…

— Ne te l'avais-je pas dit, mon canard ?" Lucy tendit la main pour lui chatouiller le menton de ses doigts gantés et doués de pouvoirs. "Un jour, je donnerai des leçons à ton père. D'ici là, il faut s'occuper de ta mère. Allez, viens."

Mme Noyes, très éméchée à présent, était assise toute droite sur la malle à l'entrée de la maison.

Elle s'imaginait "barrer le passage", comme l'ange devant le jardin d'Eden. Pour elle, il s'agissait d'un monde entièrement nouveau, où certaines personnes embarquaient sur des navires et prenaient le large tandis que d'autres restaient sur place, dormaient dans des arbres, enterraient leurs enfants au fond de malles, s'asseyaient sous la pluie et héritaient d'une multitude de pommes.

Ah !

Quelqu'un y avait-il pensé ? se demanda-t-elle. Me laisser près du verger, me tendre les clés de la sagesse en disant…

Tu n'as plus qu'à te noyer.

Cette pensée interrompit le cours de ses réflexions, et elle s'avachit légèrement.

Eh bien, je ne me suis pas encore noyée. Non, je suis toujours là, vivante. Je suis toujours moi-même, et je le suis peut-être même un peu plus qu'avant le début de tous ces événements.

"Vous entendez ? dit-elle en levant les yeux vers l'arche. Je suis moi-même, enfin ! Et si ça ne vous plaît pas, tant pis pour vous !"

N'est-ce pas, Lotte ?

Cette fois, Mme Noyes s'affaissa complètement, les mains appuyées sur le couvercle en dessous d'elle.

Elle avait des rubans autour du cou et une pomme dans la main ; la pomme était à moitié dévorée et les rubans de toutes les couleurs se mêlaient peu à peu au patchwork formé par ses châles et ses tabliers. D'apparence, Mme Noyes était devenue une sorte de brocante ambulante : lambeaux de jupons, rubans, chiffons, cordes et ceintures pendaient devant et derrière elle ; toutes ses poches et ses bourses débordaient de bouts de ficelles, de pots de boutons, de bonnets de dentelle, d'épingles de nourrice, d'aiguilles, de ciseaux et de pochettes d'herbes médicinales. De sachets de pétales de roses récupérés au fond de la malle. VIEILLERIES EN TOUT GENRE, aurait-elle pu écrire.

Elle éructa et avala une autre gorgée de gin.

Et maintenant ?

Regarde une dernière fois autour de toi et descends mourir au pied de la montagne.

JE NE VEUX PAS MOURIR.

Mais c'est ce qui va m'arriver.

Mme Noyes se leva puis, en un geste théâtral, jeta sur son épaule l'extrémité de ses différentes épaisseurs de châles. De fait, emportée par son élan, elle faillit tomber, car une fois de plus elle ne s'était pas rendu compte à quel point elle était ivre.

Elle parcourut du regard les cadavres d'animaux dans la cour – les restes détrempés par la pluie et attaqués par les charognards –, et leur parla comme s'il s'agissait des membres de sa congrégation : "A qui diable adresse-t-on ses prières quand on veut continuer à vivre et qu'il n'y a pas de Dieu ? Hein, je me le demande…"

C'était en vain qu'elle tentait de distinguer les dépouilles sous l'averse ; elle voyait seulement le lac en train de se former autour d'elles et une masse de corps immobiles, muets, incapables de lui fournir une réponse.

"Peut-être devrions-nous nous les adresser les uns aux autres, dit-elle, avant de s'approcher des cadavres sans même essayer de soulever les pieds, se bornant à patauger jusqu'au milieu du lac, où l'eau lui arriva aux chevilles. Pourquoi pas ? Comme j'ai prié la rivière quand je me noyais…" Elle s'immobilisa, le pichet toujours dans sa main. "Si j'adressais mes prières à Mottyl, peut-être pourrions-nous nous rejoindre, qui sait ? Pensez-vous que cela soit possible ? Je serais contente de la retrouver. Je veux dire, si je la retrouvais, nous ne serions plus seules."

Il tombait maintenant du ciel des gouttes grosses comme des pommes de pin.

Mme Noyes remonta la pente et alla s'asseoir dans les bains.

A l'intérieur, le bruit de la pluie était assourdi. Baquets, seaux et linges abandonnés étaient posés sur les étagères ou à même le sol. Les grands draps blancs dont s'enveloppait Noé lorsqu'il venait le soir se purifier et communier avec Yahvé, accrochés à des patères, pendaient tels des drapeaux en berne. Il s'agissait du bâtiment le plus sec de la propriété et Mme Noyes en savoura les odeurs si évocatrices de propreté.

Une petite bête fila dans un coin.

Des rats.

Mme Noyes ne prit même pas la peine de bouger. Elle n'avait plus peur des rats. Aujourd'hui elle ne faisait qu'un avec eux.

"Peut-être qu'elle est là…"

C'était Lucy, juste devant la porte.

Mme Noyes se leva d'un bond.

Cham entra le premier, suivi par sa femme.

"Non, sûrement pas, dit-il.

— Il faut bien qu'elle soit quelque part. Va jeter un coup d'œil dans les latrines, je fais le tour des bains.

— Ne sois pas trop longue, lui recommanda Cham en s'éloignant. Père commence à s'inquiéter."

Après le départ de Cham, Mme Noyes tenta de retenir son souffle. Mais ce n'était pas possible. Derrière son drap, elle finit par pousser un soupir ; ce fut plus fort qu'elle.

Lucy huma l'air en dressant dans sa tête la liste des éléments dont elle percevait l'odeur : savon, draps propres, cèdre et…

Gin.

Mme Noyes la voyait à travers un trou du tissu. Soudain, Lucy se retourna et la regarda droit dans les yeux.

Sa belle-mère ne cilla pas.

Puis Lucy marcha vers la porte et l'ouvrit ; elle allait la trahir, comprit Mme Noyes.

Au lieu de quoi, sa belle-fille franchit le seuil, et, au moment de refermer le battant, se pencha vers l'intérieur pour demander : "As-tu retrouvé ta chatte ?

— Non.

— Continue à chercher. Bonne chance."

Sur ces mots, elle disparut.

"Merci", murmura Mme Noyes.

La dernière cachette de Mme Noyes fut la grange.

Le nom des chevaux figurait toujours au-dessus des stalles : Lily, Betsy, Tom et les autres. Mary Mae et Alice, Jasper et Blackie. Venaient ensuite les enclos où tous les agneaux – sa chorale d'enfants – étaient nés. Puis ceux des brebis et des béliers – altos, sopranos, basses et ténors.

Oh, toutes ces soirées d'hiver qu'elle avait passées là ! Et toutes ces soirées d'été dans les prés, à leur apprendre à chanter ! C'étaient les plus beaux moments de sa vie. Les préférés de ses préférés. Et aujourd'hui...

"In Paradisum deducant te angeli", murmura-t-elle en regardant l'endroit où, en d'autres temps, se tenaient moutons et agneaux. Puissent les anges te conduire au paradis : à ton arrivée, puissent les martyrs t'accueillir et te mener dans la Ville sainte.

"Amen."

Elle manqua défaillir.

"Qui a dit cela ?" chuchota-t-elle. *Est-ce que je deviens folle ? J'entends des voix ?*

"C'est moi", répondit quelqu'un, quelque part au-dessus d'elle.

Mme Noyes leva les yeux.

"Qui est là ?

— Ce n'est que moi." Un bruissement résonna lorsque Cornella s'envola pour venir se poser près de Mme Noyes sur la barrière de l'enclos des agneaux. "Je t'ai cherchée partout. Je vais te mener à Mottyl."

La pluie mauve avait cédé la place à la pluie d'Onan, qui avait elle-même cédé la place à la pluie pareille à la vapeur puis à la pluie chaude et enfin à la pluie actuelle : la pluie pommes de pin. Le bruit lui-même en était effrayant, moins par son volume sonore – même s'il résonnait fort – que par son étrangeté. Chaque goutte grosse comme une pomme de pin était une sorte de poche qui explosait lorsqu'elle s'écrasait sur une surface, libérant un flot de liquide doré, iridescent, plus proche de l'huile que de l'eau. Peu à peu, les arbres et les bâtiments, l'herbe et la terre prenaient un aspect brillant, verni, aussi irréel que traître.

De la grange, Mme Noyes contempla un monde que l'on aurait pu croire oint du baume de Galaad. Il sentait même la résine et la sève. Quelle serait la prochaine trouvaille de Yahvé ? Chaque nouvelle variété de pluie donnait naissance, semblait-il, à une nouvelle forme de beauté inquiétante.

Mme Noyes sortit dans la cour puis, ramenant châles et tabliers au-dessus de sa tête, franchit les portes et descendit de la montagne sous la pluie dorée. Non sans difficulté, Cornella volait au-dessus d'elle en lui donnant ses instructions : "Par ici, par là, dans cette direction !" Mme Noyes avait le plus grand mal à suivre.

"Où m'emmènes-tu ?

— Dans le bois. Allez ! Dépêche-toi !"

C'était bien la dernière chose à lui dire. Mme Noyes se dépêchait presque malgré elle. Même si elle ne progressait pas aussi rapidement que Cornella, l'herbe enduite d'une sorte de patine huileuse lui donnait l'impression de glisser le long de la pente. *Dieu fasse que je ne tombe pas dans un terrier de marmotte !*

Pour Cornella, l'expédition se révélait malaisée aussi car ses plumes se couvraient peu à peu d'huile, ou plus exactement d'une dorure.

"La pluie m'attire vers le sol ! cria-t-elle à Mme Noyes. Vite ! Vite !"

Enfin, elles atteignirent l'entrée du bois où Mottyl avait pénétré la veille. Les fées avaient cependant disparu, à présent, et peut-être les animaux aussi. En tout cas, aucun n'était visible.

En scrutant le couvert, Mme Noyes constata que le bois dans son entier était doré. Tous les arbres, toutes les branches et toutes les brindilles étaient imprégnés du baume luisant, et toutes les feuilles alourdies tombaient les unes après les autres. La lumière du crépuscule rendait le spectacle saisissant, et Mme Noyes en resta muette.

Où sont-ils tous ? se demanda-t-elle. Où sont allés les animaux ? Puis, alors que ses yeux s'accoutumaient à la luminosité ambiante, elle comprit.

Sur le sol, sur les branches, sur chaque souche se trouvait une ménagerie dorée qui, muette et incapable de s'échapper, se noyait lentement dans l'alchimie de Yahvé.

A l'autre bout du bois, elles arrivèrent enfin devant un arbre, et Cornella, qui aurait été bien incapable de parcourir encore une longueur de plume, se posa parmi les branches les plus hautes. Sa voix était très faible.

"Nous y sommes, dit-elle à Mme Noyes.

— Mais où ? demanda cette dernière, hors d'haleine et elle-même privée de voix. Ce n'est qu'un vieil arbre et je ne vois Mottyl nulle part.

— Lève la tête ! lui cria Cornella. Regarde par ici !"

Mme Noyes s'exécuta.

Rien.

Pas même Cornella.

"Je ne vous vois pas, ni toi ni mon chat, dit Mme Noyes. Arrête tes petits jeux. Où est-elle ?

— Il va falloir que tu grimpes. Et si j'étais toi, je me dépêcherais."

Par chance, l'arbre en question – un séquoia – offrait de nombreuses branches à escalader, ainsi que des nids de chouette, des creux et des trous dans lesquels Mme Noyes pouvait loger ses orteils pour se conformer aux instructions de Cornella : "Tourne à gauche, tourne à droite, continue à monter."

Enfin, elle aperçut l'oiseau, posé à cinq ou six mètres de la cime et, juste en dessous, deux ou trois branches plus bas, elle découvrit une image qu'elle croyait ne plus jamais revoir.

La queue de Mottyl.

Dorée comme tout le reste, elle pendait vers Mme Noyes, passant par-dessus le bord de ce qui ressemblait à un large chapeau de soleil fait de fagots.

Après avoir rassemblé ses dernières forces, Mme Noyes se hissa encore un peu plus haut pour pouvoir regarder à l'intérieur de ce "chapeau de soleil" inversé, où elle découvrit Mottyl trempée mais vivante.

Et en un seul morceau.

Mme Noyes, qui se sentait trop fatiguée pour parler, pleurer ou même se réjouir, ne prononça qu'un seul mot : "Bonjour."

Mme Noyes apparut dans le pré devant l'arche pour la dernière fois le septième jour après le début des pluies qui, de dorées, étaient devenues argentées, puis grises et enfin noires. Ainsi, ce fut sous une averse d'encre qu'elle se dressa devant Noé avec ses tabliers pleins de pommes, ses cheveux défaits, ses chaussures désagrégées et sa peau couverte de croûtes et d'ecchymoses.

Son époux se trouvait à sa place habituelle sur le pont, abrité sous le parapluie noir que tenait Hannah toujours présente.

"Ah. Tu as enfin recouvré la raison.

— Oui…

— Je n'ai pas entendu.

— Oui, mon seigneur.

— Tu as mis un terme à tes errances ?

— Oui, mon seigneur.

— Es-tu convaincue, maintenant ?

— Je ne comprends pas ce que tu veux dire.

— Es-tu convaincue qu'il faut se soumettre à l'édit ?"

Mme Noyes s'humecta les lèvres, qu'elle avait étrangement sèches. Sa bouche l'était également, rendant la prise de parole extrêmement difficile. Noé, cependant, était patient. Il attendrait.

"Oui. Je suis… convaincue. Oui.

— Dis-moi ce qu'il y a dans ces tabliers, alors. As-tu l'intention d'apporter tout cela à bord ? Qu'est-ce donc ? Des souvenirs ? Des bougeoirs ? Un héritage ? Il n'y a pas de place ici pour un tel fatras, tu le sais. De quoi s'agit-il ?"

Sa femme rassembla suffisamment de salive pour demander : "A quelle question veux-tu que je réponde ?

— Ne joue pas les impertinentes avec moi, femme ! Ces temps-là sont finis à jamais.

— Oui, mon seigneur.

— Qu'y a-t-il dans ces tabliers ?

— Des pommes.

— Des pommes ?" La voix de Noé n'était ni furieuse ni accusatrice. Elle se teintait même d'une pointe d'amusement. "Donc, tu as fini par franchir la porte…

— Non, mon époux. Je suis passée par-dessus le mur. La porte était fermée à clé.

— Ah. T'es-tu bien divertie, au moins ?

— Pas vraiment, non. Je me suis écorché la cuisse sur le verre.

— Oui. Après tout, il est là dans ce but. Et maintenant, tu veux apporter les fruits de ta rébellion à bord, c'est cela ?

— Oui. Si tu m'y autorises…"

Le docteur Noyes regarda les tabliers gonflés, posés dans la boue aux pieds de sa femme.

"Ils ne contiennent que des pommes, tu en es sûre ?

— Oui, mon seigneur. Rien que des pommes.

— Peut-être devrais-tu en dénouer les cordons pour me permettre de regarder…"

Mme Noyes laissa échapper une petite toux en s'efforçant de repousser ses cheveux, mais ils s'obstinaient à lui retomber dans la figure et elle était sans cesse obligée de les ôter de sa bouche.

"Tu sembles fort nerveuse, femme.

— Non, non. Pas du tout. Je suis… je suis fatiguée, Noé. Bonté divine ! J'ai marché pendant des jours. J'ai dû enterrer Lotte. Je voulais retrouver ma chatte et je n'avais rien à manger. Je suis fatiguée, c'est tout.

— Cham et Lucy t'ont cherchée partout, répliqua Noé. Quand ils sont revenus sans toi, j'ai cru que tu étais morte.

— Eh bien, non. Je suis là.

— As-tu retrouvé ton chat ?

— Non." Mme Noyes pleurait d'épuisement. "Oui."

Le docteur Noyes se pencha en avant.

Hannah l'imita, inclinant le parapluie pour lui protéger le dos. Ce faisant, elle se retrouva exposée à la pluie, et, peu à peu, se colora elle aussi en noir.

"Oh ? fit le docteur Noyes. Donc, tu l'as retrouvée.

— Oui. Morte. Elle était morte.

— Hum…" Quand le docteur Noyes se redressa, Hannah et le parapluie suivirent le mouvement. "Bon, défais ces tabliers, montre-moi les pommes, et ensuite tu pourras embarquer.

— Je… les pommes seront gâchées, protesta Mme Noyes. Veux-tu vraiment manger des pommes noires ?"

Noé s'accorda un bref temps de réflexion avant de déclarer : "Monte.

— Merci", répondit Mme Noyes, qui se baissa pour attraper les tabliers par leurs cordons. "*Pas un bruit*, ajouta-t-elle.

— Quoi ? Qu'as-tu dit ?" demanda Noé.

Sa femme bataillait avec son fardeau, qu'elle fit passer par-dessus ses épaules pour le caler sur son dos. "Moi ? J'ai dit : «Merci.»"

Le docteur Noyes inclina la tête. "De rien, femme." Il commença à se détourner. "Je t'attendrai à l'intérieur."

Grondement de tonnerre.

"Voilà, tu vois ? Yahvé se réjouit de ta décision d'accepter la réalité. Et si j'étais toi, femme, je Lui

261

serais reconnaissante d'avoir consenti à un tel retard."

Mme Noyes garda le silence.

"Viens, maintenant. Viens t'abriter de la pluie."

Il s'éloigna, accompagné d'Hannah.

"Oui, mon seigneur", murmura sa femme. Et d'embarquer avec ses pommes.

La pluie, noire jusque-là, perdit toute couleur et se mit à déferler par vagues. Tous ceux qui devaient survivre au déluge se trouvaient maintenant à bord de l'arche. Alors, d'un ultime geste définitif, Yahvé les enferma.

Comme la lumière attire les égarés à travers l'obscurité, l'arche devint une sorte d'aimant attirant sur la montagne un flot de candidats à la survie. Quand les pluies redoublèrent d'intensité, de longs cortèges de souris, des hordes de fourmis et de scarabées ainsi qu'une multitude de créatures vivant dans le sol furent les premiers à se présenter. Ils n'aspiraient qu'à la sécurité offerte par la terre, rien d'autre, puisque de toute façon rien d'autre ne semblait possible. Mais la perspective d'un refuge en hauteur – d'un endroit, n'importe lequel, où ils pourraient éviter la noyade – les conduisit bientôt devant le prodige qu'était l'immense grange jaune construite par Noé (dont ils savaient tous que c'était la montagne) sur les étranges pilotis au milieu du pré.

De petits nuages de souris se disséminèrent dans le champ, ballottés par le vent, se mêlant parfois les uns aux autres pour former des nébuleuses plus importantes, jusqu'au moment où des fronts entiers de rongeurs bavards se rassemblèrent en une masse immense qui résonnait d'appels aux enfants perdus et de cris comme : "Familles, restez groupées !" Enfin, après avoir gagné un poste d'observation d'où ils pouvaient contempler le pont de l'arche, les animaux par milliers entreprirent de l'étudier, de réfléchir aux possibilités qu'elle offrait et de s'interroger sur la taille gigantesque de cette construction immense, bien plus grande qu'une grange.

Mais comment y pénétrer ?

Marmottin jeta un coup d'œil prudent hors de son terrier en se demandant s'il devait rejoindre les cohortes de réfugiés qui affluaient sur la montagne.

La terre était inondée, et l'eau avait même envahi sa chambre. Toutes ses réserves de nourriture étaient gâchées, et, dans quelques heures, ses cavernes et ses tunnels ne lui seraient plus d'aucune utilité.

Mais ils étaient si nombreux à monter vers le sommet, dont d'autres marmottes venues de prés différents, qu'il ne pouvait imaginer se trouver une place dans ce vaste pèlerinage.

Il y avait de la chair partout, semblait-il – une montagne entière de dos et de pattes en mouvement. Marmottin savait bien quels espoirs animaient ces créatures. Mais il savait aussi ces espoirs condamnés, à cause de Yahvé, de Noé et de ravages plus effrayants que tout ce que l'on pouvait imaginer. Il avait entendu les bruits et vu les feux du sacrifice dans la cour, et il devinait que ces bêtes cheminant vers l'autel, et qui ignoraient même pour la plupart ce qu'était un autel, partageaient toutes le même rêve de salut. Eh bien, il n'avait pas le droit de les détromper.

Continuez droit devant vous, ne vous arrêtez pas.

Il balaya du regard toute l'étendue du pré jusqu'à l'extrémité opposée, sous le mur de pierre, et il pensa : C'est ici qu'est ma place. Mieux vaut affronter la mort ici que me joindre aux hordes condamnées et risquer d'être poussé ou piétiné… Compte tenu de son grand âge, de sa vue défaillante, de ses os déjà douloureux, Marmottin avait bien conscience qu'il ne pourrait survivre à la bousculade.

Non, il allait attendre. Peu à peu, la foule se ferait moins dense et la panique refluerait ; alors il traverserait son pré, monterait vers l'est sous la pluie et irait s'asseoir dans son terrier préféré pour assister aux derniers jours du monde.

Au crépuscule, les eaux avaient atteint la cime des cèdres, et, à la nuit tombée, elles léchèrent le bas du pré.

Celui-ci grouillait de créatures de toutes tailles, couvrant chaque brin d'herbe couchée, chaque branche du pin et chaque pierre de l'autel sacré. Oiseaux, insectes et animaux de toutes sortes s'y étaient rassemblés, et la sonnerie de la cloche, dont la corde s'était dénouée, se mêlait aux flots de cris adressés à l'arche silencieuse.

L'immense assemblée avait dépassé le stade de la panique. Après une phase d'hébétude, elle avait recouvré une sorte de lucidité désespérée proche de l'état de choc. Ses membres avaient attendu patiemment la fin des jours de pluie et des jours de fuite, des jours de faim et des jours d'ascension interminable à mesure que la terre s'effondrait en dessous d'eux. Ils s'étaient côtoyés aussi longtemps que possible en évitant avec toute la grâce dont ils étaient capables les confrontations les plus difficiles à supporter : la panthère s'était détournée de l'antilope et la renarde du lièvre. Précipités dans toutes sortes de rivières, déposés sur toutes sortes de berges, martelés par toutes sortes de pluies et de chutes d'eau, ils avaient compris peu à peu que la mort les conduisait vers l'annihilation totale en un geste incompréhensible, et qu'il n'y avait plus moyen de s'échapper. A présent, sur la montagne, dans le noir, sous la pluie et cernés par le son du glas, ils n'éprouvaient plus rien sinon un vague sentiment d'espoir suscité par la vue de l'arche jaune dotée de murs, de sols et d'un toit ; et surtout d'une porte derrière laquelle chacun d'eux imaginait un passage vers la sécurité.

Ils attendaient.

La porte ne s'ouvrit pas.

La pluie ne s'arrêta pas.

L'obscurité forma une tente qui les recouvrit complètement.

A l'heure où les étoiles se mettent à briller – quand il y a des étoiles –, une lumière apparut.

Elle flotta au-dessus de l'eau – d'abord entière puis fragmentée ; d'abord unique puis multiple –, et éparpillée ou réunie, elle se mouvait si près de la surface grêlée par la pluie que l'on pouvait distinguer son reflet. Elle s'accompagnait d'un bruit perceptible malgré la cloche et qui résonna comme un cri familier aux oreilles des êtres dans l'attente, alors qu'en réalité ce n'était guère plus qu'un tintement léger comme celui de minuscules éclats de verre éparpillés par le vent.

Tous les animaux rassemblés sur la montagne de Noé connaissaient les fées depuis leur naissance. Ils avaient vu leurs lumières et les frissons de l'herbe sur leur passage, ils avaient aussi entendu leurs voix au plus profond du bois, le long des sentes ou dans les fourrés. A un moment ou à un autre, presque tous, jeunes et vieux, avaient été sauvés par les fées – comme le lémurien l'avait été du dragon tué par l'archange Michel –, car c'étaient les seules créatures à ne pas avoir peur des dragons, des caves peuplées d'échos et d'une bonne dizaine d'autres sources de terreur universelles.

Alors les bêtes se penchèrent encore plus pour les regarder virer vers l'arche, la survoler une première fois de haut en bas puis se diriger vers l'arrière et disparaître peu à peu.

"Vous croyez que quelqu'un les entendra ? Vous croyez que quelqu'un les verra ?" chuchota une voix à peine audible.

C'étaient des questions auxquelles personne n'osait répondre. De toute façon, il n'existait pas de réponse.

Peu à peu, l'espoir grandit. Peut-être y avait-il une entrée de l'autre côté… et peut-être Mme Noyes, qui était gentille, ou Cham, ou encore l'ange Lucy, en regardant par les fentes entre les planches, découvriraient-ils les fées. Au cas où elles seraient admises à l'intérieur, les portes ne s'ouvriraient-elles pas pour tous ?

Si seulement la cloche pouvait arrêter de sonner. Si seulement la pluie pouvait cesser un instant pour leur permettre de voir…

"Sont-elles revenues ? Où sont-elles ?"

Ils se penchèrent de nouveau ; tous les yeux fouillaient l'obscurité, toutes les oreilles écoutaient, tous les battements de cœur semblaient s'être arrêtés et chacun retenait son souffle.

Les minutes s'égrenèrent sans que rien ne se produisît.

Rien.

Et ensuite…

Les lumières reparurent. D'abord une, puis deux, puis toutes.

La montagne respira et le son de la cloche, enfin, prit un sens.

Deux ou trois points lumineux se détachèrent des autres et passèrent au-dessus de l'arche comme pour y chercher un accès, mais ils ne tardèrent pas à battre en retraite, vaincus par la pluie.

La montagne tout entière les regardait. En attente.

Les fées se rassemblèrent pour se presser contre les parois de l'arche, et même de loin tout le monde entendit leurs appels cristallins. Les petites lumières continuèrent de se cogner contre les flancs si longtemps que certaines finirent par s'évanouir ; alors la masse brillante, diminuée, se regroupa, survola le sommet de la construction et tenta d'entrer par le toit.

A chaque nouvelle manœuvre, cependant, l'éclat collectif des minuscules créatures faiblissait ; elles perdaient en nombre aussi bien qu'en force, et bientôt l'on n'entendit plus leur son mais seulement la pulsation qui l'animait, de plus en plus indistincte dans les ténèbres – déformée, étouffée, fragile comme la toile tissée par une araignée pour se protéger de la pluie –, jusqu'au moment où les derniers filaments scintillants tombèrent puis s'éteignirent, silencieux, à jamais privés de vie et exclus de tout ce qui vit.

La cloche sonnait toujours mais l'arche demeurait implacable. Sa forme avait maintenant une voix. Et cette voix disait : *Non*.

LIVRE TROIS

*... et les eaux crûrent et soulevèrent
l'arche, et elle s'éleva au-dessus de
la terre.*

Genèse, VII, 17.

A l'intérieur de l'arche, il y avait un puits d'ombre et une multitude de voix qui résonnaient dans l'air déjà empuanti par tant d'animaux confinés en un lieu aveugle. S'y mêlaient également les relents âcres de la poix et le parfum sucré, presque écœurant, dégagé par les planches de bois de gopher fraîchement coupées. Les seules senteurs plus douces étaient celles de la paille et de l'avoine odorante entreposées dans les fenils, ainsi que celle, chaude et familière, de l'huile de friture dans la cambuse.

Le puits d'ombre lui-même, dont la profondeur était celle des trois ponts inférieurs, se situait au centre de l'arche. Au-dessus, le pont supérieur – le seul ouvert, où Noé avait pris ses quartiers dans le château et la chapelle avec sa pagode – formait un toit auquel étaient suspendues des lampes non allumées. Chacun des autres étages donnait sur le puits et chacun se composait d'un dédale de passages et de coursives qui sinuaient entre les différentes cages, enclos et stalles abritant les bêtes.

Sur le deuxième pont se trouvaient les oiseaux, les reptiles et les insectes retenus derrière des barreaux et du grillage. Certaines de leurs cages étaient accrochées aux poutres. Tous les mammifères de petite taille occupaient également cet étage : lapins, écureuils et renards, singes, rats et souris, ratons laveurs, porcs-épics, furets et licornes. L'on y dénombrait aussi quatre cabines destinées aux passagers humains, dont l'une contenait un berceau rudimentaire pour le futur enfant d'Hannah.

Sur le troisième pont se trouvaient les animaux de taille moyenne, enfermés dans des enclos et des stalles. Là, des rigoles couraient le long des passages jusqu'à des conduites de déversement, lesquelles s'évacuaient par des dégorgeoirs dans les eaux au-dehors. A ce niveau voisinaient chevaux, zèbres et chevreuils, antilopes, bœufs et lions, émeus, autruches, dodos et autres oiseaux sans ailes ou créatures qui avaient besoin d'espace pour s'ébattre – ne serait-ce que d'une cloison à l'autre dans leur cellule.

Sur le quatrième et dernier pont se trouvaient toutes les bêtes dont l'on craignait que le poids ne fît sombrer l'arche. L'obscurité qui y régnait était totale.

Dehors, non seulement l'eau continuait de tomber du ciel mais elle avait aussi commencé à s'élever du sol lui-même. Des fissures apparues dans les rochers jaillirent toutes les rivières souterraines. Des puits explosèrent, projetant dans l'air d'immenses gerbes liquides, jusqu'au moment où eux-mêmes furent noyés lorsque les flancs des montagnes s'affaissèrent et que la terre céda.

L'arche sur sa quille commença à trembler, à frémir et à gîter. Dans le noir, tous les animaux se mirent à crier alors qu'ils perdaient l'équilibre et heurtaient les cloisons et les barreaux. Mme Noyes et Lucy, ballottées sur le pont, s'accrochèrent aux tabliers remplis de pommes et s'agrippèrent l'une à l'autre au milieu d'un concert de craquements et de grincements épouvantables laissant supposer que l'arche allait se disloquer avant même d'être mise à flot.

Les oiseaux voulurent s'envoler dans leurs cages mais, à cause de l'obscurité, ils furent désorientés et tombèrent comme des pierres.

Noé, prosterné sur le sol de sa cabine, priait d'une voix forte et furieuse, suppliant Yahvé de "redresser immédiatement l'arche" ! Lorsqu'il lui sembla que ses appels à la clémence resteraient sans réponse, il cria de nouveau, mais cette fois pour convoquer sœur Hannah.

Enfin, le ciel tout entier descendit tandis que les eaux s'élevaient à sa rencontre, et un bang fracassant résonna, faisant frissonner toute la Création. Alors, au grand soulagement de ses occupants, l'arche se redressa et flotta, délivrée de son échafaudage, de la montagne et de la terre elle-même, qui sombra en sifflant sous les vagues venues la réclamer.

Lentement, hommes et animaux se mirent à genoux puis, plus lentement encore, se relevèrent. Tous tâtèrent le sol sous leurs pieds pour vérifier qu'il était toujours là et firent de même avec les cloisons, les barreaux et le grillage des cages. Puis tous murmurèrent des remerciements, ne serait-ce que pour s'assurer qu'ils étaient encore en vie. Et tous se demandèrent ce qui risquait encore de leur arriver.

Mais ils n'entendirent que l'écho de leur souffle et de leur cœur battant sous la pluie.

Lorsque Mme Noyes avait porté les pommes jusque sur le pont, tellement épuisée qu'elle avait presque dû gravir la passerelle à quatre pattes, un duo de voix assourdies avait résonné – d'abord des profondeurs d'un tablier, puis des profondeurs de l'autre –, se mêlant en une seule plainte.

Du premier tablier s'était élevée la voix de Mottyl : "Vite ! Vite ! Le travail a commencé !"

Et des plis du second, la voix caractéristique de Cornella : "Aurais-tu la bonté de me délivrer ? J'ai bien peur de ne plus pouvoir respirer là-dedans."

Mottyl avait encore murmuré : "Vite ! Vite !"

Et Cornella d'ajouter : "S'il te plaît…"

Mme Noyes avait scruté le pont balayé par la pluie et, voyant qu'il n'y avait personne pour assister à l'apparition des passagers clandestins, elle s'était agenouillée devant le tablier de Cornella. Après avoir bataillé avec les nœuds jusqu'à s'arracher tous les ongles qui n'avaient pas été cassés jusque-là, elle avait rendu sa liberté à l'oiseau.

"Que vas-tu faire ? avait-elle demandé. Je t'en supplie, sois prudente. J'ai peur de Japhet…"

Cornella, toujours dorée – quoique en partie seulement –, lui avait assuré : "Tu ne dois pas t'inquiéter pour moi. Soucie-toi plutôt de Mottyl…

— Oui ! avait gémi la chatte. S'il te plaît !

— Ne t'en fais pas, avait encore dit Cornella. Je trouverai un moyen de rester sur l'arche."

De la main, Mme Noyes avait indiqué la cheminée sur le toit de la chapelle qui abritait l'autel sacrificiel de Noé. "Tant qu'il n'y a pas d'offrande à brûler, tu y seras en sécurité."

Cornella l'avait remerciée puis avait tenté de prendre son envol, mais l'enduit doré et la suffocation des quelques heures écoulées l'en avaient empêchée. "Je vais être obligée de marcher", avait-elle murmuré. Ce qu'elle avait fait, oscillant d'un côté puis de l'autre, traînant pesamment sur le pont ses ailes noir et or.

"Vite ! avait pressé Mottyl. Vite ! J'en ai déjà eu un…"

Mme Noyes venait de remettre en place les plis du tablier de Cornella et de renouer les cordons quand Cham était arrivé, suivi de près par Lucy.

Celle-ci avait aussitôt repéré Cornella.

"Tu ne dois pas… Oh, je t'en prie, ne lui fais pas de mal, avait supplié Mme Noyes, qui doutait encore de la loyauté de sa belle-fille. Je t'en prie…"

Mais loin de vouloir faire du mal à l'oiseau Lucy s'était avancée à petits pas sur le pont pour lui demander : "Où vas-tu ainsi, Cornella ?"

Après avoir expliqué ce que Mme Noyes lui avait dit au sujet de la sécurité de la cheminée au toit de pagode au-dessus de l'autel, Cornella avait été soulevée ("Mes ailes ! Mes ailes ! N'appuie pas si fort sur mes ailes !") et portée telle une icône cérémonielle jusqu'à la chapelle où, sur un dernier regard reconnaissant en direction de Lucy, elle s'était facilement hissée le long des pignons pour s'abriter de la pluie.

Dans l'intervalle, Cham s'était agenouillé devant le tablier de Mottyl, dont il avait défait les nœuds tandis que sa mère lui recommandait d'agir avec précaution. Une fois le tablier déplié, Mottyl était apparue couchée sur le flanc, en plein travail ; un premier chaton rampait déjà sur son ventre à la recherche de lait – petit, aveugle, nu et aussi informe qu'une limace.

"Tu en as eu un, avait dit Cham.

— Et je m'apprête à donner naissance au numéro deux… Oh, désolée, je ne peux pas le retenir…"

Sous les yeux de Cham et de Mme Noyes, le deuxième chaton était né, et Mottyl avait entrepris de lécher le placenta sur sa tête.

"Où pourrait-on la cacher ? avait demandé Mme Noyes à son fils. Si ton père la découvre, il la tuera."

Cham avait aussitôt trouvé la réponse, et, s'il avait précisé qu'il s'agissait seulement d'une cachette provisoire, il avait également laissé entendre qu'elle avait peut-être été faite pour la circonstance.

La porte en haut de l'escalier s'ouvrit à la volée, laissant s'engouffrer un grand rideau de pluie glacée qui balaya les marches et enveloppa les silhouettes rassemblées au pied.

Japhet, toujours revêtu de son plastron et de ses jambières en cuir, se campa dans l'embrasure, tenant d'une main une lanterne au-dessus de sa tête et de l'autre son épée dégainée.

"Que se passe-t-il ? Quel est le problème ? demanda Mme Noyes à son fils. L'une des bêtes s'est-elle échappée ?"

Sans répondre, Japhet leva la lanterne et s'écarta d'un pas pour éclairer les marches en contrebas.

"Il veut que vous montiez, déclara-t-il. Tout de suite.

— Tu veux parler de ton père, je suppose, répliqua Mme Noyes. S'il en est ainsi, alors appelle-le par son nom, je te prie."

Embarrassé et confus, Japhet s'essuya la bouche d'un revers de main. Il déployait de grands efforts pour copier les manières des ruffians qui l'avaient capturé sur la route avec l'intention de le transformer en soupe. Ces hommes lui avaient causé une frayeur telle qu'il s'imaginait désormais qu'une imitation même passable de leur attitude serait suffisante pour amener chacun à se prosterner devant lui en tremblant.

"Hum, dit-il. Père veut vous voir.

— Oui, c'est beaucoup, beaucoup mieux, approuva sa mère. Maintenant, pourquoi ne pas essayer aussi «s'il vous plaît» ?"

Japhet vira au mauve et marmonna quelque chose d'approchant, en refusant toutefois de parler plus fort ou de répéter ses propos. Certaines expressions, comme "s'il te plaît" et "merci" lui semblaient indignes d'un soldat ; c'était du moins ce que les paroles de l'archange Michel lui laissaient supposer.

"Devons-nous tous monter ? demanda Mme Noyes.

— Oui. Tous."

Sa mère avait déjà posé le pied sur la première marche quand il ajouta : "Et dépêchez-vous un peu.

— Pardon ?"

Mme Noyes retourna dans la coursive.

Lucy prit la parole : "Je crois qu'il a dit…" Et de baisser la voix d'au moins une octave par rapport aux intonations de ténor affectées par Japhet. "… et dépêchez-vous un peu !

— Ne te moque pas de moi ! s'écria-t-il en balançant sa lanterne au lieu de brandir son épée – une erreur dont il s'aperçut trop tard pour y remédier. Je ne suis pas d'humeur à être harcelé."

Il fronça les sourcils.

"Je n'avais pas vraiment l'intention de te harceler, mon canard, répliqua Lucy. Aimerais-tu toutefois que j'envisage cette éventualité ?

— Je ne plaisante pas, décréta Japhet, se servant cette fois de son épée. Ne me pousse pas à bout."

Une moue aux lèvres, Lucy allait ajouter quelque chose lorsque Cham s'avança.

"Qu'est-ce que tu fabriques avec cette épée, Jape ? lança-t-il. Ce n'est que nous, bonté divine !

— Je ne veux pas prendre de risques, déclara son frère. Ni avec vous ni avec les animaux.

— Mais enfin, Jape, ils sont dans des cages et je suis ton frère ! Ici c'est ta femme et là ta mère ! Es-tu devenu fou ou quoi ?

— Inutile de déclencher une dispute, Cham, intervint Mme Noyes. Cela me paraît tout à fait raisonnable de la part de Japhet, puisqu'il a toujours eu peur des vaches.

— C'est faux !" s'écria Japhet, à la fois mortifié et furieux. De fait, il avait déjà les larmes aux yeux. "Je n'ai jamais eu peur des vaches…

— Est-ce qu'on est obligés de rester ici ? demanda soudain Emma. Je voudrais aller aux latrines. Et il n'y en a qu'en haut…" Elle montra du doigt un point derrière Japhet. "Ou là-bas, tout au fond, dans le noir. Alors est-ce qu'on pourrait monter, s'il vous plaît ? Dites ? S'il vous plaît ?"

Mme Noyes hocha la tête avant d'entamer l'ascension d'un pas mal assuré car elle ne s'était pas encore habituée au roulis. Ballottée dans l'escalier, elle se cognait sans cesse les coudes contre les rambardes.

Alors qu'elle passait devant son plus jeune fils, elle lui dit : "Les autres, en bas, n'auront-ils pas le plaisir de ta compagnie, Japhet ? Ne souhaites-tu pas être auprès de ta femme ? Il y a une belle petite cabine juste à côté de la sienne…

— Père tient à me garder près de lui, affirma-t-il. Je vais loger là-haut."

Sa mère sourit.

"Très bien, dit-elle. Au moins, de cette façon, nous aurons la possibilité de nous croiser de temps en temps, toi et moi."

Japhet ne répondit pas, trop occupé qu'il était à pousser son frère et sa belle-sœur Lucy vers la porte, crispant la mâchoire et la faisant jouer d'un côté à l'autre pour tenter de reproduire un autre souvenir de sa rencontre sur la route : l'image d'un géant décharné – le chef de ses ravisseurs –, qui grinçait des dents à la perspective du repas à venir.

Une corde tendue sur le pont menait de l'entrée du puits à la porte sous le dais, derrière laquelle brillaient les lumières de la cabine de Noé.

En file indienne, les membres de la famille progressèrent le long de la corde, une main après l'autre, cinglés et aveuglés par la pluie, presque déséquilibrés par le vent. Néanmoins, alors qu'ils approchaient du château, qui abritait les quartiers de Noé et la chapelle, Mme Noyes leva les yeux pour voir si elle apercevait Cornella dans la cachette de la cheminée.

Peut-être – mais c'était probablement la pluie qui créait des formes répondant aux désirs de chacun – y avait-il quelque chose là-haut, sous le toit incurvé de la pagode, et Mme Noyes crut même percevoir un mouvement d'ailes.

Japhet se pencha pour passer sous le dais et ouvrir la porte.

Aussitôt, ils furent assaillis par un jaillissement de chaleur et de lumière, ainsi que par l'odeur d'un plat au fromage.

Hannah les attendait, et, manifestement, elle avait préparé le dîner. Sans doute allaient-ils tous prendre place ensemble autour de la table, et qui sait s'ils ne boiraient pas un peu d'hydromel ?

Il ne devait cependant pas en être ainsi.

La préparation culinaire (toujours indéterminée) avait déjà été mangée, et l'odeur était celle des restes placés sur le buffet, dans un récipient découvert qui voisinait avec l'une des assiettes bleu et blanc préférées de Mme Noyes, où était encore posée la cuillère en bois utilisée pour servir. A côté se trouvaient la moitié d'une miche de pain et un pichet de lait protégé par une serviette en lin.

Noé avait pris place à une table de taille imposante que sa femme n'avait jamais vue. Non seulement sa barbe avait été lavée et peignée, mais il avait troqué sa robe tachée de pluie mauve et dorée contre une autre faite d'une étoffe plus riche : de la pure laine bleue portée sur une chemise de coton blanc dont Mme Noyes se rappelait avoir cousu l'ourlet à peine un mois plus tôt. Les chats de Yahvé, Abraham et Sarah, étaient couchés sur ses genoux.

"Excusez-moi… pardon…, dit Emma derrière les corps agglutinés sur le seuil. Il faut que…"

Comme s'il ne l'avait pas entendue, Noé lui coupa la parole :

"Les animaux ont-ils été nourris ?

— Ils l'ont été ce matin, père, répondit Cham.

— Et ce soir ?

— A vrai dire, tout est un peu chamboulé, j'en ai bien peur, expliqua Cham. Entre le naufrage de l'arche et…

— Oh ! Parce que nous avons fait naufrage ? s'enquit Noé.

— Eh bien, répondit Cham, peut-être pas mais… c'est assurément l'impression que nous avons eue."

Avec un sourire, Noé se tourna vers Hannah. "Etais-tu au courant de ce *naufrage*, ma fille ?"

Lorsque Hannah baissa les yeux vers ses mains croisées, Mme Noyes ne put s'empêcher de remarquer à quel point elles étaient propres : ongles intacts, ravissants, cuticules aussi blanches que des œufs de colombe.

"Il y a eu… une certaine agitation", concéda l'intéressée. Elle semblait embarrassée et sa belle-mère se demanda pourquoi. "Mais rien de bien sérieux…, termina-t-elle.

— Ah !" Noé reporta son attention sur Cham. "Voilà qui met un terme à ces histoires de «naufrage». Bientôt, tu viendras nous parler de «tempête» pour désigner ce simple grain, et tu t'en serviras comme excuse." D'un geste autoritaire, il écarta le sujet. "Tu as toujours eu tendance à exagérer, mon garçon. Bon, te paraît-il possible de rétablir la situation d'ici à demain matin ?

— Sûrement, père, si Sem et Japhet m'aident."

Noé se carra dans son fauteuil puis saisit sa serviette pour lisser sa moustache, dont Mme Noyes remarqua qu'elle avait été taillée, de sorte qu'elle se mêlait joliment à ses favoris.

"Tu pourras sans doute compter sur Sem et Japhet pour cette fois, dit-il. Sem n'aura qu'à superviser l'organisation des tâches, ce qui lui donnera l'occasion d'évaluer les réserves. Nous serons obligés de les rationner, évidemment. Peut-être devrions-nous réfléchir à un système de verrous et de clés..." Il fit signe à Hannah, qui approcha de la table un tabouret à quatre pieds, s'y installa et nota au crayon dans un cahier de sa fabrication : *Distribution des clés et des verrous...*

"Ne sois pas ridicule, père ! s'exclama Cham. Personne ne va partir avec le foin..." Il éclata de rire.

Pas Noé.

"Je pensais à ta mère, répliqua-t-il. Et à sa prédisposition naturelle aux actes de bonté." Il déplaça ses doigts sur le plateau de la table pour récupérer des miettes et des graines de carvi qu'il porta à sa bouche. "La bonté, reprit-il en déformant le mot, les lèvres avancées comme s'il prononçait un terme emprunté à une langue étrangère, est au mieux une source de gaspillage ; en des temps pareils, elle devient criminelle.

— Pardon, intervint Emma, mais il faut vraiment que j'aille...

— T'a-t-on adressé la parole ? s'enquit Noé.

— Non, père, je ne crois pas. Il n'empêche...

— *T'a-t-on adressé la parole ?*"

Emma croisa les jambes et baissa la tête, la bouche entrouverte.

"Elle a besoin d'aller aux latrines, expliqua Mme Noyes.

— Elle aurait surtout besoin de passer à la quille, oui ! rectifia Noé. Voilà ce qu'il lui faudrait. Regardez-la ! Crasseuse de la tête aux pieds. Et elle sent…"

Mme Noyes poussa un profond soupir pour interrompre ce qui ressemblait fort au début d'une litanie bien trop familière recensant les nombreux défauts de la malheureuse Emma.

"Qu'entends-tu par «passer à la quille», très cher ?" demanda-t-elle d'un ton léger. Elle n'avait pas appelé Noé "très cher" depuis plus de soixante ans.

Ignorant l'épithète, Noé se prépara à répondre à la question. Il avait étudié divers manuels sur la navigation, le combat naval et la terminologie maritime, et il n'était pas peu fier de sa maîtrise du sujet. "«Passer à la quille», commença-t-il, consiste à…"

Au même moment, Emma poussa l'un de ses gémissements les plus spectaculaires, projetant tout le monde vers les cloisons par la seule puissance de son organe.

"Je ne veux pas passer à la quille ! hurla-t-elle. Je me fiche de savoir ce que c'est ! Je n'y peux rien si j'ai envie ! JE N'Y PEUX RIEN !"

Personne ne souffla mot. De toute façon, il n'y avait pas assez de place dans l'air pour une autre voix.

Un instant plus tard, comme de bien entendu, l'inévitable se produisit : délivrée de toute sa tension par la puissance de son cri, Emma laissa ses intestins inonder ses culottes.

Les autres ne prononcèrent pas une parole. Après tout, qu'auraient-ils pu dire ? Tous se contentèrent de regarder – certains horrifiés, d'autres dégoûtés – la pauvre Emma perdre complètement le contrôle de son sphincter, saisir à deux mains jupes et jupons et s'élancer hors de la pièce.

Dans le silence qui suivit, Sem fit son entrée. "Que se passe-t-il ?"

Pas de réponse.

Il dut ensuite percevoir une odeur particulière car il haussa les épaules en disant : "Oh." Puis : "Emma ?

— Oui, répondit Noé. Mais bon, que peut-on espérer de la part d'une créature dont la sœur était un singe ?"

Mottyl avait donné naissance à six chatons – deux dans le tablier et les autres dans le berceau d'Hannah. Ils se portaient tous bien, à en juger par les informations que lui transmettaient ses sens : pas de difformités, pas de membres en trop, pas de monstres à deux têtes, pas de pattes botes, et aucun ne semblait trop maigre ou trop petit. Il y avait deux mâles et quatre femelles ; elle n'avait eu aucun mal à les différencier. Mais elle brûlait de savoir quelle était leur couleur, et en particulier si l'une des femelles était tricolore, tout comme elle. "C'est rarissime", avait dit autrefois Mme Noyes. A l'époque, encore toute jeune, Mottyl s'inquiétait de ne jamais trouver aucun partenaire qui lui ressemblât. "Il n'y a pas de mâle tricolore, lui avait expliqué Mme Noyes. Ne me demande pas pourquoi, c'est tout simplement impossible. Le docteur Noyes dit que ses expériences l'ont prouvé, et que s'il y avait un mâle tricolore ce serait un miracle. Or nous savons tous combien les miracles sont fréquents. Les vrais miracles, s'entend…"

Cette découverte avait chagriné Mottyl, qui s'était sentie particulièrement seule. Elle aurait préféré de beaucoup ne pas être unique plutôt qu'endurer les conséquences de sa singularité. Celle-ci ne faisait en effet qu'attiser la curiosité du docteur Noyes, et chaque fois qu'elle avait des petits, les tricolores étaient les premiers à disparaître.

Le souvenir du docteur Noyes et de ses expériences la plongea dans une sorte de panique. D'autant qu'elle l'entendait parler quelque part au-dessus d'elle, modulant ses inflexions au rythme de la tempête. Quand l'arche s'élevait, il s'exprimait d'une voix forte et claire, et quand elle retombait sa voix diminuait également, noyée par un vacarme assourdissant au moment où le vaisseau frappait l'eau, puis se mettait à vibrer et à trembler tandis que les animaux s'écriaient : "A l'aide !"

Quelle époque et quel endroit pour naître ! songea Mottyl en léchant les chatons occupés à téter. Couchée sur le flanc, au sec et au chaud pour la première fois depuis des jours, elle se demanda quel genre de cachettes pouvait offrir un tel endroit. Elle ne savait rien de la configuration de l'arche – de l'immense puits, des divers passages et coursives, des fenils et des mangeoires, ou encore des différents étages. Mottyl ne la connaissait qu'à travers la perception de ses odeurs, de son immensité et de son poids écrasant lorsqu'elle retombait sur les flots, des grincements de sa membrure et des gémissements des bêtes à l'intérieur.

La tempête avait de toute évidence encore empiré, si c'était possible, produisant un bruit semblable à dix mille Mme Noyes en train de faire du pain, de pétrir et de frapper la pâte sur le pont au-dessus de sa tête. Autrefois, les sons accompagnant la fabrication du pain rassuraient la chatte, qui pouvait dormir paisiblement, en sécurité sous la table de la cuisine. Mme Noyes chantonnait toujours quand elle malaxait la pâte mais aujourd'hui personne ne fredonnait et les milliers de dames de la tempête n'avaient décidément rien à voir avec sa maîtresse.

Quelle époque et quel endroit pour naître...

Mottyl sentait les chatons s'agiter, mordiller la peau de son ventre et tirer sur ses mamelles ; alors, cédant à la fatigue, elle commença à ronronner. Si seulement elle pouvait dormir... Si seulement elle osait... Les odeurs du lait, des petits tout juste nés et de la paille produisaient sur elle l'effet d'opiacées, et le son monté de sa gorge l'amenait peu à peu vers une sorte de transe ; dans cet état, elle n'avait plus conscience de la pluie, et son nid au fond du berceau était un havre semblable aux bras de Mme Noyes. Ainsi, elle glissa lentement vers un dangereux rêve de sécurité, oublieuse de tout hormis de son épuisement.

Ils s'assirent à table, alignés de part et d'autre comme les différents représentants convoqués lors d'une conférence de paix : Noé, Sem et Hannah d'un côté, avec Japhet debout derrière eux ; Mme Noyes, Lucy et Cham en face, avec Emma accroupie sur le seuil, toujours en disgrâce et presque invisible parmi les ombres. Au-dessus d'eux, une lampe se balançait au rythme de l'arche, qui s'inclinait d'avant en arrière et non de bord à bord, la proue s'élevant loin au-dessus des vagues avant de plonger en piqué sans pour autant avancer d'un pouce. De fait, elle restait fondamentalement stationnaire, piégée par l'attraction des profondeurs abyssales où résidaient autrefois les vallées nichées au pied de la montagne de Noé. Seule la tempête bougeait.

"Bon, commença Noé qui, les yeux plissés, observait le groupe en face de lui. Quatre plus quatre font huit."

Lucy s'efforçait de réprimer un éclat de rire et Mme Noyes allait répondre : "Très juste, et deux et deux font quatre", quand elles furent soudain frappées par une même révélation : Noé ne s'était pas contenté d'énoncer une vérité mathématique ; non, il avait tracé une ligne entre eux, en plein milieu de la table. *Vous et nous*, avait-il dit, *nous et eux… quatre et quatre font huit*.

Il réclama ensuite la carte apportée par Sem et l'étala sur la table.

"Voilà, dit-il. Maintenant, approchez-vous."

Etrangement – du moins Mme Noyes eut-elle cette impression –, les seuls à "s'approcher" furent les membres de la famille de son côté de la table. Les autres – Sem, Hannah et Japhet – demeurèrent à leur place, immobiles et silencieux. Puissants aussi (c'était le terme qui lui était venu à l'esprit), n'accordant qu'un bref regard à la carte quand Noé se pencha pour placer ses doigts au milieu.

De toute évidence, il s'agissait d'une coupe transversale de l'arche, révélant les quatre étages – avec enclos et enceintes, fenils, réserves, cabines, latrines et cambuses –, surmontés par le château de Noé, où ils étaient actuellement assis, et la chapelle avec son autel sacrificiel et sa cheminée. Sous la dunette se trouvait une autre réserve appelée "Armurerie".

"Une armurerie, Noé ? s'étonna sa femme.

— Oui, au cas où nous croiserions des pirates.

— Des quoi ?

— Des barbares, femme. Des vandales des sept mers.

— Es-tu en train de dire que nous devons nous attendre à une attaque ?"

Il haussa les épaules. "Il y a toujours un risque.

— Pourtant, d'après l'édit de Yahvé, personne à part nous ne devait survivre", objecta Mme Noyes.

Noé réfuta cet argument d'un geste. "Il est évident qu'à long terme nous seuls l'emporterons. Cela ne se fera cependant pas sans épreuves. Cela ne se fera pas sans péripéties…

— Et pas sans pirates ?

— Tout juste."

Cette réponse servit à clore brutalement le sujet, bien que Mme Noyes ne fût pas convaincue d'avoir pleinement saisi tout ce qu'impliquait la notion de pirates. D'où viendraient-ils ? Quand allaient-ils surgir ? Et qui avait informé son mari de leur existence ? Toutes ces questions, qui la dépassaient, suscitèrent chez elle confusion et inquiétude.

Noé était manifestement nerveux à l'idée d'aborder le point à l'ordre du jour. De fait, il était en proie à une telle fébrilité – ou à un tel embarras, peut-être ? – qu'il s'assit tout au fond de son fauteuil avant de claquer des doigts en direction d'Hannah pour lui demander d'énoncer la suite. Abraham ronronnait bruyamment. Sarah fixait Mme Noyes de ses yeux bleus.

Hannah se tenait le dos si raide, en dépit de sa grossesse et des mouvements de l'arche, que cette vision était troublante. Il en allait de même pour son visage, totalement figé et inexpressif. Elle saisit le cahier posé jusque-là sur ses genoux, l'ouvrit, tourna quelques pages et commença à lire sous le regard attentif des membres du camp adverse.

"La répartition des quartiers de vie se fera comme suit…" Elle s'interrompit, sans pour autant se départir de son impassibilité, puis déclara : "Il sera sans doute utile de vous référer à la carte, si vous le voulez bien." Elle reprit ensuite sa lecture : "Le révérendissime docteur Noyes…"

Ce fut au tour de Mme Noyes de raidir le dos sous le coup de la stupeur et de l'indignation. "Le quoi ?

— Le révérendissime docteur Noyes", répéta Hannah sans lever les yeux.

Stupéfaite et incrédule, Mme Noyes considéra son mari. Déterminée à formuler une objection mais craignant de bafouiller ou de bredouiller, elle n'émit qu'un son guttural.

Noé contempla les extrémités de sa barbe en appuyant ses dents en bois contre ses lèvres closes.

Lucy, dont on aurait pu attendre un mot ou un geste gai et irrespectueux, s'abstint également de toute réaction. Sous sa poudre et son rouge, son expression était aussi indéchiffrable que la pierre brute.

Seul Cham, semblait-il, n'était pas surpris par le changement du titre paternel. "Le révérendissime docteur" lui apparaissait tout à fait digne d'un être appelé à devenir un dieu.

"… Le révérendissime docteur Noyes prendra ses quartiers dans le château sur le pont principal, lut Hannah. Il disposera à son gré des pièces adjacentes : la salle de repos pour la méditation, la chapelle et la sacristie, les latrines et les bains situés à tribord dudit château et le salon dans lequel nous nous trouvons en ce moment même…"

Noé, qui avait approuvé d'un hochement de tête chacun des éléments cités dans cette énumération, fit signe à Hannah de poursuivre.

"Sem, le fils aîné du révérendissime docteur, sera chargé de l'entretien de l'arche et de la surveillance des réserves. A ce titre, il lui incombera de répartir les tâches et les devoirs nécessaires à la maintenance de ladite arche, d'assurer le confort et le bien-être de ses occupants, ainsi que la sécurité de sa cargaison...

— Quelle cargaison ? lança Mme Noyes, qui n'en avait encore jamais entendu parler.

— Eh bien, les animaux, répondit Hannah en faisant une entorse à l'usage juste le temps de forcer un sourire condescendant.

— Oh, je vois, dit Mme Noyes. La cargaison. Evidemment."

Hannah regarda Noé, attendant l'autorisation de continuer. Il hocha la tête.

La lecture des listes se poursuivit, assortie de l'annonce que frère Sem et sœur Hannah disposeraient des quartiers situés en face de ceux de Noé, et Japhet de la cabine voisine de l'armurerie.

Ne restaient plus que les membres de la famille assis de l'autre côté de la table, où Mme Noyes subissait de plein fouet l'humiliation brutale d'avoir été privée des quartiers auxquels elle avait droit, en face de ceux de Noé – qui était après tout son mari, seigneur et (apparemment) maître "révérendissime". La raison pour laquelle Hannah s'était vu accorder le privilège de les occuper ne fut pas précisée ; pis – bien pis –, l'on n'estimait manifestement pas nécessaire de donner la moindre explication. Hannah avait été promue et Mme Noyes rétrogradée. Point final. Pas un mot de réconfort, pas une seule raison avancée. S'il n'était pas difficile de deviner que la rébellion ne payait pas, quels que fussent l'identité ou le statut du rebelle, cela ne justifiait en rien la soudaine accession d'Hannah à un rang supérieur. Celle-ci demeurerait un mystère.

La main de Noé avançait déjà sur la carte, où ses doigts tapotèrent les endroits désignés tandis qu'Hannah achevait sa lecture.

"Notre mère Noyes logera sur le deuxième pont, où elle prendra ses quartiers à tribord, dans la cabine adjacente à celle de sœur Emma. Sœur Lucy et frère Cham seront également logés sur le deuxième pont, à bâbord. Les latrines destinées à ces passagers se situent sur le troisième pont…"

Tap, tap, tap… Le doigt descendit en suivant le dessin de diverses marches et échelles puis se déplaça le long de coursives sombres jusqu'à la poupe du troisième pont pour indiquer l'emplacement des latrines. Ensuite, alors qu'Hannah arrivait à la fin de sa liste, il se dirigea vers la proue du pont mentionné, où se situaient la cambuse et le salon qui desservaient ces quartiers.

Hannah toussota discrètement et referma son cahier, plus imperturbable que jamais, affichant toujours cette expression d'une neutralité exaspérante qui semblait dire : "Je n'ai fait que mon devoir."

Mme Noyes fut la première à réagir.

"Si je comprends bien, nous ne mangerons pas ensemble ?

— En effet, mais seulement pour des raisons d'ordre pratique, répondit Noé. Tes devoirs, femme, impliquent un rythme de vie complètement différent de celui du pont supérieur. Il serait ridicule de t'obliger à dîner à huit heures quand tu préférerais dîner à six ou même à cinq.

— Mais nous n'avons jamais dîné à huit heures ! se récria sa femme. Jamais ! Pas une seule fois au cours des cinq cents ans de notre vie commune.

— Jusqu'à maintenant", rétorqua Noé en haussant les épaules.

Abasourdie, sa femme le regarda. "Nous respecterons les horaires des fermiers et vous, ceux du révérendissime docteur, c'est bien cela ?

— Si tu préfères formuler les choses ainsi, oui. Pourquoi pas ?

— Dans ce cas, quand nous verrons-nous ? Quand nous assoirons-nous tous ensemble ? Quand nous... parlerons-nous ?

— Dans la chapelle, déclara Noé.

— Pardon ? Mais personne ne parle dans la chapelle ! s'étonna Mme Noyes. Tout ce que nous avons le droit de faire, c'est t'écouter prier et te regarder manier le couteau."

Nouveau haussement d'épaules insouciant. Nouveau geste indifférent de la main.

"J'ai des obligations, femme. Je dois communier avec Dieu tout comme toi tu dois écouter et obéir. Puisque Yahvé m'a chargé en personne de la sécurité de l'arche et de tous ses passagers, il me paraît fondamental de dialoguer avec Lui.

— Je vois. Et donc, tu ne dialogueras plus avec nous ?

— Tes sarcasmes commencent à me lasser, femme. Je ne souffrirai pas d'opposition. Tu as une place à tenir, alors soit tu l'acceptes avec grâce, soit tu continues à te ridiculiser – une disposition, ajouterais-je, qui chez toi semble remarquablement développée." Lorsque Noé se leva, les chats, contrariés d'être ainsi délogés, allèrent s'asseoir sur la table. "Je dois également te prévenir que je ne tolérerai plus ces tentatives continuelles de ta part visant à me faire passer pour un idiot. Ai-je besoin de le répéter ? C'est moi le responsable ici. Pas toi ! Tu n'es rien d'autre aujourd'hui qu'un compagnon de voyage, sans statut ni rang. Sur ce, je suggère de mettre un terme à cet entretien."

Mme Noyes, qui s'était levée à son tour, ne contenait plus sa colère.

"Un entretien ? s'écria-t-elle. Un entretien ? Serions-nous devenus une institution sans que je le sache ?"

Noé cilla.

"Auquel cas, femme, quelle objection y verrais-tu ?

— NOUS SOMMES UNE FAMILLE ! hurla Mme Noyes. PAS UN CONSEIL MUNICIPAL !"

Emma gémit.

Hannah était devenue aussi pâle que Lucy.

Japhet posa la main sur son épée.

"C'est vrai, reconnut Noé. Nous sommes une famille. Et j'en suis à la tête."

Mme Noyes ricana. "Et moi au pied, c'est cela ?

— Libre à toi de choisir la partie qui te convient, femme. Moi, je me contente d'énoncer les faits. Dieu vous a placés sous ma responsabilité, aussi me dois-je d'agir en conséquence. A présent, bonne nuit."

Aussitôt, Noé quitta le salon pour se rendre dans la chapelle, où il tomba à genoux afin d'implorer le ciel de lui accorder la patience.

Mme Noyes regarda Sem, puis Japhet, puis de nouveau Sem.

"Comment avez-vous pu laisser faire une chose pareille ?"

Sem se borna à hausser les épaules.

Leur mère se mordit la lèvre et secoua la tête. Enfin, elle tourna les talons et sortit, trébuchant au passage sur Emma toujours accroupie près de la porte.

"Flûte !"

Cham et Lucy se retirèrent également – sans un mot, se contentant de relever Emma et de l'emmener avec eux dans l'obscurité, sous la pluie.

Après leur départ, Japhet demanda : "Dois-je leur donner la chasse ?

— Non, répondit Sem. C'est inutile, ils sont vaincus."

Le sont-ils vraiment ? se demanda Hannah.

A son réveil, Mottyl éprouva le besoin pressant d'aller faire ses besoins. Son sommeil, quoique bref, lui avait rendu des forces, et elle se sentait particulièrement réceptive aux sons et aux odeurs autour d'elle. Durant un instant, elle en oublia même tout danger.

Les chatons blottis contre son ventre dormaient toujours, apaisés par les battements du cœur maternel. Leur souffle imprégné de lait parfumait le nid de foin dans le berceau, et la chaleur profondément réconfortante de leurs petits corps contre le sien dégageait une senteur qui, pour Mottyl, évoquait la sécurité. L'obscurité universelle la rassurait également car elle offrait un refuge où seules de rares créatures – voire peut-être aucune – seraient capables de la débusquer. Du moins pour le moment.

Les petits auraient probablement continué à dormir jusqu'à ce que la faim les tirât de leur assoupissement, mais Mottyl n'avait pas le choix. La nécessité de se soulager ne pouvait être différée, même si elle posait certains problèmes. Il lui serait en effet impossible de laisser ses déjections exposées dans un coin de la cabine ou dans la coursive au-delà. Leurs émanations révéleraient inévitablement sa présence – ainsi que celle du nid et des chatons – à tous les rôdeurs à bord de l'arche. Elles risquaient bien d'attirer des rats, ou pis, le docteur Noyes.

Le souvenir du docteur l'amena à lever la tête vers le plafond, les oreilles dressées, mais la voix au-dessus d'elle s'était tue et Mottyl n'entendit que le bruit de la tempête et les craquements de l'arche.

Puis-je m'éloigner sans crainte ?

Oui, il n'y a personne par ici. Mais cache tes bébés.

Avant de sauter du berceau, Mottyl enfouit ses petits profondément sous le foin, se servant de son nez et de ses pattes pour les recouvrir d'herbe séchée. Aucun d'eux ne se réveilla, et elle bénit les mouvements du berceau qui garantiraient leur sommeil en son absence.

Immobile sur le plancher, elle scruta l'obscurité à la recherche de la moindre parcelle de lumière, mais si son œil valide n'était pas totalement aveugle, comme l'autre, il ne lui permettait toutefois presque plus de percevoir les nuances de l'ombre. Bientôt, la lumière ne serait plus qu'un souvenir pour elle. En attendant...

Je ne vois pas la porte.

Là, droit devant toi.

Lorsqu'elle finit par distinguer une forme oblongue, verticale et immobile, Mottyl supposa qu'il s'agissait de l'entrebâillement d'une porte ouverte. Elle renifla les ténèbres, espérant déceler un courant d'air, mais elle ne sentit que les pommes. Mme Noyes avait laissé sous la couchette le tablier plein de fruits dont le parfum sucré se répandait alentour, masquant toutes les autres odeurs.

Durant un moment, la chatte envisagea d'ensevelir ses excréments dessous, pensant l'arôme des pommes suffisamment puissant pour les couvrir. Mais ses voix l'en dissuadèrent.

C'est dangereux. Trop près de ton nid.

Alors, dépêchez-vous de m'aider à trouver un moyen de sortir d'ici.

Va vers la porte.

Mais en est-ce bien une ?

Avance.

Mottyl progressa dans le noir vers la forme oblongue en adaptant ses mouvements aux violentes secousses du plancher sous ses pattes, et découvrit enfin qu'il s'agissait bel et bien d'une porte. Une fois la tête et les moustaches passées dans l'ouverture, il lui fut relativement facile d'écarter le battant d'un coup d'épaule.

Où suis-je ?

Dans une coursive.

Où mène-t-elle ?

Tourne à gauche.

Poussée par les contractions de ses intestins, le flanc plaqué contre la cloison pour se repérer, elle longea la coursive en direction du puits – sans savoir, évidemment, qu'elle marchait droit vers une fosse profonde de quatre étages. Ses voix l'ignoraient aussi. Elles ne percevaient que le courant d'air créé aux abords du vide, chargé des odeurs du foin et des autres animaux.

Par centaines !

Il y a sûrement un tas de fumier quelque part.

La pensée de disposer bientôt d'un endroit sûr où faire ses besoins rendit Mottyl négligente, et elle accéléra l'allure, galvanisée par la force croissante du souffle d'air et la nécessité pressante de se soulager.

Pas si vite ! Sois prudente !

Mais Mottyl ne prêta aucune attention à ses voix.

Brusquement, elle se retrouva devant le puits qui, s'il était entouré d'une barrière, n'offrait cependant aucune protection à une créature de la taille d'un chat.

Bien sûr, elle sentait grâce à l'afflux d'air qu'elle se tenait au bord d'une sorte de trou ou de fosse. Rien ne lui permettait toutefois d'évaluer la distance jusqu'au fond. Pour avoir grimpé dans bien des arbres en son temps, dont l'immense séquoia de Cornella, elle savait impératif de monter pour juger d'une hauteur et de descendre pour apprécier une profondeur.

Je vais sauter.

Cherche plutôt un escalier.

Je n'ai pas le temps. Sans compter qu'il n'y en a peut-être pas.

Mais…

Mottyl sauta.

A mi-parcours, elle poussa un cri terrible en se rendant compte de ce qu'elle avait fait.

"Oh, mes bébés !"

Puis ce fut le silence.

Folle de rage, Mme Noyes ouvrit la porte à la volée.

"Qu'est-ce que ça veut dire ? s'écria-t-elle. Qu'est-ce que ça veut dire ? répéta-t-elle plus fort, manquant dévaler les marches dans sa fureur. Pourquoi faut-il que nous soyons séparés ? JE NE COMPRENDS PAS !"

Cham tira la porte entre eux et la tempête.

Mme Noyes, désormais assise au pied de l'escalier, refusait de bouger, obligeant ainsi Lucy et Emma à rester sur les marches, et Cham au sommet.

"Est-ce que quelqu'un pourrait allumer une lanterne, s'il vous plaît ? demanda Emma. J'ai très peur du noir."

Lorsque Cham craqua une allumette, elle murmura :

"Merci."

La flamme s'éteignit.

"Est-ce que l'un de vous se rappelle où il y a une lampe ? s'enquit Cham en tâtonnant dans l'obscurité.

— Oui, répondit Lucy. Il y en a une juste là."

Cham sentit qu'on lui plaçait une lanterne métallique dans les mains.

"C'est drôle, dit-il, je ne me souviens pas de…

— Je l'ai apportée avec moi, expliqua Lucy, coupant court à toute spéculation. Elle me plaisait, alors je l'ai volée."

La lanterne était faite de ce que Lucy appelait du "cuivre sophistiqué" et non de banal fer forgé comme celles des cales. Comme elle brillait d'un éclat particulièrement vif, Lucy dut avouer qu'elle avait également volé certaines des meilleures chandelles de Noé. "Avec des mèches en tung-stène, expliqua-t-elle. Capables de brûler durant une éternité. Et de diffuser une lumière plus brillante qu'un vieux bout de ficelle…

— C'est drôle, répéta Cham, qui dut se proté-ger les yeux pour examiner la chandelle en ques-tion. Je ne me souviens pas du tungstène…

— Forcément, répliqua Lucy. Tu n'es pas omniscient, tu sais.

— Très juste, admit-il. En attendant, je n'au-rais pas oublié une chose pareille. Je veux dire…

— Pourquoi ne pas te taire, maintenant ? lui suggéra gentiment sa femme. Pourquoi ne pas te contenter d'accepter cette belle lumière brillante et arrêter de poser des questions ?"

Son époux lui jeta un coup d'œil intrigué mais descendit l'escalier sans prononcer un mot.

De son côté, Mme Noyes ne se laissa pas aussi facilement réduire au silence.

"Qu'est-ce que ça veut dire ? reprit-elle. Qu'est-ce que ça veut dire ?

— Eh bien, ça veut dire que nous nous retrou-vons tout seuls là-dessous, répondit Lucy. Voilà. Nous et les animaux. Et si tu veux mon avis, très franchement, je m'en fiche. Nous sommes bien mieux seuls ici que tous «ensemble» avec Sa Gran-deur Hannah. De plus, ajouta-t-elle en contournant sa belle-mère afin de s'engager dans la coursive à la suite de Cham, j'ai toujours eu une prédilection pour les profondeurs.

— Pourquoi ? demanda Emma en lui emboî-tant le pas.

— Il y fait plus chaud, affirma Lucy. Tu ne sens pas ? C'est aussi agréable qu'un bon feu de cheminée."

Emma s'immobilisa et repoussa son châle.

"Hé, tu as raison ! s'exclama-t-elle. Il fait beaucoup plus chaud.

— C'est juste à cause des animaux, intervint Cham. Ils dégagent de la chaleur.

— Autant que des braises ardentes, renchérit Lucy.

— Ou des mèches de tungstène, dit Cham. Cette lampe est brûlante !"

Lucy, Cham et Emma se dirigèrent vers les cabines mais Mme Noyes demeura sur sa marche.

"Qu'est-ce que ça veut dire ? murmurait-elle. Je ne comprends pas. Nous formions une famille…"

Ce fut Cham qui, le premier, remarqua l'absence de Mottyl dans le berceau.

Sa mère, qui entre-temps les avait rejoints, pensait cependant la chatte tout simplement partie chercher un endroit où faire ses besoins.

"Eh bien, dans ce cas, je suppose que nous devrions apporter leur souper aux animaux, déclara Cham. Et… maman ?" Il se tourna vers Mme Noyes. "Peut-être pourrais-tu nous préparer un repas ?

— Oui, répondit-elle d'un ton distrait. Oui, je m'en occupe tout de suite."

Lucy leur donna à tous une chandelle au tungstène, et, au bout d'un moment, l'on vit des auréoles de lumière danser dans l'obscurité tandis que chacun prenait une direction différente.

Dans le berceau, les chatons remuèrent, prêts à se réveiller. Eux aussi avaient faim et voulaient manger.

Japhet se présenta une nouvelle fois au sommet de l'escalier, porteur d'une lanterne et de son épée. "Mère ! braila-t-il d'une voix tremblante. Mère !"

299

Mme Noyes, qui avait toujours répondu à l'appel de ses enfants, surtout lorsque leurs cris se teintaient de panique ou de douleur, accourut dans la coursive, une cuillère en bois à la main. "Que se passe-t-il ? Tu t'es fait mal ?

— Bien sûr que non. Je suis juste venu te chercher, c'est tout. Il a encore besoin de toi.

— Qui ? rétorqua sa mère de son ton le plus brusque.

— Papa. Il veut te demander quelque chose.

— Dis-lui que je prépare le dîner. Je viendrai quand nous aurons fini de manger." Elle retourna vers la cambuse, où elle venait de mettre plusieurs galettes de pommes de terre dans une poêle à frire et s'apprêtait à plonger des choux de Bruxelles dans l'eau bouillante.

"Je crois qu'il veut te voir tout de suite", insista Japhet.

Mme Noyes continua d'avancer.

"J'ai dit…"

Elle se retourna. "Et moi, j'ai dit : «Quand nous aurons fini de manger.»"

Elle poursuivit son chemin.

"IL VEUT TE VOIR TOUT DE SUITE, MAMAN !"

Cette fois, Mme Noyes s'immobilisa.

"D'accord, je vais monter voir ton père si tu vas retourner les galettes de pommes de terre." Campée au bas des marches dans une attitude de défi, elle lui tendit la cuillère en bois.

Japhet y jeta un coup d'œil puis redressa la tête.

"Les hommes n'entrent pas dans la cuisine, affirma-t-il. L'usage l'interdit.

— Très bien, répliqua Mme Noyes, qui tourna les talons pour s'éloigner dans la coursive. Alors je monterai lorsque nous aurons fini de manger."

Japhet prit son souffle si brusquement qu'il faillit s'étouffer.

L'image de son père furieux lui vint à l'esprit.

"Entendu, dit-il. Je vais retourner les galettes.

— Parfait. Mets donc aussi les choux à bouillir, tant que tu y es…"

Au moment où elle passait devant son fils, Mme Noyes lui fourra la cuillère dans la main avant de sortir affronter les rafales, qui firent claquer la porte derrière elle, manquant lui coincer les doigts.

Japhet scruta la coursive en contrebas ; elle était vide. Il commença à renifler en descendant l'escalier, et, parvenu au pied, il dut s'essuyer les joues.

Alors qu'il avançait le long des passages en direction de la proue, où se trouvait la cambuse, il frappait les cloisons avec la cuillère qui, lorsqu'il arriva devant le fourneau, était cassée. "Bien fait pour toi", dit-il à l'ustensile, avant de le jeter au feu.

"Bon, qu'y a-t-il encore ?" demanda Mme Noyes.

Debout derrière la table, Noé lisait un ouvrage intitulé *Les Plus Célèbres Batailles des sept mers*.

"Je t'avertis, femme, je ne tolérerai pas qu'on me parle de cette manière, rétorqua-t-il. Où est notre fils ?

— Il retourne les galettes de pommes de terre, répondit Mme Noyes. Alors si tu souhaites sa présence, dis-moi vite ce que tu veux et laisse-moi partir."

Quand Noé la regarda, l'irritation le disputait en lui à l'admiration. Son épouse ne manquait pas de courage, ce qui avait son utilité. Il lui faudrait cependant trouver un moyen de la forcer à ravaler le mépris dont elle faisait preuve envers lui. Mais bon, il s'en occuperait plus tard. Pour le moment, il avait la douloureuse obligation de la flatter.

"Voilà, commença-t-il, tu t'es peut-être aperçue lors de tes précédentes visites dans ces quartiers que l'on m'avait servi pour le dîner un plat au fromage…"

Mme Noyes hésita un instant avant de répondre que oui, elle avait remarqué.

"Alors tu as peut-être aussi remarqué qu'il en restait.

— En effet, déclara-t-elle. D'ailleurs, je me suis demandé pourquoi, puisque tu n'avais pas terminé ce plat, tu ne nous en avais pas offert.

— Tu ne l'aurais pas apprécié. C'est la seule raison."

Pour un peu, Mme Noyes en aurait pleuré. Elle fut obligée de fournir un gros effort pour se maîtriser et ne rien montrer du soulagement procuré par cette réponse ni de son impatience à l'idée de ce qui allait peut-être suivre.

"Dois-je comprendre que si tu ne nous en as pas proposé, c'est uniquement… parce que ce plat ne méritait pas d'être partagé ?"

Noé émit derrière son poing une sorte de bruit étouffé qui pouvait passer pour un *Oui*.

Sa femme le gratifia d'un grand sourire. "Autrement dit, tu ne manqueras pas de nous inviter à ta table lorsque tu estimeras la nourriture plus conforme à tes goûts ?"

Cette fois, le bruit derrière le poing pouvait passer pour un *Peut-être* ou un *Sûrement*, tout autant que pour un *Non, certainement pas* ; Mme Noyes n'aurait su trancher.

Sans un mot, elle s'essuya les mains sur son tablier.

"Pour en revenir à ce plat au fromage…, reprit Noé. Eh bien, je crains que sœur Hannah n'ait pas une idée très précise des ingrédients à utiliser.

— Je vois. Oh.

— Oui. Alors, tu comprends…"

Elle le regarda froidement chercher ses mots et, comme il ne les trouvait pas, elle finit par les énoncer à sa place :

"Donc, tu voudrais que je lui donne ma recette."

Au moins, il eut la décence de paraître gêné.

"Eh bien, que diable ! Il s'agit de mon plat préféré, celui que tu réussis toujours à la perfection."

Mme Noyes esquissa une petite révérence machinale, comme une enfant à qui l'on aurait adressé un compliment. Mais elle ne dit rien. Ses cheveux mouillés lui tombaient devant les yeux ; elle les écarta.

Noé se tourna vers la porte derrière lui pour appeler Hannah. Pendant qu'ils l'attendaient, Mme Noyes demanda à son époux si elle pouvait s'asseoir.

"Oui", répondit Noé en lui indiquant la chaise qu'elle avait occupée lors de sa précédente visite. Une fois Hannah entrée et installée à sa place, le crayon immobilisé au-dessus de son cahier ouvert sur la table, Mme Noyes libéra sa chevelure, disposa toutes ses épingles sur le plateau en bois poli et, tout en donnant la recette, se fit des tresses qu'elle rassembla au sommet de son crâne.

"Soit tu mets la pâte à chauffer avant, soit tu la cuis en même temps que la garniture, ajouta-t-elle. Personnellement, je préfère cette dernière solution car la pâte est moins craquante et ne s'effrite pas dans l'assiette."

Le crayon s'activa, puis se figea.

"Faut-il que je t'explique aussi comment confectionner la pâte ?" Une nouvelle page fut tournée – avec une certaine impatience, semblat-il à Mme Noyes –, et le crayon se prépara.

Noé, assis près de la lampe, observait son épouse. Elle s'exprimait d'une voix douce, songeuse, et le jeu de la lumière sur son visage… Quatre cents années s'évanouirent, ou du moins en eut-il l'impression, et les odeurs de la cuisine d'autrefois lui revinrent en mémoire. Il voyait même les mains de sa femme travailler la pâte… quatre cents, cinq cents ans… C'était à la fois stupéfiant et triste. Ils vivaient dans une maison, alors, les arbres donnaient de l'ombre et l'harmonie régnait. Aujourd'hui…

"… il est essentiel d'inclure la même quantité de graisse et de farine…"

Nous sommes vieux. Mais à l'époque…

"… de ne jamais utiliser de beurre salé…"

Nous étions des enfants. Ou tout comme. Des enfants dans un jardin, près d'un verger, se régalant d'une quiche. Et je l'aimais, en ce temps-là. Je l'aimais, c'est vrai. Je…

"… un quart de litre d'eau froide et une pincée de sel. Selon les goûts, bien sûr…" Mme Noyes regarda Noé. "Une grosse pincée de sel pour lui. Comme ça…", ajouta-t-elle en rapprochant le pouce et l'index.

Le crayon quitta la page. Il ne savait pas comment transcrire cette précision.

"Regarde et tâche de t'en souvenir, conseilla Mme Noyes à sa belle-fille. Comme ça…"

Au bout d'un moment, le crayon se posa de nouveau sur le papier.

Noé se leva et sortit. Lorsqu'il revint, il s'était mouché et repliait son mouchoir pour le ranger dans sa poche. Un instant plus tard, il le retira, le replia encore, s'en servit pour s'essuyer les moustaches et le tripota tant et si bien que Mme Noyes finit par soupirer en toisant son époux avec une telle sévérité qu'il fourra brusquement le morceau de tissu derrière son dos, où il le laissa pendre telle une queue.

"Maintenant, venons-en à la garniture…", dit Mme Noyes.

Cinq cents ans.

"… un fromage à pâte dure, au lait entier, convient mieux. Finement râpé, qui plus est. Pas question de le couper au couteau en se disant que ce sera bien suffisant…"

De fait, Mme Noyes prenait plaisir à cet échange. Elle n'avait plus enseigné la cuisine depuis la mort de sa dernière fille.

"… un œuf battu… un demi-litre de lait concentré et un demi-litre de lait entier… le fromage et une pointe de paprika.

— Ahhh ! s'exclama Noé.

— Oui, approuva Mme Noyes. «Ahhh», en effet. Je ne doute pas que tu aies oublié le paprika et un autre ingrédient fondamental…"

Elle regarda Noé en maîtrisant mal son impatience. "Te rappelles-tu lequel ?"

Il secoua la tête.

"Alors je vais te le dire. Tu es bien sûr de ne pas t'en souvenir ?

— Certain, avoua Noé en se penchant en avant. S'il te plaît…"

Sa femme se tourna vers le crayon pour chuchoter : "Noix de muscade…

— Ahhh…, fit Noé.

— Oui, reprit Mme Noyes, et surtout pas plus que cela…" Elle émit un petit bruit de gorge – un léger raclement –, puis sourit. "Tu comprends ? Pas un soupçon de plus."

Hannah tenta d'imiter le son sous le regard de Noé et de sa femme.

"Parfait", approuva cette dernière.

Voilà, c'était terminé.

"Puis-je m'en aller, maintenant ?" demanda Mme Noyes.

Noé la contempla en cillant.

"Je dois vraiment y aller, insista-t-elle. Mes galettes de pommes de terre risquent de brûler."

Elle se leva, rassembla les quelques épingles éparses sur la table et les glissa dans la poche de son tablier. Enfin, elle se dirigea vers la porte.

"Au revoir", lança-t-elle avant de disparaître.

Noé ne savait comment la retenir.

"Au revoir, dit-il. Et…"

Hannah referma le cahier.

"Il est tard, père. Puis-je aller me coucher, maintenant ?

— Oui, répondit Noé. Si tu veux."

Sa belle-fille se dirigea vers l'autre porte, le cahier serré contre son sein. "Je me souviendrai de tout, affirma-t-elle. Y compris de la noix de muscade…" Comme pour le prouver, elle ponctua ces mots d'un petit raclement de gorge. "Bonne nuit.

— Bonne nuit."

Après le départ d'Hannah, Noé plia une nouvelle fois son mouchoir et le fourra dans sa poche.

"Bon, dit-il à voix haute, c'est tout, je suppose."

Et d'ajouter, une seconde plus tard : "Oui." Avant de se replonger dans son livre.

Les Plus Célèbres Batailles des sept mers.

Quand Mottyl atterrit dans le noir au fond du puits, elle retomba sur ses pattes comme tous les chats. Mais la violence du choc, qu'elle aurait absorbée en cas de chute moins vertigineuse, lui déboîta l'épaule et lui fêla une côte. Elle avait également le dos meurtri, une coupure sous le menton, la joue transpercée par l'une de ses dents et les entrailles nouées.

Ses voix étaient silencieuses.

Ses premières impressions ne concernèrent cependant pas son corps mais le lieu où elle se trouvait : une obscurité totale ; une odeur animale particulière, impossible à définir ; une humidité fétide dont la puanteur se distinguait de cette odeur animale et s'apparentait à un goût. Surtout, elle entendait un son totalement nouveau pour elle : un son à la fois menaçant et dépourvu de sens.

C'était lui son principal souci, car elle se sentait vulnérable face au danger.

Couchée sur le flanc à l'endroit où elle s'était effondrée après l'impact initial, elle s'aperçut rapidement que, pour une raison inexplicable, elle ne parvenait plus à bouger. Sa sensibilité lui revenait lentement (même si ses voix demeuraient muettes), lui donnant au moins la possibilité de situer ses douleurs même si rien ne lui permettait de comprendre pourquoi elle était paralysée.

Dans son état d'immobilité forcée, elle percevait toujours les vibrations de ce bruit qui la terrifiait au-delà de toute mesure, car la source en était terriblement proche. Une présence ébranlait le sol par le seul fait de s'y appuyer, d'abord sur un pied puis sur l'autre. Mottyl sentait cette masse osciller, énorme, dotée d'une telle puissance qu'elle ne pouvait l'associer à aucune créature de sa connaissance. C'était comme si une bâtisse de la taille des bains se balançait, produisant un son semblable à celui du bois qui craque et se fend.

En attendant, Mottyl restait dans l'incapacité de se redresser malgré tous les efforts qu'elle déployait, et la panique la submergea à l'idée que cette masse oscillante risquait de s'abattre sur elle à tout moment.

Alors, elle renonça à se lever pour tenter une autre manœuvre : une sorte de mouvement de natation consistant à replier ses pattes vers son ventre. Elle voulait ainsi à la fois se faire toute petite et rassembler ses forces afin de pouvoir repousser la présence menaçante. Au moins ses membres semblaient-ils lui obéir, constata-t-elle, même si elle n'arrivait toujours pas à se lever. Et lorsque ses hanches et son dos remuèrent, elle s'aperçut combien la surface sur laquelle elle gisait était dure et mouillée.

Baignait-elle dans son propre sang ?

Cette pensée la galvanisa, et, usant de ses dernières réserves d'énergie, elle entreprit de se mouvoir par le seul effet de ses contorsions, tel un poisson à l'agonie sur la grève. Mais cette initiative fit naître de tels élancement au niveau de son flanc et de sa côte fêlée qu'elle faillit crier, autant de surprise que de douleur.

Elle songea alors que dans la mesure où la présence menaçante était un animal (elle sentait son souffle, entendait les grondements de son ventre énorme), elle pouvait essayer de s'adresser à lui. Une nouvelle information transmise par son odorat l'incita à prendre la parole : cette créature inconnue ne mangeait pas de viande.

Ni son haleine, ni sa peau, ni ses déjections – qu'elle libérait maintenant en abondance – ne dégageaient le moindre relent caractéristique du sang ou de l'os.

"Il y a quelqu'un ?" demanda-t-elle. C'était une question idiote, se dit-elle aussitôt, mais aucune autre ne lui était venue à l'esprit.

Idiote ou pas, elle fit cesser tout mouvement, et Mottyl crut même entendre un hoquet de stupeur.

"Il y a quelqu'un ? répéta-t-elle.

— *Où es-tu ?*" C'était une très grosse voix qui semblait sortir d'une toute petite bouche. "Je n'ai vu personne…"

Mottyl répondit doucement : "Je suis couchée près de toi, je crois. Je suis un chat.

— Un quoi ?

— Un chat. Ou plus précisément une chatte. Je suis quelque part près de tes pattes et je ne peux pas bouger."

Silence, dû peut-être à une interrogation sur ce qu'était un chat.

"Pourrais-je te prier de ne pas trop te déplacer ?" reprit Mottyl.

Enfin, la grosse voix au-dessus d'elle résonna de nouveau. Mais elle s'exprima d'une façon surprenante, inattendue de la part d'une créature aussi gigantesque s'adressant à une autre minuscule. Son intonation était plaintive. "Un chat ressemble-t-il à un rat ?

— Pas du tout."

Cette réponse suscita un soupir de soulagement si énorme que Mottyl en perçut l'odeur, mélange de foin et de fluides gastriques âcres, presque rances.

"Souffrirais-tu d'un ulcère, par hasard ? s'enquit-elle.

— J'en ai bien peur, oui, répondit la bête. Il a encore empiré ces derniers jours, depuis que nous avons embarqué. Je ne supporte pas l'arche. La pénombre, je veux bien, mais pas cette obscurité sans fin. C'est si terrifiant !

— Qui es-tu ?

— Je m'appelle Une Défense, répondit la voix dans le noir. Je suis un éléphant.

— Je ne connais sans doute pas plus les éléphants que toi les chats, Une Défense. Tout ce que je sais, c'est qu'ils sont très gros."

Mottyl éprouvait maintenant une étrange sensation qui, au début, l'alarma. Quelque chose procédait à une palpation légère, très douce et plutôt agréable de son corps. Mais pour autant qu'elle pût en juger, et malgré la délicatesse du toucher, c'était peut-être un serpent.

"Je ne te sens pas dangereuse, dit Une Défense après l'avoir reniflée. Mais tu es blessée.

— En effet. J'ignore cependant si c'est grave.

— Et tu allaites…

— Oui, et mes petits ont besoin de moi. Y aurait-il une chance pour que tu puisses m'aider à sortir d'ici ?

— Tout dépend de l'endroit où tu veux aller. D'où viens-tu ? Comment es-tu arrivée là ?

— Elle est tombée, intervint une autre voix venue d'un coin différent – une voix bougonne, furieuse.

— Qui a parlé ? s'enquit Mottyl.

— Ce n'est qu'Hippo, répondit Une Défense.

— Ah oui." Mottyl hocha la tête. "J'ai entendu parler de lui. On me l'a décrit. Toujours à se plaindre.

— Tu te plaindrais aussi, chat, si on t'avait pris toute ton eau. Je veux me baigner. J'aimerais me plonger tout entier dans l'eau et je n'ai droit qu'à un seau tous les matins. Alors franchement, à ma place, serais-tu pleine d'entrain ?"

Mottyl ne répondit pas.

"D'où es-tu tombée ? demanda Une Défense d'un ton soucieux.

— Je ne sais pas exactement. Du sommet, en tout cas, même si je n'ai pas la moindre idée de la distance qui nous en sépare.

— Alors tu as dégringolé trois étages."

Hippo parut impressionné. "C'est incroyable qu'elle soit vivante ! Si j'étais tombé de la hauteur d'un seul pont, je serais complètement aplati.

— Oui, gronda Une Défense. Tout comme nous. Mais cette créature ne nous ressemble en rien, ni à toi, ni à moi, ni à Rhino. Elle est extrêmement petite et couverte de poils, et non de peau ou d'écailles.

— Qui est Rhino ? demanda Mottyl, déroutée.

— Il dort par là-bas. Il est très déprimé. Vois-tu, il souffre d'une situation contraire à celle d'Hippo. Pour lui, l'arche est beaucoup trop humide. Il aurait besoin d'un bain de poussière, et bien sûr il n'y a rien de tel ici. Rien, à part de l'eau de cale et du fumier détrempé.

— Oh, je vous en prie ! s'écria Mottyl. Pouvez-vous me faire sortir d'ici ? Mes bébés…"

Une Défense réfléchit longuement – si longuement, à vrai dire, que Mottyl craignit qu'il ne se fût endormi, comme Rhino.

Enfin, Hippo émit une suggestion. "Pourquoi ne pas la soulever avec ta trompe ? Tu pourrais la déposer sur le pont au-dessus de nous.

— C'est vrai." Une Défense agita son énorme tête. "Mais elle est si petite…" Il s'approcha pour regarder Mottyl. "Me fais-tu confiance, chat ?

— Je n'ai pas le choix, j'imagine.

— Très bien. Je vais te soulever. Surtout, si je peux te donner un conseil, c'est de ne pas t'agiter."

Mottyl sentit de nouveau les doux tâtonnements explorateurs de l'antenne, qui finit par la saisir tout doucement et la caler comme au creux d'un coude géant, à la façon dont Mme Noyes la tenait parfois. Ensuite, elle fut soulevée…

Que se passe-t-il ?

Voilà, tu y es.

Oui, mais où ?

Ce serait trop long à t'expliquer. Nous sommes quelque part dans les airs.

Je monte !

Une Défense leva la chatte très haut et la porta ensuite vers le sol du pont au-dessus d'eux.

"Tu distingues quelque chose ? demanda-t-il sans la lâcher.

— Oui, des planches.

— Alors je vais te poser et te libérer. Tu comprends ?

— Oui.

— Tu es prête ?

— Oui."

Mottyl sentit une surface dure glisser sous elle, puis Une Défense retira son antenne.

La chatte se retrouva couchée sur le flanc dans une coursive faiblement éclairée qui ressemblait beaucoup à celle dont elle venait. Elle ne voyait pas les détails mais il lui semblait percevoir un faible rayonnement lumineux.

"Merci ! cria-t-elle dans l'obscurité. Tu as été très gentil, Une Défense. Tu as sauvé ma vie et celle de mes enfants.

— Bah, ce n'est rien." La voix d'Une Défense rendait maintenant un son assourdi, comme étouffé par la distance. "Nous sommes tous logés à la même enseigne et nous devons faire notre possible pour nous entraider."

Le plus étonnant, songea Mottyl, c'était que toutes ces manipulations avaient été opérées avec une extrême délicatesse. Aucune de ses blessures n'avait été irritée. Même pas sa côte fêlée.

La voix d'Une Défense résonna de nouveau dans les ténèbres :

"Si tu as quelque influence là-haut, chat, pourrais-tu demander de la lumière pour nous ?

— Oui, approuva Hippo. Et de l'eau.

— Je vais essayer, en tout cas, leur assura Mottyl. Je suis certaine que quelqu'un m'aidera."

Durant une demi-heure, Mottyl rampa autour du puits, plaquée contre la cloison de la coursive, jusqu'au moment où, épuisée, elle dut s'arrêter.

Elle était folle d'inquiétude au sujet de ses petits. Ils allaient la réclamer, à présent, car c'était l'heure de la tétée. De fait, l'heure était même passée. Mottyl savait cependant que ses forces ne lui permettraient pas de continuer.

"Si seulement je pouvais envoyer un message, murmura-t-elle sans se rendre compte qu'elle s'était exprimée à voix haute.

— C'est possible, lui assura une voix familière. Il suffit que tu me dises à qui l'adresser."

C'était la licorne mâle, enfermée dans une cage quelque part au-dessus d'elle, et Mottyl manqua défaillir de soulagement.

Lorsque Mme Noyes se rendit compte que Mottyl avait disparu depuis bien trop longtemps pour être simplement partie faire ses besoins, elle commença à demander autour d'elle si personne ne l'avait vue. Elle s'efforçait à la fois de ne pas céder à la panique et de ne pas montrer aux autres animaux combien elle était effrayée. Effrayée et parcourue de tremblements assez violents. Plus que tout au monde, outre le retour de Mottyl, elle désirait un peu de gin.

Mais il n'y en avait pas.

Une petite goutte de gin lui aurait permis d'affronter les tensions accumulées : l'horreur de l'arche elle-même, la disparition de son chat, la perte de sa place dans l'organisation des choses.

Oh, je t'en prie, non…, se dit-elle, se servant déjà de son tablier comme d'un mouchoir. *Je t'en prie, pas de pleurs ; je t'en prie, pas de larmes…* Elle s'humecta les lèvres en regrettant amèrement que chaque larme ne fût pas une goutte de gin. "Du gin salé", dit-elle à voix haute. Elle se fit rire toute seule.

Lorsqu'elle s'approcha des moutons, elle se sentait très mal en point. Il n'y avait toujours aucun signe de Mottyl nulle part, aucun espoir de voir apparaître un pichet par magie de sous une botte de paille ou de foin. *Oh, si seulement j'avais réfléchi*, songea-t-elle. *Si seulement j'avais pu prévoir que je me retrouverais ici, j'aurais rempli de pichets de gin des coffres entiers…*

Les moutons avaient l'air si tristes, si pathétiques ! Et les agneaux si moroses ! Les vaches avaient du mal à s'habituer aux brusques mouvements de l'arche, les chevaux mouraient de soif mais avaient déjà eu leur ration d'eau et n'y auraient plus droit, les chèvres réclamaient des souliers ou des fleurs à manger, les bœufs étaient si serrés dans leur enclos qu'ils ne pouvaient se coucher et les poules étaient… et les oiseaux… et les cochons… et…

"Oh, vous tous ! s'écria soudain Mme Noyes, debout dans le foin, une fourche à la main, les joues sillonnées de larmes. Pourquoi faut-il que nous soyons si démunis ici, si malheureux ?"

Inquiets, tous les animaux tournèrent la tête vers elle. Lorsque Mme Noyes vit leur regard, elle se sentit désolée de leur avoir ainsi exposé sa faiblesse. C'était la seule chose qu'elle s'était engagée à ne jamais leur montrer, parce qu'ils avaient besoin d'elle – besoin de quelqu'un, n'importe qui, pour leur donner de la force.

Durant un moment, tout en leur opposant une expression proche du défi, Mme Noyes se surprit à penser : Je ne veux pas être forte. Pourquoi ne pourrais-je pas me reposer, moi aussi ? Pourquoi n'y aurait-il pas quelqu'un d'autre pour être fort à ma place ? Pourquoi est-ce toujours à moi d'agir de la sorte – de remonter la première à la surface quand je n'ai qu'une envie : me laisser couler ? Tout arrêter ? Quand je voudrais juste mon gin ? Bonté divine !" Elle contempla les moutons. "Moi aussi, je voudrais qu'on m'apporte mon fourrage !"

Sur ce, elle s'obligea à sourire.

"Pourquoi ne chanterions-nous pas ? suggéra-t-elle. Qu'en pensez-vous ? Nous pourrions tous chanter une belle chanson pleine de gaieté…"

Elle marqua une pause le temps de chercher en vain dans son répertoire une chanson gaie.

"Nous devons chanter pour Mottyl, dit-elle enfin. Surtout pour Mottyl, car elle s'est perdue et nous ne savons pas du tout où elle a pu aller. Si nous chantons suffisamment fort, peut-être nous entendra-t-elle…"

Au même moment, l'arche fut ébranlée par une terrible secousse alors que la tempête se déchaînait de plus belle. La lanterne se balança si violemment que Mme Noyes craignit de la voir tomber et mettre le feu à la paille. Alors elle la décrocha après avoir lâché sa fourche et l'agrippa fermement.

Puis, très lentement et d'une voix incertaine, comme si le vieil hymne s'inventait de lui-même dans l'instant, elle entonna :

Père éternel, dont la force nous protège,
Dont le bras calme la vague agitée,
Qui ordonne à l'océan puissant et profond
De rester dans ses limites :
O écoute nos prières
Pour ceux qui risquent leur vie en mer…

Les moutons furent les premiers à se joindre à elle : d'abord les brebis, puis les béliers et enfin les agneaux. Même les chèvres finirent par l'accompagner, et les bœufs, qui pourtant n'avaient jamais chanté autrefois, se mirent eux aussi à fredonner – mais seulement à fredonner car ils ne connaissaient pas les paroles.

O Esprit-Saint, qui s'inquiéta
Du chaos sombre et rude,
Qui ordonna au tumulte furieux de cesser,
Et apporta la lumière, la vie et la paix,
O écoute nos prières
Pour ceux qui risquent leur vie en mer !

Pendant qu'ils chantaient, le message transmis par la licorne au porc-épic, par le porc-épic à la fouine et par la fouine à la renarde remontait peu à peu des étages inférieurs, et comme en réponse à la bonne nouvelle – *Mottyl avait été retrouvée et se portait bien –*, la chanson se propagea dans la direction opposée, jusqu'au moment où tous les animaux reprirent en chœur, chuchotant ou rugissant :

… protège nos frères à l'heure du danger,
Des falaises et de la tempête, du feu et de l'ennemi,
Protège-les où qu'ils aillent,
Et laisse s'élever jusqu'à Toi
Les louanges joyeuses de la terre et de la mer !

Et donne-nous aussi un refuge pour Mottyl ;
Une bauge pour Rhino ;
De l'eau pour Hippo ;
De la lumière pour Une Défense ;
Et un pichet de gin pour moi…
Amen

Les jours passèrent, se transformant en semaines qui prélevèrent un lourd tribut sur la patience et l'endurance de chacun. La vie quotidienne dans les étages supérieurs était à la fois répétitive et monotone, les événements aussi inexistants que les jours de soleil. L'enfant d'Hannah était devenu si gros qu'au dire de tous sa naissance pouvait survenir d'un jour à l'autre. Sem savait de moins en moins comment occuper son temps, aussi finit-il par aller s'asseoir tout seul parmi les trésors de la réserve personnelle du révérendissime docteur, où il se gava de dattes et d'avocats, de pain, de beurre et de bananes. Bientôt, son ventre rivalisait avec celui de sa femme.

Japhet, bouillant de jeunesse, ne pensait qu'au sexe. Chaque jour, il revêtait ses jambières, son plastron et son heaume, puis sortait ses épées et ses couteaux – et chaque jour, lorsqu'il croisait son image en armure reflétée par son bouclier, il se figeait, stupéfait par la beauté de son corps bleu. C'était alors plus fort que lui : son membre se dressait dans sa main et réclamait son attention.

Le matin, Noé s'enfermait dans la chapelle, où il étudiait les livres saints. L'après-midi, il se plongeait dans ses ouvrages d'histoire navale. Le soir, il s'asseyait avec Hannah et les deux chats, et soit sa belle-fille lui lisait à haute voix les œuvres de divers magiciens gnostiques, soit il lui dictait ses théories sur *L'Art de la véritable alchimie* ou sur *L'Anatomie des quadrupèdes*, dans lesquelles il réfléchissait d'une part à diverses utilisations du zinc, et de l'autre à la possibilité de croiser un mouton avec une chèvre. Deux fois par jour, il sortait sur le pont pour aller contempler le ciel.

Si Noé n'en avait pas conscience, Hannah exerçait une influence grandissante sur les habitudes quotidiennes de son beau-père, manifestant une autorité semblable à celle d'une infirmière chargée de veiller sur un patient âgé aux idées embrouillées. Parfois aussi, ils se bornaient à rester assis tous les deux en silence.

Dans les étages inférieurs régnait une activité beaucoup plus importante, même s'il s'agissait pour l'essentiel de corvées. Emma nourrissait les oiseaux, Cham les animaux plus gros et Lucy les créatures de taille moyenne. Mme Noyes s'occupait de ses moutons et préparait les repas pour sa famille. Mottyl avait trouvé refuge dans un nid secret au-dessus de la cage des licornes et ses chatons s'épanouissaient. Le moment venu, leurs oreilles et leurs yeux s'ouvrirent au monde de l'arche.

Il fallut à Mme Noyes bien des jours pour réussir à surmonter son besoin de boire, et de temps à autre ses compagnons devaient l'aider à se remettre de ses rêves. Parfois, elle marchait dans son sommeil, ce qui la conduisit à faire une expérience extraordinaire.

Quatre semaines après avoir été mise à flot, l'arche essuya une tempête terrible, accompagnée de nombreux éclairs et de grondements de tonnerre assourdissants. Malgré le fracas alentour, Mme Noyes entama à son insu l'une de ses errances nocturnes et potentiellement dangereuses. Celle-ci finit par l'amener devant une cage où se trouvaient deux ours affolés par les éléments déchaînés. Or Mme Noyes avait toujours craint les ours, qui lui inspiraient à la fois de la terreur et de la colère – une colère probablement engendrée par son incapacité à dominer sa peur. Ce soir-là, quand elle arriva près des deux bêtes, l'une d'elles pleurait. Mme Noyes, qui rêvait de Lotte, avait le cœur brisé par le souvenir de l'enfant perdue. Brusquement réveillée lorsque résonna un coup de tonnerre effroyable, elle entendit les sanglots de l'ours et, toujours hantée par la pensée de Lotte, elle ouvrit la porte de la cage et entra.

"Pauvre, pauvre Lotte, dit-elle, les mains tendues vers l'animal en larmes. N'aie pas peur, c'est juste un orage…"

L'ours s'avança entre les bras de Mme Noyes et appuya la tête sur son épaule.

"Là, tout va bien", dit-elle. A cet instant seulement, en voulant tapoter le dos de Lotte pour la réconforter, elle se rendit compte de ce qu'elle serrait contre son cœur. Peur et fureur se disputèrent en elle, mais pour finir ce fut le pragmatisme qui l'emporta.

Bon, songea-t-elle. *Qu'est-ce que je fais, maintenant ?*

La réponse était relativement simple.

Elle s'assit sur le sol de la cage et berça l'ours jusqu'au moment où il s'endormit, la tête sur ses genoux.

Au matin, ce fut ainsi que Cham les découvrit : sa mère en chemise, ronflant dans la paille au milieu de deux ours assoupis.

Une nuit, l'abondance des pluies fut telle que le lendemain matin les eaux étaient parfaitement étales. Un brouillard s'était formé, qui flottait juste au-dessus de la surface sans la toucher, créant ici et là des tourbillons chassés par des coups de vent, se soulevant légèrement, ouvrant des fenêtres pour les refermer aussitôt mais ne masquant jamais la mer elle-même ni la pluie qui tombait toujours, légère comme une caresse.

La houle agitait l'arche, qui s'élevait puis s'abaissait, de sorte que le toit du château et la pagode ne cessaient d'apparaître et de disparaître, offrant un spectacle déroutant.

Japhet, qui observait les alentours depuis le seuil de l'armurerie, allait se retirer sur sa couchette pour y passer une autre journée perdue quand il aperçut au-delà du vaisseau quelque chose qui le glaça jusqu'aux os.

Oh, mon Dieu ! Mon Dieu ! songea-t-il. *Nous ne sommes pas seuls… Nous ne sommes pas seuls !*

A peine avait-il pris la direction du château qu'il se ravisa soudain et retourna s'armer. Lorsqu'il reparut, prêt à s'élancer, il portait épée, bouclier et plastron, filet et trident, trois couteaux, deux haches, son arc, ses flèches et sa dague de chasse. Il se précipita sur le pont, glissa et trébucha, chuta et se redressa, et enfin fit irruption dans le château en criant : "La guerre ! La guerre !

— Plaît-il ? demanda Noé, surpris en plein milieu de son petit-déjeuner, alors qu'il nourrissait Abraham et Sarah sur ses genoux, comme l'avait fait Yahvé avant lui.

— C'est la guerre ! répéta Japhet. La guerre !" Il pointa sa dague en direction de l'eau. "LA GUERRE !" Il n'aurait pu en dire plus : sa bouche était pleine de couteaux et ses mains d'épées, et sur le sol autour de lui s'entassait un véritable arsenal tombé de sa personne.

Son père, s'efforçant d'afficher un calme qu'il ne parviendrait pas à maintenir, se leva de sa chaise et obligea les chats à sauter par terre. Après avoir récupéré son parapluie, il se dirigea vers la porte, se retourna et lança : "Va chercher tout de suite Sem et sœur Hannah."

Sur ces mots, il disparut.

Vingt secondes plus tard, il s'engouffrait de nouveau dans le château en criant deux mots, comme son fils quelques instants plus tôt.

Mais le cri de Noé n'était pas : "La guerre !"

C'était : "DES PIRATES !"

Sur le pont régnait un véritable chaos. Même sœur Hannah, grosse de son enfant, brandissait

320

une épée. Sem et Japhet ne cessaient de courir d'un bord à l'autre de l'arche en frappant le bastingage afin d'empêcher les pirates de grimper.

A la proue, Noé se dressait dans toute sa gloire sous le parapluie noir, sa robe battant ses jambes et sa barbe voltigeant autour de lui. "Pas d'abordage ! criait-il aux autres. Pas d'abordage !" Et de répéter maintes fois un terme totalement incompréhensible : "Baste !"

Alertés par le bruit, Mme Noyes, Cham, Lucy et Emma se précipitèrent vers la porte de leur cachot, certains que l'arche faisait naufrage.

Lorsqu'ils émergèrent, Noé les apostropha aussitôt : "Tous les hommes sur le pont pour empêcher l'abordage !"

Sem, les yeux écarquillés (une réaction inédite chez lui), regarda sa mère et articula : "Des pirates."

Mme Noyes, flanquée d'Emma qui s'accrochait aux cordons de son tablier et suivie par Cham et Lucy, marcha vers le centre du pont afin de mieux voir ce qui se passait.

L'arche encalminée flottant sous le brouillard était cernée de tous côtés par des centaines de créatures espiègles et bondissantes qui sautaient hors de l'eau, agitaient leurs nageoires en direction du vaisseau et de ses occupants, et criaient : "Bonjour ! Bonjour !" avant de replonger sous la surface.

Plus loin voguait une flottille entière de ces baleines en papier bleu présentées par Noé dans le tableau du *Masque de la Création* – mais bien réelles, celles-ci, et d'une autre couleur que le bleu. (Le papier se serait désintégré, il aurait sombré, conclut Mme Noyes.)

Un seul regard suffit à les informer, Cham, Lucy et elle, que les pirates ne leur voulaient pas de mal. (Emma ne bénéficia pas des renseignements transmis par ce seul coup d'œil. Ni par un autre, d'ailleurs. Elle garda les paupières closes durant toute la scène.)

"Arrête ! s'écria Mme Noyes en se tournant vers Noé. Arrête ! Tu ne vois pas qu'ils souhaitent devenir nos amis ?"

Au même moment, Japhet, l'épée à la main, se précipita devant sa mère et la repoussa si brutalement qu'elle tomba et roula avec Emma sur le pont.

Sans tenir compte de sa blessure (elle saignait), Mme Noyes se redressa tant bien que mal et, traînant Emma dans son sillage, se rua au pied du pont de poupe où son mari fulminant se tenait toujours. Elle l'implora d'arrêter le massacre.

"Des amis ! répéta-t-elle. Des amis ! Ils veulent devenir nos amis !"

Mais Noé refusait de l'écouter.

Ces créatures ne les assiégeaient-elles pas ?

Ne se jetaient-elles pas sur le pont en si grand nombre qu'elles risquaient de déborder les maîtres de l'arche ? Seul le bras glorieux de son fils guerrier était capable de les repousser à mesure qu'elles surgissaient.

"Femme, répondit-il à travers le voile de sa barbe en brandissant son parapluie vers le ciel, ce sont des créatures de l'enfer ! Des pirates jaillis de la fosse ! Crachés par la gueule de Satan ! Fais ton devoir. Tue-les !"

Mme Noyes se détourna. Ecœurée.

Une grande forme gris perle toute luisante, tendue dans l'air, sauta devant elle et retomba à ses pieds.

Roulant sur le dos comme un chat prêt à jouer, elle leva la tête et posa sur Mme Noyes un regard que celle-ci ne devait jamais oublier.

Toute sa face exprimait un message de joie et de bienvenue.

Mais en cet instant de complicité où Mme Noyes et la créature échangeaient regards et sourires, l'épée de Japhet descendit, fatale et rapide.

Mme Noyes poussa un hurlement de rage et se libéra de l'étreinte encombrante de sa belle-fille pour se jeter sur son fils. Elle eut beau tenter de s'opposer aux mains de Japhet, à ses yeux, à ses jambes et à son épée, elle ne put cependant l'arrêter. Sem l'en empêcha.

Le Bœuf, arrivé derrière elle, lui bourra de coups de pied les deux bras pour la forcer à lâcher les jambes de Japhet.

Emma, tombée contre la cloison de l'armurerie, gémissait à fendre l'âme. Cham et Lucy, ayant compris que la seule façon de sauver les pirates consistait à les rejeter à la mer, s'employaient à les faire passer par-dessus bord quand Japhet accourut pour piéger les créatures dans son filet. Il le fixa ensuite au pont à l'aide de son trident, coinçant par la même occasion le kimono de Lucy.

Enfin, alors que les eaux tout autour de l'arche se teintaient de sang et grouillaient des cadavres de leurs frères et sœurs, les intrus battirent en retraite dans la plus grande confusion. Toujours allongée sur le pont, incapable de se relever tant elle était meurtrie par l'attaque de Sem, Mme Noyes scruta la nappe de brouillard et vit les créatures se regrouper entre l'arche et les formes sombres des baleines. Elle aurait voulu leur crier de s'éloigner mais, connaissant la virulence de son mari en des moments pareils, elle demeura silencieuse.

Du fond de son cœur, pourtant, elle leur disait : *Partez, partez. Ils vont tous vous tuer.*

Noé, qui contemplait le sublime carnage en contrebas, décréta une grande victoire au nom de

Yahvé. La sainteté de l'arche avait été préservée et les pirates repoussés.

Sem, pour qui ne rien gaspiller revenait à ne jamais s'exposer au besoin, n'était pas du genre à se contenter de la seule victoire.

Le corps des pirates, dit-il à son père, plairait beaucoup aux lions.

Après avoir identifié les pirates et déterminé une place pour eux dans l'ordre des choses, Noé retourna au problème du mécontentement grandissant parmi ses troupes. Verrous, clés et dures corvées permettraient de venir à bout des résistances dans l'autre camp, mais comment maîtriser Sem et Hannah ? Et Japhet ?

C'était un fait établi depuis longtemps, bien avant la venue au monde de Noé, que les chefs des hommes n'avaient pas une vie facile. Il suffisait à toute personne sensée d'imaginer les problèmes politiques inhérents à la séparation des lignées de Seth et de Caïn pour éprouver une bonne dose de compassion envers Adam. Le Père des hommes avait également été, par obligation, le Père de la diplomatie. Pourtant, malgré tous ses efforts, il avait échoué.

Durant ses moments les plus sombres sur l'arche, Noé pensa beaucoup et très souvent à son illustre aïeul. Après tout, historiquement, ils partageaient les mêmes responsabilités : la survie de l'humanité ; l'assujettissement de la nature ; l'instauration de la loi et de l'ordre. Sans parler des conflits dans leur propre famille. Par trois fois, Adam avait recommencé l'expérience, et par trois fois il avait dû repartir sans rien d'autre que sa détermination, son ingéniosité et sa relation avec Dieu : la première, après que Yahvé l'avait fait naître de la poussière d'Eden ; la deuxième, au-delà des portes du paradis et, enfin, après la mort d'Abel.

Dans le jardin : le nom des animaux, la terrible solitude, la naissance d'Eve et l'épreuve de la tentation. *Echec.* Hors d'Eden : les premiers pas difficiles, le rejet de Lilith, la création d'une famille et l'histoire de Caïn. *Echec.* Pourtant, après le meurtre d'Abel, l'espoir avait resurgi d'abord avec la naissance de Seth puis, après le péché d'Eve et la subordination des femmes, avec celle des Fils de Dieu quand les fils d'Adam s'étaient unis aux filles des hommes. Mais alors les géants de la corruption étaient apparus, ainsi que le culte de Baal et de Mammon, annonçant le début de la fin.

Echec.

Peu importait la décision prise, semblait-il, et peu importait la voie suivie ; en dépit de quelques succès, l'échec était inévitable. Et Noé avait beau arpenter inlassablement le pont de l'arche sous son parapluie en réclamant des réponses nouvelles et différentes, il se heurtait toujours aux mêmes conclusions : chaque naissance annonce une mort ; chaque nouveau commencement contient en lui les germes de sa destruction. Eve et les pommes, Caïn et le meurtre, les géants et la corruption. L'humanité et le déluge.

Et de ce présent commencement, symbolisé par l'arche, Noé avait été désigné régisseur. En tant que tel, il avait déjà vu éclore les germes de la destruction : chez sa femme, dans le couple formé par Cham et Lucy. Ces trois-là s'employaient dans les entrailles de l'arche à développer la résistance à l'édit, à tracer une frontière entre la volonté de Yahvé et la simple volonté des hommes.

Mais il ne les laisserait pas l'emporter. Noé en avait fait le serment. Ce qu'il lui fallait aujourd'hui, c'était affirmer son pouvoir sur les autres.

Cette fois, succès. Cette fois, maîtrise par tous les moyens. Cette fois, la volonté de Dieu triompherait, quel qu'en fût le prix.

Un jour, alors qu'il marchait sur le pont au cours de sa profonde dépression, Noé récita de nombreuses prières. Pourquoi les enfants des puissants tournaient-ils si mal ? Il n'avait pas un seul fils qu'il pût aimer. Cham, le pire de tous, était un rebelle et un insatisfait qui s'était marié en dessous de sa condition, à une sorte de courtisane dont le visage poudré et les mains gantées de blanc dissimulaient la duplicité la plus retorse, voire la traîtrise. Japhet, bleu et dangereux, ne valait que par ses armes. Son esprit était tourné uniquement vers le sexe et la sensualité, toute son attitude évoquait celle d'un animal et sa vie n'obéissait qu'aux lois de l'irascibilité et de la paresse. Mais il y avait plus terrible encore, cette idée odieuse que Noé ne pouvait écarter chaque fois qu'il songeait à Japhet : *On ne saurait être un singe et un enfant de Dieu !* Et c'est *le mien*...

Accablé de désespoir, Noé s'affala contre le bastingage en laissant libre cours à ses larmes de colère. Et que dire de Sem, le Bœuf, dont l'existence tout entière n'était que prétexte aux manifestations de puissance physique et de force brute... qui ne maîtrisait pratiquement pas le langage... et se montrait si respectueux du devoir filial que Noé en arrivait presque à espérer une entorse, un mot d'opposition, un simple petit *Non* révélateur d'une capacité à penser...

Penser... Penser... Suis-je donc le seul à devoir penser pour tous ?

Oui. Ce n'était que trop évident. Et sans Hannah, il deviendrait fou de solitude. Si seulement Yahvé pouvait revenir. Si seulement Il pouvait prendre la parole et...

A l'aide.

Noé s'avança sous la pluie pour aller se poster à la proue.

Le vent était tombé sans pour autant réchauffer l'air saturé d'humidité. Une chape de brume s'étalait au-dessus de la mer et l'arche semblait à peine progresser. Baissant les yeux, Noé vit les eaux gonflées en contrebas, calmes, criblées de gouttes. Le vaisseau sur lequel il se tenait ne faisait presque pas de bruit, sinon celui de sa propre masse qui montait et descendait. Noé s'essuya les yeux avec son mouchoir puis – en tout premier Amiral des océans – scruta le banc de brouillard droit devant.

En dessous de lui, il entendait les barrissements des éléphants, les glapissements des lémuriens, les bêlements des chèvres et les caquètements des poules en train de pondre. Au-dessus et autour de lui résonnaient les piaillements des oiseaux marins et les appels des pirates, qui semblaient chanter. Mais aucune voix humaine ne s'élevait. Aucune. Pas plus que celle de Yahvé...

Dis-moi, pria-t-il, hésitant presque à fermer les yeux tant il espérait découvrir un miracle quand il les rouvrirait, *marcheras-Tu sur cette eau ? Flotteras-Tu dans l'air ? Où réapparaîtras-Tu ? Où dois-je Te chercher ? Où es-Tu ?*

Noé leva la tête puis inclina le parapluie noir par-dessus son épaule pour laisser la pluie mouiller son visage et sa barbe. Il n'y avait rien là-haut. Personne. Il tourna la tête et contempla le pont derrière lui en essayant de distinguer les contours du château, de la pagode et de l'armurerie au-delà, et aussi la courbe du bastingage de la poupe. Tout était enveloppé de brume, des silhouettes d'oiseaux se pressaient sur chaque surface, mais il n'y avait rien d'autre. Absolument rien.

L'air était chargé de relents de poisson, de fumier et d'excréments humains ; quant à la mer, elle dégageait une odeur putride – peut-être celle de cadavres pourrissants.

Noé se tourna de nouveau vers la proue, résolu à ne plus regarder les eaux alentour par peur de ce qu'il risquait d'apercevoir à la surface. Au lieu de quoi, il concentra son attention sur le banc de brouillard déferlant vers lui.

A sa première idée, selon laquelle Yahvé, las, serait parti se reposer à Nod, succédait maintenant une pensée bien plus troublante : Et si Yahvé ne souffrait pas seulement d'une simple fatigue ? S'Il était réellement malade ? Et s'Il mourait ?

C'était inconcevable.

Tout comme l'avait été le déluge, à vrai dire – un simple tour de magie avec une bouteille et une pièce de monnaie, à la portée d'un enfant. Et pourtant, il s'était bel et bien produit.

A mesure que le brouillard dissimulait le vaisseau, l'odeur des choses mortes devenait presque palpable. Par-delà les cris des oiseaux et les plaintes des bêtes régnait le silence étouffant de l'univers, dont la pression était tellement forte sur ses oreilles que Noé se demanda si elles n'allaient pas se boucher. Et les lumières irréelles qui trouaient le brouillard lui donnaient le regret du soleil, qu'il n'avait ni vu ni senti depuis… Il n'aurait pu dire depuis combien de temps. Une éternité, lui semblait-il.

Il se sentait seul. Il avait la nostalgie du soleil. De tout ce qui avait été et n'était plus. Son corps éprouvé par le grand âge le faisait souffrir. Ses os étaient aussi cassants que du sucre à présent, ses pieds semblables à des pierres à l'intérieur de ses mules, et sa robe alourdie par l'humidité et de nombreuses épaisseurs de tissu lui paraissait terriblement pesante. Il aurait voulu, comme Mathusalem, deux jeunes gens pour le tenir par les coudes ; des femmes pour lui porter ses manches et son parapluie ; d'autres pour le cajoler et le réconforter, lui préparer sa table et lui ouvrir son lit, faire couler son bain et procéder à sa toilette ; quelqu'un pour lui prendre les mains, lui frotter les jambes et les ramener à la vie. Quelqu'un aussi pour lui soulever sa cuillère et la placer devant ses lèvres…

Il aurait voulu des épouses et des filles, mais il n'avait que Sem, Cham et Japhet. Et elle, cette… femme !

Sans compter un Dieu silencieux qui refusait de se montrer.

Noé força sa panique grandissante à refluer au creux de son estomac puis affirma à voix haute : "Je ne parlerai pas." Dans son esprit déferlaient les images effrayantes d'un espace vide et d'un brouillard infini à travers lesquels l'arche voguerait pour toujours ; en même temps, le pressentiment funeste d'une mort par noyade lui étreignait le cœur.

"J'ai besoin de Toi, murmura-t-il, sinon en tant que Dieu alors du moins en tant qu'Ami…"

Assurément je ne resterai pas seul pour toujours, pensa-t-il. Assurément, il n'en sera pas ainsi.

Immobile à la proue sous son parapluie noir, il attendit. Il attendit une heure. Deux heures. Trois. Il attendit tout l'après-midi.

De son abri secret dans la pagode, Cornella l'observait. Il lui semblait que le vieil homme guettait l'apparition de la terre avec autant d'impatience qu'elle. Or la terre n'était pas là ; sinon, elle-même l'aurait sentie. Et le vieil homme eût-il été un autre que Noé, elle aurait pris son envol pour aller le lui dire. En l'occurrence, elle préféra s'abstenir, et, après avoir ébouriffé ses plumes, elle se blottit plus confortablement dans le tuyau de cheminée qui lui servait de nid. Si ce vieil homme avait un peu de bon sens, songea-t-elle, il renoncerait à scruter ainsi l'horizon. Il n'y avait rien dans les eaux sur lesquelles ils naviguaient (elle l'avait constaté plus souvent qu'à son tour), à part les silhouettes maladroites des baleines qui apprenaient à nager, des cadavres d'enfants et des pages de livres.

Yahvé ?
Rien.

A table ce soir-là, Noé mangea tout près de son assiette. Il tenait sa cuillère à la manière d'un enfant, le poing fermé, et il aspirait son potage à travers le tamis de sa barbe comme s'il n'avait pas conscience d'en avoir une. Ses yeux toujours en mouvement survolaient sans cesse la table et ses fils, Sem et Japhet. Et Hannah.

"Qu'y a-t-il dans cet horrible gruau ? demanda-t-il.

— C'est de la soupe de poisson", répondit Hannah qui, de fait, retirait désormais une certaine fierté des plats préparés avec juste ce qu'offrait la mer et les quelques provisions adaptées aux besoins de Noé qu'il restait dans le garde-manger : herbes aromatiques, tisanes et fromages.

"Pouah !" Noé repoussa son assiette et s'adossa à sa chaise. "Quand aurons-nous de la nourriture digne de ce nom ?

— Quand nous toucherons terre", répondit Sem.

Noé n'y prêta pas attention. La réponse était trop directe pour ménager la possibilité d'une discussion ; or il avait désespérément envie d'une

discussion – d'une dispute, d'un débat, d'une conversation… quelque chose qui stimulerait l'esprit.
Et l'imagination. "Tu as eu l'occasion de t'exer-
cer pendant des semaines, reprit-il à l'adresse
d'Hannah. Pourtant, nous n'avons droit qu'à des
cochonneries. Je n'y toucherai plus. Apporte-moi
donc un œuf ou une pomme. N'importe quoi
d'autre."

Sans un mot, Hannah se leva et se dirigea vers
la cambuse.

Noé frappa la table.

"Mon assiette !" s'écria-t-il.

Hannah revint et saisit l'assiette à deux mains.
Elle tremblait de colère contenue. Morose, épuisée
par sa grossesse, elle ravalait néanmoins toutes les
paroles qui auraient pu exprimer ce qu'elle ressentait depuis quelque temps et se contentait de
marmonner *Oui* ou *Non*. Quand il en manifestait
le désir, elle écrivait sous la dictée du vieil homme
et lui faisait patiemment la lecture. Sans jamais
discuter, sans jamais dire : "C'est juste", "C'est faux",
"Je suis d'accord" ou "Je ne suis pas d'accord".
Rien. Pas un mot. Des mots, pourtant, elle en avait
plein la tête. Sous forme de phrases et de para-
graphes entiers. De cris et de chuchotements. Ils
affluaient par centaines. Par milliers, même ! Mais
en tant que femme elle n'avait pas le droit de parler. Juste celui de penser en silence et de devenir
folle. Et en cet instant où elle aurait pu légitime-
ment dire quelque chose pour sa défense, elle
préféra opposer à son beau-père son terrible mu-
tisme et emporter l'assiette dans la cambuse, dont
elle laissa la porte se refermer derrière elle.

Noé foudroya du regard ses fils : Sem à sa droite,
Japhet à sa gauche, l'un en face de l'autre, ce qui
lui permettait de les avoir tous les deux à l'œil.
(Hannah, quand elle était assise, prenait place en

bout de table, afin de pouvoir plus facilement vaquer à ses tâches.)

Sem mangeait d'un air impassible, levant et baissant régulièrement sa cuillère, ne s'interrompant jamais entre deux bouchées, ne serait-ce que pour prononcer une parole. Il assistait aux repas afin de se nourrir, rien de plus. Ses épaules énormes s'arrondissaient vers son ventre, lequel avait commencé à gonfler et l'obligeait à s'écarter de la table. *S'il n'arrête pas de se gaver, il ne sera plus que chair, comme sa mère...*, songea Noé.

Quant à Japhet, il évoquait un animal tout juste libéré de sa cage. Ses yeux avaient suivi la retraite d'Hannah vers la cambuse, emplis d'un désir si évident que Noé en eut l'estomac tout retourné. Sans compter que son fils tenait sa cuillère comme un poignard, bec vers le bas, et attrapait avec les doigts les petits bouts de poisson dans son assiette, pour les lécher ensuite d'une manière à la fois grossière et quasiment lascive... N'y tenant plus, Noé s'écria : "Assez !"

Japhet avait le torse luisant de transpiration et sentait la sueur aigre. Noé ne pouvait imaginer pareil phénomène quand lui-même devait porter au moins deux robes pour se maintenir au chaud. Ce soir-là, il avait dû aussi draper un châle sur ses épaules. Mais son fils allait jambes nues, bras nus et tunique ouverte, et ses cheveux frisés, emmêlés, retombaient en mèches humides sur son front. Exactement comme un homme au plus fort de l'été...

"Détache tes yeux de cette femme", ordonna Noé.

Japhet, inconscient jusque-là du regard paternel, se redressa aussitôt ; la soupe coula sur ses genoux et des morceaux de poisson restèrent collés sur sa lèvre inférieure.

Déconcerté, il se passa la main sur sa bouche.
"Père ?

— Garde tes yeux à leur place. Dans ta tête.

— Je ne comprends pas, père.

— Tu te repaissais du corps de cette femme. Je t'ai vu."

Japhet manqua s'étrangler en avalant sa salive.

Ignorant cette réaction, Noé se tourna vers Sem.

"N'as-tu pas remarqué les attentions de ton frère envers ta femme ? Quel genre de mari es-tu ?"

Sem jeta un coup d'œil à son cadet et haussa les épaules.

"C'est un enfant, père." (Les attentions de Noé envers Hannah n'étaient en revanche pas passées inaperçues, mais Sem ne pouvait le mentionner.)

"Un enfant ? ricana Noé. Un homme marié, tu veux dire !"

La toux de Japhet était devenue si violente qu'il finit par se lever, renversant sa chaise dans son mouvement.

Hannah se tenait sur le seuil de la cambuse, une poire dans une main et une serviette dans l'autre. Elle essuya le fruit tout en regardant Japhet.

Noé se leva et contourna la table.

Japhet, violet, s'étouffait.

Arrivé derrière son fils, Noé s'empara de l'épée posée sur la table.

Hannah avança d'un pas. La serviette tomba sur le sol.

Noé recula, et, du plat de la lame, frappa Japhet sur les épaules.

Le coup fit néanmoins couler le sang et Sem se leva d'un bond.

Japhet s'effondra en travers de la table, les mains pleines de cuillères et d'assiettes et le visage ruisselant de soupe, exposant ses fesses à l'air.

Incapable de résister à la tentation, Noé frappa de nouveau.

Puis il posa l'épée sur la table et revint s'asseoir à sa place.

"Va dehors, ordonna-t-il à Japhet, qui ne s'étouffait plus mais ne parvenait toujours pas à parler. Reste sous la pluie jusqu'à ce que tu te sois rafraîchi les idées."

Hannah avait récupéré la serviette et s'apprêtait à tamponner le visage et les épaules de Japhet lorsque Noé s'adressa à elle : "Cette poire a besoin d'une assiette pour l'y poser, d'un couteau pour la couper et d'un morceau de fromage pour l'accompagner."

Sa belle-fille donna la serviette à Japhet et se retira.

"La pluie, répéta Noé. Va te rafraîchir sous la pluie."

Japhet se moucha dans la serviette, s'en servit ensuite pour s'essuyer machinalement le visage puis, sans un regard en arrière, sortit sur le pont.

Alors Noé reporta son attention sur Sem.

"Même si ta femme porte un enfant, il serait plus sage de ne pas la laisser toute seule avec ton frère", dit-il.

Sem n'était toujours pas convaincu. "Je ne peux pas croire que…

— Elle ne te plaît pas ?"

La question décontenança Sem, qui ne voyait pas où son père voulait en venir. Hannah était sa femme ; elle n'avait pas à lui plaire.

"Qu'essaies-tu de me dire, père ?"

Noé jeta un coup d'œil par-dessus son épaule en direction de la porte de la cambuse. Elle était fermée. Puis il se pencha vers Sem tout en repoussant de sa serviette la pagaille laissée par Japhet.

"As-tu des relations avec ta femme ?"

Sem recula et faillit se lever. Jamais personne ne lui avait posé pareille question et il en conçut une telle stupeur qu'il ne put répondre, sinon pour dire : "Pardon ?"

Noé sourit.

"Je pourrais t'expliquer comment procéder si cela t'intéresse. Il est tout à fait possible de prendre une femme enceinte, tu sais."

Sem était atterré.

"Ta femme n'avait encore jamais porté d'enfant, tu n'as donc pas eu à affronter cette situation. Mais ton désir d'elle est bien vivace, n'est-ce pas ? N'est-ce pas ? Réponds-moi."

Les yeux rivés sur ses genoux, son fils pinça les lèvres.

"Je t'ai toujours soupçonné d'avoir une amie bien au chaud dans les cottages. Un grand gaillard comme toi… Tu n'as pu te contenter de ta seule épouse, n'est-ce pas ?"

Sem secoua la tête.

"Non ? Pas d'amie ? Eh bien, tu as encore moins d'imagination que je ne le croyais."

Une nouvelle fois, Noé songea à Japhet. Aussitôt, il eut une vision du jumeau disparu, avec ses longs bras qui traînaient par terre, ses petits yeux ronds et sa mâchoire pendante. Une pensée abominable lui traversa alors l'esprit.

"Cet enfant est bien de toi, au moins ?" demanda-t-il à Sem.

Celui-ci leva les yeux.

"Quel enfant ?

— Cet enfant, celui d'Hannah, c'est bien le tien, tu en es sûr ?

— Certain, père."

Noé tourna la tête vers la porte qui donnait sur le pont. "Non, tu ne peux pas l'être puisque tu avoues ne pas avoir vu la manière dont ton frère la regardait. Et elle, à propos ? L'a-t-elle déjà regardé ?

— Jamais.

— Tu es si prompt à répondre que j'en viens à me demander si c'est vrai." Les yeux plissés, Noé observa le Bœuf. "Peux-tu m'affirmer sans l'ombre d'un doute que cet enfant est le tien ?

— C'est le mien, père."

Noé s'essuya les doigts dans sa barbe.

"Néanmoins, je crois le moment venu de remédier d'autorité à certain problème."

Sem attendit.

"Il est temps de réunir ce jeune homme et son épouse", précisa Noé.

Son fils se mordilla la lèvre.

"Quand nous aurons fini de dîner, reprit Noé, je veux que tu ailles chercher Emma dans la cale. Ne dis rien. Contente-toi de me l'amener."

Lorsque, ce matin-là, Japhet avait apporté des pirates aux léopards et aux lions, Mme Noyes n'avait dit qu'une chose : elle se réjouissait profondément qu'ils fussent déjà morts. Le nettoyage et l'évidage des carcasses ne lui rappelaient que trop le massacre perpétré chez eux – merci beaucoup –, quand le bétail et les cochons avaient été suspendus par les pattes, les yeux grands ouverts pendant qu'on leur tranchait la gorge.

Cham, avec un sens pratique presque troublant, avait affirmé qu'il ne fallait rien gaspiller. De fait, rien ne l'avait été, pas même les entrailles. Elles avaient servi à nourrir les ours, qui avaient trouvé à l'intérieur des poissons et d'autres proies mangées par les pirates. Et à l'intérieur de ces poissons et de ces proies, d'autres créatures encore, qui elles-mêmes en contenaient d'autres, et ainsi de suite, jusqu'à ce que Mme Noyes en perdît le compte. Mais pas Cham, qui trouvait cela merveilleux.

Emma avait versé des larmes en abondance sur tous les jeunes sacrifiés afin de nourrir les léopards et les lions, mais depuis l'apparition des pirates elle demeurait silencieuse et stoïque. Son travail consistait à nourrir les oiseaux carnivores, et si elle avait toujours éprouvé une fascination sans borne pour les créatures ailées, elle ne semblait nullement décontenancée à l'idée d'apporter des plateaux de cœurs et de foies aux aigles et aux faucons, aux buses et aux chouettes. Mme Noyes ne comprit la raison de son attitude que le jour où, dans la galerie des oiseaux, elle surprit l'enfant en train de chantonner en même temps qu'elle distribuait les gourmandises à travers les barreaux. Circulant de cage en cage au rythme de ses paroles, Emma gazouillait de sa voix de rossignol : "Une souris de moins pour toi… un lapin de moins pour toi… un crapaud de moins pour toi… une hirondelle de moins pour toi !"

Mme Noyes s'était éloignée en souriant et, après avoir elle-même donné un pirate à un lion, elle avait gratifié ce dernier d'une révérence en disant : "Un poney de moins pour toi !"

Pourtant, elle ne pouvait oublier la tragédie – ou du moins, ce qu'elle considérait comme telle – de tous ces pirates morts dont les yeux pétillant de gaieté et les rires délicieux avaient paru magiques quand ils jouaient à côté de l'arche et appelaient Japhet en croyant que son arc était une harpe. Elle avait payé cher sa révolte contre leur massacre, et ses compagnons aussi. A présent, Japhet les enfermait, et aucun d'eux ne pouvait plus prendre l'air entre deux séries de corvées. Elle avait toujours terriblement mal aux bras là où Sem l'avait frappée afin de lui faire lâcher les jambes de son frère. Les ecchymoses étaient jaunes, aujourd'hui, et elle craignait de perdre l'usage de ses doigts car chaque fois qu'elle attrapait quelque chose, la tension sur ses avant-bras la mettait au supplice. Lorsqu'elle découpait la viande, elle devait la maintenir en place avec sa paume pendant qu'elle manœuvrait le couteau que Cham lui avait fixé à l'autre main et au poignet par une attelle faite de bouts de bois.

Lucy s'était étrangement repliée sur elle-même depuis quelque temps, comme si l'épisode des pirates l'avait affectée elle aussi. Mais si elle se montrait moins expansive (elle ne racontait plus d'histoires drôles et ne riait plus jamais), elle prenait beaucoup plus soin de sa personne. Son allure était redevenue pleine de noblesse, elle se tenait bien droite et avançait sans faire le moindre bruit, dans ce silence merveilleux que Mme Noyes se rappelait avoir trouvé si inquiétant lorsque Lucy était apparue pour la première fois. Son visage poudré semblait encore plus blanc – si c'était possible –, ses sourcils peints dessinés d'une main plus ferme et l'expression de ses lèvres rouge sombre plus volontaire. Ses cheveux avaient recouvré tout leur lustre, comme le poil d'un animal après une maladie. Jamais ils n'avaient été aussi noirs, aussi opulents. Alors qu'elle la regardait évoluer dans les coursives ou vaquer à ses tâches, Mme Noyes repensait parfois à la réponse de sa belle-fille quand elle-même avait voulu savoir combien elle mesurait : "Deux mètres quinze, dont chaque centimètre est celui d'une reine", avait affirmé Lucy. Et c'était vrai. Ses robes, qu'elle appelait kimonos, étaient faites de soies dignes d'une reine. Mme Noyes ne pouvait s'empêcher de se demander comment une seule malle pouvait contenir à la fois autant de kimonos et toutes ces autres merveilles que Lucy ne cessait d'apporter afin de réconforter et de divertir la famille : instruments de musique, vaisselle en porcelaine, couteaux à manche de nacre pour découper la nourriture... Sans parler des lanternes magiques qu'elle prétendait avoir volées à Noé ! Lucy était décidément une créature aussi étrange que délicieuse, et Mme Noyes avait de plus en plus de raisons de se réjouir que son fils, dont tout le monde disait qu'il ne se marierait jamais, eût épousé une femme possédant autant de goût, de richesses et de courage. Et quelle remarquable actrice, dotée de "toutes ces drôles de voix !" que Mme Noyes, de temps à autre, tentait d'imiter.

A présent, alors que la nuit approchait et que tous les animaux avaient été nourris, elle s'engagea dans le passage puis descendit les marches jusqu'à l'étagère cachée au-dessus de la cage des licornes, où Mottyl était couchée dans l'obscurité avec ses chatons.

"Bonsoir, ma belle", dit-elle, avant d'écarter le rideau de paille et de suspendre sa lampe au crochet près de sa tête.

Couchée sur le flanc, Mottyl sommeillait, tandis que ses petits alignés pour téter dormaient profondément. Ils produisaient ce son profond, chaleureux, qui agissait sur la chatte comme un sédatif.

"Je t'ai apporté un morceau de foie et un petit bout de rognon, annonça Mme Noyes en s'installant au sommet de l'échelle secrète abaissée pour lui permettre d'atteindre le nid.

— Oh, doit-elle vraiment te donner des rognons et du foie ? se lamenta la licorne mâle de sa voix chuchotante. Pourquoi un chat ne peut-il pas manger des choses convenables, comme les fleurs ?

— Un chat, répondit Mottyl, qui s'assit et s'étira, ne mange pas de choses convenables comme les fleurs. A part au printemps et en été.

— C'est vrai ? demanda la licorne. Quel genre de fleurs cherches-tu, alors ?

— Des plantes aromatiques. De l'herbe à chat, expliqua Mottyl en se penchant vers le foie et le rognon, pour laquelle je serais d'ailleurs prête à vendre mes futurs petits." Elle inclina la tête de côté pour envoyer un fragment de rognon vers ses molaires et en extraire le plus de sucs possible.

"Dis-moi encore quelles variétés de fleurs tu aimes." Pour la licorne, tout, ne serait-ce que le simple *nom* d'une fleur, valait mieux que l'odeur de la viande.

"Les feuilles d'eucalyptus." De son nez, Mottyl explora l'assiette à la recherche d'autres parcelles de nourriture. "Les asperges, la lavande, les poireaux…" Elle se tapit près des restes de viande. "Le mimosa.

— Le mimosa… Oh, si seulement tu ne l'avais pas mentionné !" La licorne soupira. "Le mimosa comptait parmi mes mets préférés. Il y avait tant de choses que j'aimais…"

Sur son échelle, Mme Noyes ne leur prêtait qu'une oreille distraite. Elle caressait les chatons de ses doigts douloureux en regrettant de ne pouvoir les plier suffisamment pour pouvoir soulever chaque petit corps. Le mâle gris argent était particulièrement joli… C'était l'œuvre du chat de Yahvé, sans aucun doute, même si quatre des jeunes ressemblaient beaucoup à Mottyl. Seul le gris argent était le portrait tout craché de son père. Quant au blanc, d'accord, il tenait un peu moins de sa mère que d'Abraham. Six chatons. *Six.* Quatre femelles et deux mâles. Et tous avaient survécu. Jusque-là.

Si l'arche était à bien des égards un enfer absolu et si les animaux menaient une existence effroyable – ainsi enfermés dans des cages, sous-alimentés, privés d'air et de lumière, séparés de leurs sem- blables –, ils trouvaient cependant un certain réconfort à se blottir les uns contre les autres sous la lumière de la lampe, bien au chaud, bercés par le mouvement de cet énorme couffin posé sur les eaux – un réconfort à nul autre pareil. Aucune maison, aucune grange, aucun terrier ne leur avait jamais inspiré un tel sentiment. Aucun lieu uni- que n'avait jamais rassemblé en son sein autant d'êtres vivants, ni connu une paix aussi profonde en cette heure avant le sommeil et après le repas. Qu'autant de créatures de formes et de tailles variées puissent reposer dans de si nombreuses positions, emplir l'espace de diverses manières et pousser des soupirs si différents constituait un mystère pour Mme Noyes. C'était comme si, à l'époque où tous peuplaient encore la terre, elle avait pu se promener en plein milieu du bois sans craindre de s'égarer dans la bauge d'un dragon ou de marcher sur un serpent. Rien de tout cela ne comptait ici. Même si une bonne moitié des animaux réunis autour d'elle aujourd'hui avaient vécu dans le bois, celui-ci comportait moins de dangers potentiels que l'arche. Pourtant, Mme Noyes se sentait plus en sécurité à bord du vaisseau. Plus triste aussi, toutefois. Plus en sécurité et plus triste, comme c'est étrange, songea-t-elle.

Non loin, renards et ratons laveurs étaient cou- chés côte à côte sans rien d'autre que du grillage pour les séparer, et, au-dessus d'eux, Bip et Ding, le regard perdu dans le vague, se demandaient où étaient passés les arbres. Une immense lassi- tude accablait également tous les animaux – chez certains, elle prenait la forme d'une mélancolie presque élégiaque – qui, la tête basse, contemplaient leurs pattes. Ils éprouvaient les mêmes sentiments que Mme Noyes. S'ils levaient les yeux, leur expression était difficile à supporter car ils pleuraient la disparition de l'air, du ciel et de l'espace. Les singes et les bêtes habituées à vivre en groupes ne comprenaient pas – malgré toutes les tentatives d'explication – pourquoi l'on n'avait pas pu sauver un, vingt ou cent autres représentants de leur espèce. Ni cet endroit ni leur condition ne devait jamais acquérir la moindre réalité pour eux. Bon nombre d'entre eux pensaient d'ailleurs que cette épreuve – et non celle qui l'avait précédée – était la mort. Ou en tout cas quelque chose d'approchant.

Mme Noyes avait une conscience aiguë à la fois de l'obscurité ambiante, des cloisons autour d'elle, du toit au-dessus de sa tête et du sol sous ses pieds. Ses bras lui faisaient mal, et la douleur était encore avivée par le souvenir de ce qui l'avait provoquée. Nous sommes tous captifs ici, songea-t-elle ; tous autant que nous sommes, et néanmoins il faut parler de *salut*.

Peut-être était-ce ce qu'elle avait voulu dire par sécurité et tristesse : tous les êtres de l'arche partageaient leur malheur comme ils n'auraient jamais pu le faire dans le bois. Lorsque plusieurs créatures sont prises au piège, elles ont toutes en commun la même terreur du noir et des murs. Le même ennemi. Le même geôlier. Elles nourrissent le même rêve de liberté, attendent toutes que la même porte s'ouvre. Elles apprennent aussi à survivre ensemble d'une façon impensable pour leurs semblables qui ne sont pas dans des cages. Jadis, songea encore Mme Noyes, comment aurait-elle pu croire un seul instant qu'en entendant un ours se lamenter en pleine forêt elle n'hésiterait pas à affronter les autres ours pour aller le consoler ? Or sur l'arche, non seulement elle les avait affrontés mais elle s'était également assise sans peur parmi eux. Tout comme la licorne n'éprouvait plus aucune peur envers elle – ce qui était jadis inconcevable. Aujourd'hui, pourtant, c'était bel et bien le cas. Ils étaient ensemble. En sécurité les uns avec les autres. Toutefois…

Quelle est donc cette forme de cruauté qui ferme les portes là-haut et nous emprisonne comme si nous étions des dragons – des monstres redoutables ? se demanda-t-elle.

La pensée de la colère de Noé et des armes de Japhet lui fournit la réponse.

La cruauté n'était que de la peur déguisée, rien de plus. Et l'un des sacro-saints étrangers de Japhet n'avait-il pas dit que la peur elle-même naissait d'un échec de l'imagination ?

Voilà pourquoi Mme Noyes avait eu si peur des ours.

Elle n'avait jamais pu imaginer qu'un jour elle les consolerait.

"Mère !"
Mme Noyes faillit dégringoler de l'échelle.
"MÈRE !"
C'était Sem, le Bœuf.
"MÈRE !"
Il était dangereusement proche, et elle dut faire si vite pour cacher Mottyl et les chatons puis récupérer sa lampe qu'elle plia les doigts par mégarde et laissa échapper un gémissement de douleur.

En débouchant au détour d'une cloison, Sem faillit la heurter.

"Pourquoi cries-tu ? demanda-t-il, ignorant le fait qu'il avait lui-même crié.

— Je me suis cogné le bras", répondit Mme Noyes. Au même moment, elle entendit avec inquiétude s'agiter les petits de Mottyl. Sem avait beau être obtus, il ne manquerait pas de reconnaître le son des chatons, aussi Mme Noyes n'hésita-t-elle pas à prendre leur défense en se mettant soudain à chanter.

"O falaise immémoriale, qui s'ouvre pour moi ! brailla-t-elle. *Laisse-moi me réfugier en toi !*

— Mère...

— Pourquoi ne pas aller un peu plus loin ? suggéra-t-elle. Il ne faudrait pas réveiller les animaux..." Et d'entonner à tue-tête : *"Laisse l'eau et le sang..."*

Elle donna un coup de coude à son fils pour l'inciter à avancer dans la coursive en direction de l'escalier.

"Alors, dis-moi ce qu'il y a, reprit-elle lorsqu'ils furent sur les marches, loin des chatons. Pourquoi es-tu venu nous déranger, cette fois ?

— Je veux Emma, répondit Sem.

— Pas question, répliqua Mme Noyes. Elle appartient à Japhet."

D'une poussée dans les côtes, elle le força à la précéder.

"Père et toi, vous ne pensez décidément qu'au sexe !" s'exclama Sem.

Mme Noyes s'immobilisa. "Pardon ?

— Père et toi, vous ne pensez qu'au sexe, répéta Sem.

— Ne t'occupe pas de moi, répliqua-t-elle. Pourquoi dis-tu cela au sujet de ton père ?

— Ce n'est pas pour lui qu'il y pense, expliqua Sem. Mais pour les autres. Ces derniers temps, me semble-t-il, il ne parle plus que de cela.

— Ah bon ?" Mme Noyes s'exhorta au calme. "Et maintenant, tu veux Emma ?

— Oui."

Ils gravirent les marches avant de se diriger vers la cambuse où, selon toute probabilité, ils trouveraient Emma.

"Pourquoi ?

— Je n'ai pas le droit de le dire. Je suis juste censé venir la chercher."

Mme Noyes s'apprêtait à ériger une nouvelle barrière quand l'apparition soudaine d'Emma en personne rendit ses efforts inutiles.

"Quelqu'un m'a appelée ? demanda-t-elle. J'ai entendu mon nom."

Pour ton malheur, hélas, songea Mme Noyes.

"Tu dois monter avec Sem", dit-elle à sa belle-fille. Puis, à l'adresse de son fils : "N'a-t-elle pas au moins le temps de changer de robe ?

— Je dois l'emmener sur-le-champ.

— Ne la laisseras-tu pas se brosser les cheveux ?

— Sur-le-champ", répéta Sem en décroisant ses bras de Bœuf avant de gratifier Emma d'un petit sourire crispé qui se voulait agréable.

Au même moment, Mme Noyes fut frappée par la propreté de son fils. Les poils sur le bras de Sem brillaient à la lumière de la lampe, sa nuque était récurée et les ongles de ses orteils impeccables. Elle se sentit toute drôle à la pensée qu'elle-même ne s'était pas lavée depuis des jours, voire des semaines. Pour un peu, la vue de la raie raffinée au milieu des cheveux châtains de Sem et l'odeur de sa tunique lui auraient arraché des larmes.

"Eh bien, dit-elle à Emma, tu ferais mieux de l'accompagner. N'aie pas peur."

Elle guida sa belle-fille vers l'escalier menant au pont supérieur et lui déposa un baiser sur la tête avant de la relâcher. "Tiens, attends…" Elle pressa le pas en direction d'Emma. "Prends ceci, dit-elle en lui tendant son mouchoir. Essuie-toi la figure sur le pont. Et refais le nœud à l'arrière de ta robe.

— Oui, mère."

Emma prit le mouchoir en souriant. Ce n'était pas la réaction attendue. Décidément, chaque fois qu'elle aurait dû éclater en sanglots, elle ne le faisait pas…

"Je respirerai une bonne bouffée d'air frais pour toi, mère, lança-t-elle. Au revoir."

Mme Noyes agita la main, pour le regretter aussitôt. Un élancement douloureux fusa dans son bras.

"Au revoir", murmura-t-elle.

Et de sourire pour rassurer Emma.

Lorsque la porte au-dessus d'elle s'ouvrit, Mme Noyes crut voir une étoile, mais ce n'était qu'une lanterne suspendue au portique.

Le bruit des verrous que l'on tirait fut plus odieux que tout ce qu'elle pouvait imaginer.

En se retournant, elle découvrit Lucy dans la pénombre en dessous d'elle. Ses yeux étaient étrangement lumineux.

"Que se passe-t-il ? demanda-t-elle.

— Je l'ignore, répondit Mme Noyes. Tout ce que je sais, c'est que j'aimerais encore avoir foi en la prière."

"Ah, te voilà enfin ! dit Noé comme si Emma s'était absentée de son plein gré. Laisse-moi te regarder… Laisse-moi te voir."

Emma était parvenue à nettoyer un cercle de crasse au milieu de son visage, dessinant une sorte de lune claire au milieu de laquelle brillaient ses yeux. Ses cheveux étaient retenus par plusieurs lambeaux d'étoffe de couleurs différentes, attachés ici et là. Sa robe était toute déchirée et ses tabliers couverts de taches de graisse et de savon. Des fientes d'oiseaux et de la poussière de paille souillaient ses épaules. Elle avait retroussé les manches de sa robe afin de les protéger de l'eau de vaisselle, aussi ses bras paraissaient-ils étrangement pâles et propres.

Noé se leva puis adressa un signe de tête à Sem, qui se retira à contrecœur. Il se méfiait de son père, à présent, et redoutait ce qui risquait de se produire. Il ne s'inquiétait cependant pas pour Emma ; non, ses craintes concernaient toutes l'humeur dans laquelle serait Noé si les événements ne prenaient pas la tournure escomptée.

"Envoie-nous sœur Hannah, dit Noé au moment où Sem atteignait la porte. Dis-lui que j'ai besoin d'elle."

Après le départ de Sem, Noé adressa un sourire à sa belle-fille – bien qu'il ne fût pas évident de distinguer ses sourires au milieu de sa barbe. De plus, ses dents en bois lui causaient du souci : elles refusaient de s'écarter ou de se fermer selon son désir. Il porta une main à sa bouche puis resserra les deux rangées, manquant se mordre le doigt pendant la manœuvre.

"Bien, bien, bien. Dis bonjour, Emma."

Celle-ci fit la révérence.

Noé toussa.

"Nous sommes préoccupés…", commença-t-il.

Emma attendit.

Mais Noé n'avait apparemment rien à ajouter au sujet de ces "préoccupations". Du moins au sens où Emma entendait le mot.

"Tu me parais bien grasse et impertinente, estima le vieil homme, les yeux luisants et les doigts dans sa barbe. Quel âge as-tu maintenant ? Dis-moi la vérité."

Il ne vint pas à l'esprit d'Emma de mentir. "Je l'ignore. Douze ans, je crois.

— Tu ne peux pas avoir douze ans, rétorqua Noé. Tu avais déjà au moins douze ans l'année dernière. J'espérais que tu me répondrais quatorze.

— Je les ai peut-être. Je ne sais pas.

— Bon. Quoi qu'il en soit, tu n'es plus une enfant."

Pour le coup, Emma le savait.

Hannah apparut, entièrement vêtue de blanc, arborant un épais gilet sur sa longue robe volumineuse. Elle attend peut-être des jumeaux, songea Emma. Elle est énorme.

"Oui, oui. Parfait, reprit Noé. Voilà ta jeune amie, sœur Hannah." Noé toussa et fit signe à Hannah d'avancer en direction d'Emma. "Elle, hum… Peut-être qu'elle, hum…

— Peut-être qu'un bain lui ferait du bien, suggéra Hannah.

— Tout juste. Oui. Un bain. Un bon bain chaud. Oui."

Emma renifla et porta le mouchoir de Mme Noyes à son nez. Un bain serait bien agréable, pensa-t-elle, mais… pourquoi ?

Ils se montraient si chaleureux…

Que fallait-il en penser ?

"Je vais attendre, décréta Noé. Ici même."

Hannah conduisit sa jeune belle-sœur vers la cambuse.

Oh non, plus de casseroles ni de marmites, songea Emma, qui esquissa un mouvement de recul.

Devinant par expérience sa réticence, Hannah lui expliqua : "Les bains sont par là."

Ah.

"Sœur Hannah…" appela Noé.

Quand elle se retourna, il lui glissa à l'oreille :

"Tu pourrais peut-être utiliser un peu de cette huile d'amande douce dont tu te sers…"

Hannah hocha la tête.

Si Emma s'interrogea sur la raison de tous ces chuchotements, elle ne s'en inquiéta cependant pas outre mesure. Ce qu'elle voyait dans la cambuse la rassurait : marmites, casseroles et plats avaient été nettoyés et rangés, et des serviettes de toilettes mises à chauffer près du fourneau.

Un bain, songea-t-elle. Un bain… J'espère qu'il sera bien chaud, avec beaucoup d'eau pour que je puisse m'y tremper.

Les bains étaient déjà emplis de vapeur, les éponges placées dans un seau et les verges de bouleau accrochées à une patère sur la cloison au-dessus du banc. Hannah avait tout préparé pour l'arrivée d'Emma et aurait pu baigner une armée entière. S'il en avait encore existé une. (Il n'y a plus d'armées, pensa-t-elle en versant un nouveau seau d'eau brûlante dans le baquet. Nos repères ont changé à jamais. A partir de maintenant, il y aura un "avant déluge" et un "après déluge". Ainsi, elle aurait pu baigner "une arche entière"…)

Hannah s'éclipsa en prenant soin d'enfermer sa belle-sœur. Elle avait oublié l'huile d'amande douce.

Emma s'approcha du baquet et trempa un doigt dans l'eau. Chaude. Trop chaude pour y entrer tout de suite. Elle ôta son châle et resta là, comme hypnotisée, tenant d'une main l'étoffe et défaisant de l'autre les boutons de sa robe.

Les verges de bouleau ressemblaient à des queues d'animaux, ainsi suspendues au mur comme dans l'abattoir de Sem, sur la terre ferme : les plus longues rappelaient celles des vaches, les plus courtes celles des veaux. Emma lâcha les boutons de sa robe pour les effleurer : avec leurs feuilles flétries, recroquevillées par touffes, elles lui parurent aussi mortes que les queues autrefois.

L'odeur du savon et la chaleur de la vapeur l'apaisaient au point de la rendre somnolente. Tout dans cette pièce évoquait pour elle ses parents, ses frères et les bains familiaux, où ils se réunissaient tous une fois par semaine pour écouter les histoires racontées par son père. Ainsi, vapeur et histoires étaient à jamais liées dans l'esprit d'Emma, de même que la sensation des doigts maternels lui massant la nuque. Ses frères, comme leur père, étaient tous des géants aux cheveux clairs et aux bras de bûcherons ; comme leur père également, ils parlaient d'une voix grave et douce pareille à celle des animaux. Certains portaient une moustache qui s'incurvait vers leur menton, et la vapeur accumulée aux deux extrémités formait de grosses gouttes semblables à des perles qu'Emma avait le droit de récupérer sur son doigt pour les jeter sur les pierres chaudes, où elles crissaient tels des insectes. Leur mère était en tout point l'opposée de ces hommes blonds et taciturnes : petite, brune et vive, elle possédait en outre une nature enjouée et espiègle. Tous ses enfants l'adoraient. Ses yeux se teintaient d'une chaude nuance de brun dont seule Lotte avait hérité, et sa main se tendait toujours vers les uns et les autres pour les toucher.

Lotte était la préférée de tous, gâtée par leurs frères, choyée par leur père qui la portait dans ses bras ou sur son dos… Elle-même avait tant de force dans les bras qu'il pouvait la balancer jusqu'à ses épaules pendant qu'elle faisait un saut périlleux. Leur mère ne la perdait pratiquement jamais de vue, et Lotte n'était malheureuse que si la famille la laissait à la maison pour partir en courses – quand tout le monde s'entassait dans la voiture à cheval et qu'elle devait rester avec l'autre personne (jamais la même) désignée pour lui tenir compagnie. Lorsqu'elle devait se cacher, c'était différent. Chaque fois qu'un étranger se présentait à la porte, il fallait emmener Lotte aux bains, choisis comme refuge essentiellement parce que tout le monde y était toujours heureux. Parfois, c'était au tour d'Emma de s'y dissimuler avec sa sœur ; toutes deux jouaient alors aux bûcherons pour imiter leurs frères, coupaient des verges de bouleau et les empilaient au centre de la pièce, entrecroisant les tas miniatures de petit bois et de bois d'œuvre.

Mais ce dont Emma se souvenait surtout, c'était de la douceur de Lotte. Quel plaisir de s'allonger auprès d'elle sur leur grand matelas de paille au grenier et de caresser ses longs bras fins couverts de duvet ou, en hiver, quand elles avaient froid, de se blottir l'une contre l'autre sous les couvertures pendant que le vent hurlait alentour et que les chouettes quittaient les solives pour venir se poser au pied du lit...

"Qu'est-ce que tu fais ? Tu n'es même pas encore déshabillée !"

C'était Hannah, revenue avec l'huile d'amande douce. Sa silhouette, haute et large, emplit brièvement l'ouverture de la porte, attirant à elle toute la vapeur qui forma un grand nuage autour de sa tête.

"Je réfléchissais", répondit Emma.

Comme c'est étonnant, pensa Hannah avant de refermer la porte. La vapeur se retira d'un coup, faisant apparaître ses joues vivement colorées qui rappelèrent à Emma les moments où elle avait vu sa belle-sœur assise au soleil, le visage tourné vers la lumière.

"Oh, Seigneur, dit Hannah en s'approchant du poêle pour secouer les serviettes qu'elle avait apportées de la cambuse. Je suis tout essoufflée. Je me fatigue si facilement, aujourd'hui…

— Ce n'est guère surprenant, tu portes un enfant très gros…, fit remarquer Emma. Crois-tu que ce seront des jumeaux ?

— J'espère que non.

— Oh, si je devais avoir un bébé, j'aimerais que ce soient des jumeaux.

— Toi, oui. Dépêche-toi, maintenant. Nous n'avons pas toute la nuit."

Hannah avait déjà ôté son gilet et retroussait ses manches. Blanc, blanc, blanc – tous ses habits étaient blancs.

Emma regardait toujours le ventre de sa belle-sœur.

"Puis-je toucher le bébé ?

— Non, répliqua Hannah. Allez, enlève tes vêtements."

Le baquet était tellement profond qu'il lui fallut grimper jusqu'au sommet, puis se laisser glisser tout doucement à l'intérieur, la pointe du pied tendue pour chercher le fond. Emma était si ronde qu'elle remplit presque entièrement la cuve de bois ; l'eau s'éleva autour de son cou, déborda et dégoulina sur le sol.

La première chose que fit Hannah fut de couper les morceaux de tissu qui servaient de rubans dans les cheveux de sa belle-sœur. Elle la poussa ensuite sous la surface afin de bien mouiller sa chevelure.

Quand Emma émergea, toussant et crachant, elle agrippa le bord du baquet de toutes ses forces. La noyade était exactement comme elle le craignait : tout devenait noir et assourdissant.

"Ne fais pas ça ! s'écria-t-elle. Non, ne fais pas ça !"

Hannah se servit d'un gros pain de savon semblable à celui utilisé par Japhet dans ses tentatives désespérées pour se débarrasser de la teinture bleue sur sa peau. Mme Noyes n'en fabriquait pas de plus puissant, et il dégageait une odeur de soude si entêtante qu'Emma sombra un peu plus dans une bienheureuse torpeur.

Les doigts d'Hannah s'activaient énergiquement, passant le savon dans les cheveux de sa belle-sœur, envoyant des messages de plaisir à l'arrière de son crâne et le long de son cou.

Ils descendirent ensuite jusqu'au bas de sa nuque, où ils marquèrent une pause pour masser les muscles à droite et à gauche, diffusant leur message dans les épaules et la colonne vertébrale…

Emma lâcha le bord du baquet et se contenta de rester là, de l'eau jusqu'au sternum, la tête basse et la bouche ouverte.

Hannah poursuivit sa progression dans le dos de la jeune promise, vertèbre par vertèbre, commençant par une pression des pouces au milieu avant de repousser la chair de chaque côté. Jamais Emma n'avait éprouvé une telle sensation de détente, de chaleur et d'hébétude.

"Tourne-toi", ordonna Hannah.

D'un mouvement presque digne d'une ballerine, Emma se haussa sur la pointe des pieds avant de pivoter lentement jusqu'à se retrouver face à sa belle-sœur.

"Trempe-toi", dit Hannah.

La bouche toujours ouverte, Emma plia docilement les genoux et disparut sous la surface.

Hannah se redressa puis se dirigea vers le poêle, dont elle ôta le couvercle pour pouvoir y jeter les habits d'Emma : bas troués et déchirés, chaussures en carton à moitié désagrégées, jupes et culottes bouffantes, sous-chemise, sur-chemise et châle.

A ce moment précis, Emma émergea, s'essuya les yeux et découvrit Hannah en pleine action.

"Qu'est-ce que tu fais ? demanda-t-elle, encore incapable d'y croire.

— Je brûle tes vêtements. Franchement, ils ne ressemblent à rien !

— Mais... tu ne peux pas ! Tu ne dois pas ! Pas mon châle ! Ma mère l'avait confectionné spécialement pour moi..."

Un gémissement monta de sa gorge.

"Emma !"

Celle-ci se mordit la lèvre et le châle tomba dans le feu.

Enfin, à l'aide d'un bâton, Hannah ramassa le plus crasseux des haillons d'Emma – son tablier –, et l'approcha des flammes.

"Pas mon tablier ! NON !"

Mais, déjà, il avait disparu. Et avec lui, toutes les plumes d'Emma.

Elle était à moitié sortie du baquet et l'une de ses jambes potelées pendait par-dessus le bord. "Mes plumes...", murmura-t-elle. Toutes ces plumes si patiemment ramassées lorsqu'elle nourrissait les oiseaux, et avec lesquelles, dans ses rêves éveillés, elle fabriquait des ailes. Des ailes pour Mme Noyes ; pour Cham et Lucy ; pour Mottyl et la licorne – de sorte qu'un jour ils pourraient tous s'envoler avec Cornella et quitter l'arche à jamais.

Emma se laissa retomber dans l'eau, la jambe ballottant pitoyablement par-dessus le bord.

Après le bain, Emma demeura silencieuse, tout à la pensée de son tablier et de son châle, pendant que sa belle-sœur l'essuyait.

Enfin, Hannah s'assit sur son trépied de traite et retira de sa poche le flacon d'huile d'amande douce.

"Viens ici", dit-elle.

Emma s'approcha.

"Mets tes mains sur ta tête."

Supposant qu'Hannah allait l'inspecter à la recherche d'éventuels poux survivants, comme sa mère le faisait autrefois quand les enfants avaient pris un bain, Emma s'exécuta, plaça les mains au sommet de son crâne et agrippa ses cheveux à pleines poignées. Elle ferma également les yeux.

"Qu'est-ce que c'est ? demanda-t-elle.

— Tais-toi et ne bouge pas", répondit Hannah, dont la voix paraissait étrangement altérée.

Une odeur d'amande monta aux narines d'Emma, qui sentit les doigts d'Hannah lui effleurer les seins.

"Oh, Seigneur, murmura-t-elle. Oh, Seigneur…"

Les doigts d'Hannah étaient capables de beaucoup plus de douceur qu'Emma ne l'aurait cru. Ils décrivaient des cercles sur sa peau, encore et encore, répandant l'huile sur, entre et sous ses seins, remontant très lentement vers les mamelons.

"Oh, Seigneur, Seigneur…"

Elle se pencha en avant.

Hannah s'arrêta.

Emma ouvrit les yeux, mais Hannah venait juste de verser de d'huile dans ses paumes et les frottait maintenant l'une contre l'autre. De toute évidence, elle préparait un nouvel assaut.

"Reste tranquille.

— Je ne peux pas, protesta Emma. Je ne sais pas ce que tu fais…

— Peu importe. Reste tranquille."

Les bras de nouveau levés, Emma attendit. Où les doigts allaient-ils la toucher, cette fois ? Ce n'était pas du tout comme avec Japhet, dont les mains n'étaient qu'ongles, poings et pouces.

Les doigts d'Hannah se posèrent, aussi légers que des papillons, et commencèrent à se mouvoir sur le ventre et les cuisses d'Emma.

"Contente-toi de ne pas bouger…" chuchota-t-elle.

Mais c'était impossible.

Lorsque Emma fut ramenée à Noé, elle portait l'un des fourreaux blancs d'Hannah et se trouvait presque en transe. Ses cheveux avaient été séchés, coiffés et rassemblés sur la nuque par un unique ruban.

"Bien, bien, bien, dit Noé. Qu'avons-nous là ?

— Propre de la tête aux pieds, annonça Hannah.

— Tout ?

— Tout."

Noé se pencha en avant dans son grand fauteuil, les prunelles brillant d'une étrange lueur. Quand il reprit la parole, Emma ne reconnut pas sa voix – épaisse, mouillée, animée d'un léger chevrotement.

"Viens ici, devant moi, mon enfant."

(Il avait recommencé à l'appeler "mon enfant". Pourquoi changeait-il tout le temps d'avis ? "Tu n'es plus une enfant" et maintenant, "Viens ici, mon enfant"…)

Alors qu'Emma avançait à petits pas, craignant de se prendre les pieds dans le fourreau, Hannah alla s'asseoir en bout de table, un bras posé sur son ventre. Elle avait encore les cheveux humides après son long séjour dans les bains et elle paraissait très belle ainsi, assise à la lumière de la lampe, apparemment au repos.

"Maintenant, dit Noé en pinçant le fourreau. Je veux que tu soulèves cela au-dessus de tes hanches."

Emma le regarda sans comprendre.

"Plus haut, plus haut, dit Noé, comme s'il ne faisait rien d'autre que lui demander de lever un rideau. Allez."

Elle chercha de l'aide du côté d'Hannah, mais celle-ci ne la regardait pas et ne l'écoutait peut-être même pas. Elle était simplement assise là, à table, le regard perdu dans le vide.

Alors Emma se pencha, saisit les plis d'étoffe et les remonta jusqu'à ses cuisses.

"Encore, l'encouragea Noé. Plus haut."

Les yeux fermés, Emma amena le tissu jusqu'à sa taille, où elle le tint serré comme une ceinture.

"Oui, oui", murmura Noé, et elle sentit le souffle du vieil homme sur ses jambes.

L'arche montait et descendait, la pluie tambourinait sur le toit du château.

Noé approcha ses doigts.

Emma frissonna.

"As-tu froid, ma fille ?

— Non, père."

Les doigts s'insinuèrent entre ses cuisses. Emma se déroba.

"Reste tranquille !"

Les doigts d'une main avaient déjà atteint leur objectif, et les doigts de l'autre y cherchaient un accès.

Emma se mit à pleurer. "Ça fait mal, dit-elle, ça fait mal."

Mais l'un des doigts de Noé l'explorait déjà de l'intérieur.

"ÇA FAIT MAL !" hurla Emma, qui se dégagea si brusquement qu'elle tomba contre la cloison derrière elle.

Ni Noé ni Hannah ne semblaient cependant se soucier de sa souffrance. "Pas étonnant que le pauvre garçon ait eu des difficultés pour entrer, se contenta de dire Noé. Elle est si étroite et dure qu'une aiguille ne pourrait s'y glisser."

Hannah ne souffla mot.

Emma se laissa choir sur le sol et ramena ses genoux sous son menton.

Noé continua de parler comme s'il ne s'agissait pas de la torturer mais au contraire de l'aider. Comme si tous deux se montraient gentils envers elle.

"Je veux m'en aller, maintenant, dit-elle. Je veux m'en aller."

Mais elle aurait tout aussi bien pu garder le silence. Noé, qui lui tournait le dos, se pencha vers Hannah.

Et Emma d'entendre : "… quelque chose de suffisamment ferme, lui expliqua-t-il. Quelque chose de pointu… je ne voudrais pas utiliser…"

Elle gémit et se boucha les oreilles.

Ils arrêtèrent leur choix sur la licorne, qu'Hannah se chargea d'amener.

Les cris d'Emma résonnèrent pendant une heure.

Dans les entrailles de l'arche, Mme Noyes les entendait sans avoir toutefois la moindre idée de leur signification. Depuis son mariage avec Japhet, lui semblait-il, Emma passait sa vie à gémir, à sangloter ou à crier. Alors la seule pensée de Mme Noyes fut : "Tant mieux ! Enfin elle lui résiste."

D'un autre côté…

Si Japhet parvenait à ses fins…

Non, elle ne devait pas se laisser aller à raisonner ainsi.

Au moment précis où Noé retirait la corne de l'animal, Japhet, qui lui aussi avait entendu les cris depuis l'armurerie, fit irruption par la porte du salon. Il était armé jusqu'aux dents – littéralement, puisqu'il tenait un couteau entre ses lèvres, qui saignaient.

La scène qu'il découvrit n'avait aucun sens : son père serrant contre lui la bête unicorne pas plus grosse qu'un chien, Emma emprisonnée par l'étreinte de Sem, et sœur Hannah, accroupie devant elle, qui essuyait avec une serviette rougie ce qui ressemblait à une blessure. Emma criait toujours en même temps qu'elle tapait des pieds par terre comme quelqu'un qui tenterait de tuer un serpent.

Il s'écoula une bonne minute avant que les différentes images ne fussent réunies pour produire un sens évident auquel, même à ce moment-là, Japhet refusa encore de croire.

Mais la corne de l'animal, couverte de sang, suffit à expliciter tous les non-dits.

"Nous étions justement en train de…", commença Noé.

Japhet dégaina son épée.

Noé lui fit face sans bouger – une attitude qui, il le savait d'expérience, intimiderait son fils. S'il esquissait ne serait-ce qu'un seul pas en arrière, tout serait peut-être perdu. Mais Japhet ne pouvait affronter un adversaire immobile. C'était trop déconcertant pour lui, surtout si cet adversaire ne portait pas d'armes.

La main de Noé reposait toujours sur le dos de la licorne, tombée à genoux, déjà presque inconsciente. Le seul son qu'elle parvenait à émettre n'était pas perceptible par des oreilles humaines. Il y avait du sang partout sur sa tête, de même que sur sa corne, à demi arrachée de son front.

Une partie de ce sang était le sien, dont elle se vidait sur la table. Personne cependant ne lui prêtait la moindre attention, et le bras de Noé pesait si lourdement sur elle que la malheureuse créature ne pouvait plus respirer.

Hannah se leva puis s'éloigna, emportant la serviette rouge.

Sem lâcha les bras d'Emma, qui courut aussitôt se réfugier dans le coin le plus sombre de la pièce, où elle tourna son visage vers la cloison et demeura totalement immobile et silencieuse.

Noé s'adressa alors à Japhet d'un ton monocorde – la voix même de la raison –, en lui tenant des propos apaisants : "Nous avons résolu tous tes problèmes – ceux que tu ne pouvais toi-même résoudre. A présent, ta femme est apte à te recevoir. Ce n'était pas ta faute, avant, mais la sienne. Aussi avons-nous dû recourir à cet expédient…, ajouta-t-il en montrant la licorne. Ce n'est rien de plus que ce qu'aurait fait une sage-femme, ou ce que l'apothicaire aurait conseillé à sa mère de faire, si celle-ci avait assumé la moitié des responsabilités d'une mère digne de ce nom et était allée au plus tôt solliciter les conseils de l'apothicaire. D'ailleurs, ta propre mère aussi aurait dû y veiller…" A ce stade, Noé prit le tournant toujours brusque et imprévisible censé lui épargner tout blâme : une manœuvre par laquelle il parvenait à se convaincre lui-même qu'il n'avait rien à se reprocher et, mieux encore, que lui et lui seul avait rattrapé la situation en sauvant son entourage d'un désastre certain ; une manœuvre qui prenait naissance dans son bras tendu et son doigt pointé, prêt à désigner le véritable coupable, la cause absolue de toute menace, de tout danger, de toute stupidité et de toute folie – ce doigt du juste qui se posait invariablement sur *quelqu'un d'autre*, et le plus souvent sur son épouse.

"Accuse ta mère si tu veux mais ne t'approche pas de moi avec cette épée tirée. Je n'ai fait que mon devoir de père. Rien de plus."

Japhet abaissa lentement l'épée avant d'ôter le couteau de sa bouche. Pendant quelques instants, il sembla à Noé et à Sem qu'il allait partir sans un mot, car il se détourna à demi et esquissa un pas en direction de la porte. Mais soudain il pivota si vivement que ni son père ni son frère ne comprirent ce qu'il avait en tête.

L'épée s'éleva dans la lumière de la lampe puis fut abattue à deux mains sur la table, où elle sépara la corne de la tête de la licorne.

Pour Noé, ce n'était rien d'autre qu'une réaction normale.

Chaque homme doit accomplir sa vengeance au moment et de la manière qui lui convient. L'objet de cette vengeance n'a aucune importance ; seul l'acte compte, puisqu'il définit l'homme. Plus tard, Japhet comprendrait que le bras de Dieu avait agi à travers lui. Noé se chargerait de le lui expliquer.

"Que veux-tu faire d'elle ? avait demandé Mme Noyes en voyant Hannah prendre la licorne mâle dans son nid. Elle est très délicate, tu sais. Elle a été malade.

— Ce n'est pas moi qui en ai besoin." (Hannah avait logé l'animal au creux de son bras, puis replié sur lui un pan de son châle bleu pâle afin de le protéger de la pluie.) "C'est le docteur Noyes.

— Oh, si je comprends bien, il est redevenu le «docteur Noyes» ? Et de quoi s'agit-il au juste

– d'expériences ou d'affaires divines ? Est-ce le «révérendissime docteur» qui souhaite la présence de cette créature ou juste ce bon vieux docteur ?"

Après avoir ramené sur sa tête la pointe de son châle, Hannah s'était préparée à gravir l'escalier.

"Je ne peux répondre à cette question, mère. Je sais juste qu'il veut la licorne.

— Et où est Emma ? Que lui est-il arrivé ?

— Elle va bien, mère."

Hannah avait monté les marches très lentement, et, parvenue au sommet de la première volée, elle s'était immobilisée, hors d'haleine.

Mme Noyes, qui la suivait de près, avait bien vu la façon dont sa belle-fille devait s'arrêter, la main sur la rambarde et les épaules voûtées. Elle s'était empressée de la rejoindre.

"Que se passe-t-il ?

— Rien, je suis fatiguée."

Mme Noyes l'avait contournée pour scruter son visage, notant l'absence de couleur et les lèvres pincées.

"Ne mens pas, dit-elle. Quelque chose ne va pas."

Hannah se trouvait devant un dilemme. Hormis Emma, incapable d'avoir une conversation sérieuse ou de recevoir des confidences importantes, elle n'avait pas vu d'autre femme depuis des semaines, à part lors des situations de crise. Elle avait désespérément besoin et envie de parler à quelqu'un, et surtout à l'une de ses semblables, mais elle ne pouvait s'y résoudre. Sa fierté l'obligeait au silence ; son ambition était gouvernée par le choix qu'elle avait fait de s'asseoir à la droite du pouvoir. De tous les passagers de l'arche, Hannah était la seule – à part peut-être le docteur Noyes lui-même –, qui avait songé de façon clinique au salut, abordé sous l'angle de la raison le long processus de la survie à tout prix, calculé le moment venu les efforts à fournir. Or c'était l'un de ces moments.

Devant le visage de sa belle-mère, empreint d'une inquiétude si sincère qu'elle en était presque embarrassante, Hannah avait pourtant bien failli faire sauter les verrous qu'elle maintenait fermés depuis si longtemps. Elle aurait voulu admettre qu'elle avait peur, parler de sa solitude, dire à voix haute : *J'ai mal.* Elle aurait voulu faire part de ses craintes au sujet de l'enfant en elle, qu'elle pensait mort. Et du sang qu'elle perdait.

Certains de ses sentiments furent cependant révélés – contre sa volonté et même à son insu – par son expression, que Mme Noyes avait pu dé-chiffrer ne serait-ce qu'en partie. Après six cents ans passés à porter des enfants, à vivre dans la solitude et à connaître la peur, elle bénéficiait d'une expérience capable de lui ouvrir les portes du visage de n'importe quelle femme. Néan-moins, elle n'avait perçu que dans ses grandes lignes le problème sur le point de submerger Hannah. Elle avait deviné la souffrance, mais pas le sang. Elle avait deviné la peur, mais pas la mort possible de l'enfant. Si elle était consciente du piège qu'Hannah avait créé pour elle-même, elle ne savait cependant pas comment l'en délivrer. Ces choses-là devaient être dites et Hannah avait gardé le silence.

"Ne veux-tu pas t'asseoir un moment, au moins, et me laisser t'apporter un bol de bouillon ou un morceau de sucre ?

— Non, avait répondu Hannah. Non.

— Dis-moi ce qui se passe, bonté divine ! avait insisté Mme Noyes.

— Non, s'était obstinée Hannah. Il n'y a rien à dire. Je dois y retourner."

Déjà, elle s'éloignait. Emportant la licorne.

Mme Noyes avait dégagé la paille pour s'asseoir sur la marche secrète près de Mottyl qui, aveugle à la lumière de la lampe, ronronnait.

En dessous d'elle, la cage des licornes paraissait vide et le nid étrangement petit. La femelle, comme toujours, se dissimulait si profondément dans les ombres que seule sa corne était visible. Peut-être pour la cent quatre-vingt-dixième fois, Mme Noyes ne put s'empêcher de demander : "Pourquoi refuses-tu de parler ?"

Et la cent quatre-vingt-dixième réponse fut la même que celle d'Hannah : le silence.

Cham s'approcha du garde-fou, sur lequel il s'appuya pour contempler l'intérieur du puits. Sa lanterne à la main, Lucy continua d'avancer, et, après avoir longé le cloître de l'autre côté, elle s'arrêta devant chaque cage pour passer ses doigts gantés à travers les barreaux ou le grillage. Personne ne parlait. S'il y avait eu une horloge, son tic-tac aurait résonné si fort que tout le monde l'aurait entendu dans les étages, y compris les ours au loin et les éléphants et les rhinocéros sur le dernier pont. Mais la question informulée était universelle : *Quand Emma et la licorne reviendront-elles ?*

Par-delà les flancs de l'arche, dans les eaux mouvantes de la mer devenue désormais un océan, les baleines chantaient et les pirates se rassemblaient pour préparer un nouvel assaut. Les premières occupaient aussi l'esprit de Cham, et les seconds, celui de Mme Noyes. Cham se disait : Un jour, je comprendrai leur chant. Et sa mère : Si seulement les pirates pouvaient se rendre compte que nous ne sommes pas là pour jouer…

Pendant que le sang était encore frais et avant de pouvoir envisager l'absolution, il fallait prier.

Noé s'adressa ainsi à Sem et à sœur Hannah : "Nous trois pouvons prier tels que nous sommes. Mais Japhet et sa femme doivent partager le sang de cette bête, car elle est maintenant le symbole même de leur consécration devant Yahvé."

Pendant que Noé et Sem allaient préparer la chapelle, Hannah aida sa belle-sœur à se relever. Le fourreau trop long était toujours remonté au-dessus des hanches d'Emma, et sur ses cuisses s'étalaient des traînées de sang séché. En état de choc, la malheureuse regarda ses parties mutilées et dit dans un souffle : "Je ne veux plus vivre.

— C'est fini, maintenant, déclara Hannah. Bientôt, tu auras tout oublié ; il le faut. Cette épreuve que tu redoutais appartient désormais au passé."

Le regard d'Emma se porta au-delà de l'épaule d'Hannah.

"Japhet est toujours là", murmura-t-elle. Son mari, occupé à nettoyer son épée, lui tournait le dos.

"Oui, mais rappelle-toi : Japhet lui aussi a été changé par ce qui s'est produit.

— Comment ? demanda Emma en regardant ses cuisses et les plis ensanglantés du fourreau. Personne ne l'a écartelé, lui...

— Tu ne sembles pas avoir compris une chose : tu as été transformée dans l'intérêt de Japhet. Tu n'étais pas comme les autres filles et femmes. Tu étais difficile d'accès. Japhet ne pouvait pas entrer en toi. Et...

— Il ne pouvait pas entrer en moi parce que je me refusais à lui !

— Non." Hannah s'exprimait d'un ton calme et posé. "Il ne pouvait pas entrer en toi à cause de la façon dont tu étais faite. Maintenant, c'est différent.

— Je veux me laver, dit Emma. Je veux que tu me laves. Toi, pas lui.

— Non, répéta Hannah. C'était possible seulement quand tu étais enfant. A présent, tu es une femme.

— Et alors ? Je ne veux pas de Japhet !"

Devinant le gémissement sur le point de s'échapper des lèvres d'Emma, Hannah lui plaqua sa paume sur la bouche, mais sans brutalité. Les plis du fourreau ensanglanté retombèrent entre elles, et les mains d'Emma montèrent aussitôt vers les poignets de sa belle-sœur. Cette dernière avait cependant plus de force.

"Attends, ordonna Hannah. Attends et écoute-moi."

Emma envisagea de lui mordre la main, pour finalement y renoncer. Elle craignait de voir apparaître encore du sang.

"A partir de maintenant, ta volonté ne compte plus", expliqua Hannah. (A-t-elle jamais compté ? eut envie de crier Emma. Ai-je demandé à devenir une Noyes ? Ai-je demandé à récurer toutes ces casseroles et ces marmites ? Ai-je demandé à épouser un homme bleu ?) "Ce qui importe aujourd'hui, c'est que Japhet t'ait revendiquée et que tu sois sa femme. Nous sommes gouvernés par un édit. Nous sommes les derniers représentants de l'humanité. A ce titre, nous sommes tous en service. Et toi, tu dois servir Japhet Noyes. Voilà ce qu'il en est, Emma, et ce qu'il en sera toujours. Alors prends-en ton parti. Tout de suite."

C'était un ordre qu'Emma ne manqua pas de percevoir comme tel ; Mme Noyes ne l'aurait pas énoncé autrement, ni même sa propre mère brune et aimante. Il lui était impossible de ne pas s'y conformer, car refuser d'obéir à un parent était sacrilège. Impie. *Sacré* signifiait : *Pas moyen de se dérober.*

"Tout de suite, répéta Hannah. Tout de suite, Emma."

Celle-ci se calma.

Hannah ôta sa main de la bouche de sa belle-sœur puis la prit par les épaules. "Bien, dit-elle. Tu as fait le premier pas vers la sagesse.

— As-tu subi la même chose que moi ?"

Hannah n'hésita qu'une fraction de seconde avant de répondre : "Non."

Les yeux d'Emma s'emplirent de colère mais sa voix demeura calme, et pour la première fois Hannah songea : Il y aura finalement de la glace dans son cœur.

"Pourquoi ? demanda-t-elle. Tu étais une jeune fille tout comme moi."

Hannah secoua la tête. Ses mains reposaient sur son enfant – cet enfant qu'elle n'avait pas laissé Emma toucher.

"La différence ne réside pas entre toi et moi mais entre les hommes qui affirment leurs droits sur nous.

— Pourtant, tu as dit que la différence était en moi.

— Non, répliqua Hannah. J'ai dit que la *difficulté* était en toi."

Sur ces mots, elle se détourna et alla s'asseoir. La douleur se réveillait, semblable à mille petites mains frappant son cœur.

Emma vit bien que sa belle-sœur était soudain devenue très pâle. "Qu'est-ce qui ne va pas ? demanda-t-elle.

— Tout, répondit Hannah. Tout. Ne me pose pas de questions."

La chapelle était petite, car édifiée pour répondre aux besoins de Noé plutôt qu'à ceux de la famille. Officiellement, elle devait servir de lieu où le révérendissime docteur pourrait chercher à communier avec son Dieu. Or elle était surtout devenue le lieu (mais seul le révérendissime docteur en avait conscience) où il avait cherché en vain à établir le dialogue avec son Ami. Yahvé ne s'était pas manifesté une seule fois entre ces murs recouverts d'icônes ; pas une seule fois non plus Sa voix ne s'était élevée des profondeurs de Son sanctuaire entouré de tentures. Jamais.

L'autel érigé sous la pagode d'où la fumée des feux était censée s'échapper n'avait jamais été utilisé car, à l'origine, Noé ne prévoyait pas d'holocaustes avant la fin du déluge et des grandes tempêtes. Mais l'exécution de la licorne offrait une occasion de sacrifice impossible à ignorer. Ne pas la saisir reviendrait à courtiser le désastre. Comme la licorne comptait parmi les créatures préférées de Yahvé, Noé avait décidé, avec peut-être un peu trop d'empressement, de transformer son trépas en une *mort rituelle*. Il fallait apaiser le Seigneur, où qu'Il fût.

Sans compter que le sacrifice servirait également à apaiser la mauvaise conscience de Noé lui-même au sujet de la licorne. Et peut-être sur deux ou trois autres points auxquels il préférait ne pas réfléchir dans l'immédiat... (Silence !) Après tout, s'il n'avait pas eu recours à la licorne pour procéder à la mutilation d'Emma, elle serait encore vivante. Par conséquent, il convenait de fabriquer quelque dessein sacré pour justifier sa fin.

Mais le corps de la licorne était impur ; ses sabots fendus interdisaient qu'elle fût placée sur l'autel. Il n'en allait pas de même pour sa corne d'ambre, bien sûr, le phallus sacré que Sem s'employait en ce moment même à réduire en poussière.

Noé se concentra sur le rituel.

Cette poussière sacrée... (Oui, excellent ! *Poussière sacrée*, cela sonnait très bien.)

Cette poussière sacrée sera mélangée à de l'hydromel (de l'hydromel *sacré*) et au sang de la blessure d'Emma (la blessure sacrée ?) et sera bue par les deux jeunes gens en souvenir de l'animal sacré dont la corne a facilité la consommation de leur mariage. Et dont l'être sacré a été sacrifié pour que... afin que...

Noé buta sur les mots.

Afin que... les singes...

Il jeta un coup d'œil derrière lui. L'observait-on ? Y avait-il quelqu'un dans la pièce ?

Non.

Dont l'être a... dont l'être *sacré* a été sacrifié au nom d'une meilleure compréhension des... singes...

ASSEZ !

Toutes les icônes, dont bon nombre représentaient le visage de Yahvé, le regardaient.

Pour que...

Silence. Tous les yeux dorés et tous les yeux rubis de Yahvé étaient rivés sur lui, implacables.

Saisi de panique, Noé se figea au beau milieu de la chapelle.

Comment devrait-il prier ?

Les icônes chatoyaient.

Devrait-il invoquer les dix-huit bénédictions, en commençant par louer la foi des pères pour finir par demander la paix dans le monde ?

Mais il n'y avait pas de pères.

Il n'y avait pas de monde.

Et tout ce qui restait de la foi semblait promis à disparaître aussi vite que la paix.

Noé osa enfin soutenir le regard des icônes.

"Répondez-moi, dit-il à voix haute. Comment devrais-je prier ?"

Les yeux rubis et les yeux dorés ne purent ou ne voulurent pas s'exprimer. Les bouches de Yahvé – toutes autant qu'elles étaient – faisaient rempart aux mots.

Noé se tourna vers l'autel, où il posa trois carrés d'encens. Il réciterait la prière officielle du deuil pour la licorne elle-même, et aussi pour la licorne en tant que dernière représentante de son espèce, dont il déplorait la perte irrévocable causée par la bête indomptée…

Japhet, le singe.

Et Emma.

Noé se tenait immobile devant l'autel, les doigts imprégnés par l'odeur de l'encens.

Si je parviens à prier, et quels que soient les autres objets de mes prières, je dois implorer encore une mort.

Il joignit les mains, ferma les yeux et tomba à genoux, et ce fut dans cette position que Sem, Hannah, Japhet et Emma le découvrirent lorsqu'ils arrivèrent pour prendre part à la cérémonie rituelle du phallus sacré, en souvenir de l'animal sacré de Yahvé, la sainte licorne.

Même Emma, qui devait haïr à jamais son beau-père, trouva néanmoins merveilleux qu'il pût prier avec tant de ferveur.

Cornella, tout engourdie, se nichait dans son tuyau de cheminée à l'intérieur de la pagode. Ses expéditions sous la pluie étaient de moins en moins aventureuses. Elle était fatiguée de rester immobile (si encore j'avais un œuf à couver, cela vaudrait la peine d'attendre ainsi), fatiguée de se faire mouiller, fatiguée d'avoir froid. Et les vastes eaux dont elle survolait la surface aussi loin qu'elle l'osait lui avaient offert récemment tant d'images de carnages et d'horreur qu'elle se bornait désormais à décrire des cercles autour de l'arche.

C'était une chose de perdre un ennemi au combat, d'assister à sa chute et de se repaître de ses entrailles. Mais quand tous vos ennemis sont à la mer, c'est triste. Avec qui alors se lancer dans un joyeux combat – comme au bon vieux temps – pour un repas ? Elle ne pouvait même pas compter sur son partenaire, puisqu'elle n'en avait pas et que les seules autres corneilles étaient enfermées au plus profond de l'arche. Or voler dans l'obscurité pour se nourrir jour après jour de poissons morts ne la tentait pas. Que devenait alors la volonté de se battre, qui rendait la vie digne d'être vécue ?

Cornella avait beau savoir que Mme Noyes et Mottyl se trouvaient à proximité – elle apercevait même Mme Noyes de temps à autre –, il n'y avait à ses yeux rien de tel qu'une véritable présence pour se sentir ragaillardie. Les plaisanteries, les négociations et les discussions lui manquaient terriblement. Cela endormait l'esprit de ne pas avoir à ruser avec ses congénères pour tenter de leur dérober leurs précieux morceaux de foie et de cervelle…

Quant aux pirates, ils n'étaient pas drôles. Ils refusaient de jouer avec les oiseaux. Tout ce qu'ils voulaient, c'était se joindre aux hommes. Quels idiots ! Même les nombreuses victimes dans leurs rangs tombées sous les coups de Japhet ne les avaient pas convaincus de rester à l'écart. Elle les entendait en parler, parfois ; ils étaient persuadés qu'en se montrant "suffisamment patients nous leur ferons comprendre que nous sommes leurs amis". Une belle preuve de la prétendue intelligence innée des pirates ! Les baleines, elles au moins, avaient assez de bon sens pour garder leurs distances.

"Allons bon, que se passe-t-il encore ? se demanda-t-elle. Il fait bien chaud, tout d'un coup…"

Sans parler de l'odeur…

Des plumes brûlées ?

Non, pas des plumes. L'odeur des églises, dont elle se souvenait pour avoir séjourné durant une petite semaine dans un beffroi dont elle avait été chassée par la soudaine célébration du sabbat, totalement inattendue pour elle.

Le docteur Noyes avait allumé les feux en dessous d'elle et accomplissait un sacrifice.

Cornella quitta son nid puis alla se percher sur le bastingage, d'où elle pouvait voir l'encens et la fumée s'élevant de sa cheminée. Elle se demanda combien de temps cela durerait.

Mon croupion sent le bois de santal, songea-t-elle.

Eh bien, au moins, cette fumigation la débarrasserait de ses poux.

Mme Noyes était assise sur sa marche secrète, le bras posé dans le nid de Mottyl endormie au creux de son coude. Les chatons, pelotonnés à l'écart de leur mère, s'agitaient dans leur sommeil. Le mâle gris argent rêvait manifestement de violence : couché sur le dos, il repoussait des quatre pattes ses ennemis. Mme Noyes tenta de l'apaiser en lui offrant son doigt, et, lentement, à force de lui téter les ongles, il se calma. C'était un petit chat adorable, très confiant et beaucoup trop aventureux. Mais peut-être ses rêves de combats n'étaient-ils pas si incongrus, après tout : ne vivait-il pas dans un espace terriblement confiné, cerné par les orages et les bêtes rugissantes ?

En cet instant, cependant, plusieurs de ces bêtes rugissantes ronflaient tandis que d'autres étaient entrées dans leur transe nocturne ; les yeux ouverts, elles contemplaient des fantômes ou des ancêtres, et non Mme Noyes ou les images de leurs songes.

Cham, toujours appuyé contre le garde-fou, regardait les gros animaux en contrebas et réorganisait le monde en fonction de leurs diverses formes et tailles. Les éléphants, par exemple, auraient besoin de bauges, d'eau et d'une profusion d'arbres pas trop serrés – un bois ou une forêt où ils auraient la place de circuler entre les eucalyptus et les hêtres. Il leur faudrait aussi des champs où paître... Et lesquels pourraient bien vivre en harmonie ? Les zèbres, qui se nourrissaient d'herbe, et Long Cou, qui réclamerait des plaines pour courir et des arbres pour se nourrir...

Lucy s'était arrêtée près de la cage du griffon, remarqua-t-il, et avait même passé les doigts à travers les barreaux ! Cham se demanda s'il existait un seul danger au monde capable de l'émouvoir. Elle semblait toujours éprouver une fascination particulière pour les hors-la-loi et les parias, les êtres étrangement formés et les créatures excessivement délicates : griffons et souris de verre, démons et licornes, cobras et ornithorynques... Ses oiseaux préférés étaient les dodos – les plus laids – et les coucous – les plus impopulaires, dont on retrouvait les œufs partout, y compris dans ses perruques et le lit d'Emma.

"Savais-tu que le griffon est un linguiste ? lança Lucy de l'autre côté du puits. Il connaît toutes les langues, dont la mienne...

— Comment cela, «dont la tienne» ?

— Oh, rien. C'était juste une façon de parler, répondit Lucy. N'as-tu pas toi-même ton propre langage ?"

Avant que Cham pût répondre, la grande porte donnant sur le pont s'ouvrit à l'étage au-dessus d'eux.

Aussitôt réveillée, Mme Noyes se leva et ôta son bras, délaissant Mottyl et le chaton gris argent.

"Désolée, dit-elle, c'est peut-être Emma qui revient."

Rapidement, elle fourra l'échelle dans sa cachette et tira le rideau de paille.

Entre-temps, Cham s'était engagé dans la coursive en direction des marches, et la lanterne de Lucy, qui avait quitté la cage du griffon, tressautait dans l'obscurité de l'autre côté du puits.

"Dépêche-toi, dépêche-toi", se répéta Mme Noyes, car elle s'était aperçue, consternée, qu'elle avait les jambes tout ankylosées.

Au début, seul un courant d'air bruyant leur révéla qu'il y avait une présence en haut. Mme Noyes, Cham et Lucy entreprirent de monter vers l'étage supérieur, persuadés qu'à tout moment ils allaient entendre la voix d'Emma. Même l'un de ses gémissements serait le bienvenu. Mais ils ne distinguaient rien d'autre que le vent et le grincement de la porte.

Lorsqu'ils atteignirent le second escalier, ce fut pour découvrir Japhet au sommet ; il ne portait pas de lanterne et n'était visible qu'à la lumière de la lampe de Lucy. D'une main, il tenait son épée, et, de l'autre, quelque chose de non identifiable.

Au bout d'un moment, Mme Noyes s'éclaircit la gorge pour demander : "Où est Emma ?

— Là-haut, où elle va rester. C'est l'une des nôtres, à présent.

— C'est impossible, répliqua Cham, qui faillit éclater de rire.

— Non, ce n'est pas impossible, rétorqua son frère. Père a accompli un rituel et Emma est enfin ma femme. Pour de bon." Comme pour le prouver, il se tenait plus droit.

Cham demeurait sceptique. "Emma a toujours été ta femme, Jape. Tu avais juste du mal à…

— Ne commence pas ! s'écria Japhet. Surtout, ne commence pas !"

Donc, c'est fait, songea Mme Noyes. Qu'il aille au diable !

Japhet s'avança vers la lumière puis tendit vers eux la chose qui n'était pas l'épée. Sa forme n'évoquait cependant rien ; seul son état racontait une histoire : morte et couverte de sang. Tout comme le bras de Japhet. "Tenez, dit-il. Voilà votre ami…" Et il jeta vers eux le corps d'un petit animal mutilé présentant de telles blessures que personne ne put le reconnaître ou deviner de qui il s'agissait.

Lorsque Japhet s'en alla, il s'employa ostensiblement à verrouiller et à condamner la porte sous les assauts des rafales déferlant autour de lui. Alors que résonnait la cognée des marteaux enfonçant pointes et clous, tous ceux qui se tenaient figés dans le cercle de lumière tremblotante projeté par la lampe de Lucy contemplèrent le corps à leurs pieds. La licorne. Morte.

Mme Noyes aurait voulu s'effondrer mais ses jambes refusaient de fléchir.

En silence, Lucy tendit sa lampe à Cham et s'agenouilla, le buste raide. Elle souleva la licorne vers son sein et la serra contre elle d'une main gantée, tandis que de l'autre elle lui fermait les yeux.

"Ne t'en fais pas, murmura-t-elle. Ne t'en fais pas." Puis elle se redressa.

Lorsque Mme Noyes voulut effleurer la dépouille de la malheureuse créature, ses doigts s'écartèrent au dernier moment de leur destination. La licorne était si petite ! Et sa propre main aussi…

Lucy s'était mise à marcher, apparemment sans but ; elle longea la coursive, passa devant la galerie aux oiseaux et serpenta dans le dédale de cages d'insectes et de caisses à reptiles jusqu'à l'entrée de ce qu'ils appelaient "l'étable", où se trouvaient les vaches, les moutons et les chèvres – tous les animaux utiles qui, d'après l'édit, devaient être embarqués non pas "deux à deux" mais "sept à sept", et dont les jeunes avaient servi de pâture aux carnivores avant l'arrivée des pirates. Un jour, après que l'arche aurait touché terre, ils seraient également offerts en sacrifice.

Dans l'étable se mêlaient les senteurs de la paille, du foin, de l'orge et de l'avoine, toutes capables de raviver le souvenir indélébile de la terre, des granges d'autrefois et des êtres disparus qu'elles abritaient alors : Lily et Hannibal, les chevaux ; Panic, le chat ; le chœur des moutons ; les poules, les chouettes, le bétail, les chèvres et les cochons qui, toute leur vie durant, avaient été traits, nourris et cajolés par la famille pour les amener à révéler l'emplacement des lits de menthe et des mines de truffes… Dans cet endroit, Mme Noyes songeait invariablement aux jours et aux nuits passés auprès de ses animaux, aux maladies, aux naissances et aux morts qu'elle avait veillés ; elle était alors sage-femme du monde, un rôle qu'elle adorait. Aussi, plus que n'importe où ailleurs sur l'arche, se sentait-elle presque chez elle dans l'étable.

Lucy s'assit sur un tas de foin à côté des vaches et posa sur ses genoux le corps recroquevillé de la licorne.

Mme Noyes avait disparu mais sa belle-fille se contenta de dire : "Elle est juste partie chercher Mottyl."

Elle avait raison. Trois minutes plus tard, Mme Noyes revint, portant sa chatte contre son épaule et suivie par une visiteuse inattendue.

"Je suis passée par-dessus la tête de Japhet pendant qu'il essayait de fermer la porte, expliqua Cornella. Il était aveuglé par la pluie et il ne m'a pas vue."

Malgré la mort de la licorne, Mottyl ne put s'empêcher de ronronner au son de cette voix familière. Mme Noyes la coucha dans la paille et Cornella se posa à côté d'elle.

"Je sens une odeur sur toi, murmura Mottyl.

— Celle des églises, chuchota Cornella.

— Je suis contente de t'entendre.

— Je suis contente de te voir."

Tout le monde se tut.

La lanterne oscillait à l'endroit où Cham l'avait accrochée, près de l'enclos à moutons, et seul résonnait le bruit lointain de la pluie, semblable au léger tambourinement de doigts menus sur le toit, accompagné par les grincements de l'arche qui s'élevait et retombait sur les eaux toujours plus hautes.

Lentement, d'une voix si douce qu'elle fut à peine perceptible au début, Lucy se mit à parler.

Elle semblait s'adresser à la licorne car elle se tenait toujours penchée vers la créature sur ses genoux. De cette dernière, les autres ne voyaient que le dos et la tête ensanglantée, inclinée vers l'avant comme celle d'un enfant endormi. L'une des mains gantées de Lucy caressait le flanc couvert de longs poils caprins.

"N'aie crainte, dit-elle. Crois-moi, d'une manière ou d'une autre, je te vengerai. Son épée ne peut rivaliser avec mon feu."

Perplexe, Mme Noyes regarda Cham, qui articula en silence : "Japhet."

Sa mère hocha la tête.

"Si seulement je pouvais t'emmener chez moi…, poursuivit Lucy. Au moins, tu vivrais. Ce serait si facile, là-bas, de te poser sur le sol et de te dire : *Lève-toi et marche*. Je te toucherais le front ainsi, ajouta-t-elle en faisant le geste, et je te dirais : *Guéris*. Chez moi, oui. Mais ici je ne peux pas te dire : *Lève-toi et marche*, car le sol n'est pas consacré. Et je ne peux pas te dire non plus, *Guéris*, car mes doigts ont perdu leur pouvoir."

Mme Noyes et Cham se rapprochèrent.

Qu'entendait donc Lucy par "chez moi" ?

Pour sa part, Mottyl ne se rapprocha pas. Non qu'elle fût indifférente à ce qui se passait autour d'elle, mais elle savait déjà d'où venait Lucy – et ce, depuis la première fois où elle l'avait vue –, même si elle ne savait pas forcément qui elle était. Lorsque Bip lui avait demandé si elle avait déjà rencontré un ange solitaire, la chatte avait répondu : "Non", et sans doute lui offrirait-elle la même réponse aujourd'hui. Rien dans l'attitude de Lucy ne suggérait la violence ou l'agressivité. Elle n'avait peur que des loups, des chiens et des renards, qui le lui rendaient bien. Surtout, c'était tellement merveilleux qu'elle fût l'une des leurs, dans les entrailles de l'arche, qu'elle osât s'opposer au docteur Noyes, à ses expériences, à son édit, à ses méthodes, à ses plans et à sa…

Mottyl avait failli penser : *malveillance*.

Pourquoi s'était-elle interrompue, alors qu'elle avait de toute évidence raison ?

C'était de la malveillance.

Le docteur Noyes ne s'était-il pas placé au-dessus de tous ? Ne l'avait-il pas rendue aveugle ? N'avait-il pas tué ses chatons ? Ne l'avait-il pas condamnée au grand holocauste ? N'avait-il pas contraint sa femme à une existence de prisonnière ? N'avait-il pas repoussé les fées et d'innombrables animaux ?

Bon.

Mais comment avoir la moindre certitude quand le monde entier se réduisait à quatre étages en guise de ciel et de terre, cernés par les cloisons jaunes pestilentielles, suintantes de poix, d'une arche en bois de gopher ?

Lucy dit encore : "Croyez-moi, nous pourrions rester ici pour toujours, et seul disparaîtrait notre souvenir de ce moment. Pas le moment lui-même. Je l'ai appris grâce à mes voyages, à ce que j'ai vu. Croyez-moi, l'existence tout entière de cette créature peut nous revenir en un instant. Pour cela, nous n'avons qu'à nous la rappeler vivante. Si nous parvenons à oublier sa mort, elle vivra. Oh, pas pour toujours, pas au-delà de son trépas mais avant, lorsqu'elle était elle-même. Regardez..."

Lentement, Lucy retira l'un de ses gants, puis l'autre.

Mme Noyes esquissa un mouvement de recul à la vue des doigts palmés, mais elle garda le silence afin de ne pas distraire Lucy. Seuls les anges avaient des doigts palmés, tout le monde le savait. Elle-même avait pu le constater chez ceux que Yahvé employait à Son service : l'archange Michel, l'ange dans le verger, les grands anges blonds qui Le soutenaient lorsqu'Il s'était dirigé vers le pavillon...

Lucy semblait puiser en elle toute son énergie vitale pour la diffuser vers ses mains immobilisées au-dessus de la licorne. Peu à peu, la sueur perla sur son front et son maquillage coula ; les sourcils finement tracés et les yeux soulignés de khôl commencèrent à perdre leur forme et à dessiner de longues traînées sombres sur son visage comme la pluie noire de Yahvé et les larmes des clowns.

Le corps de la licorne, toujours sur ses genoux, se mit à briller de l'intérieur tandis qu'un léger mouvement l'animait. Ses pattes tressaillirent et son cou s'étira jusqu'au moment où, enfin, elle souleva la tête pour couver Lucy d'un regard intense, se demandant manifestement où elle était.

Lucy lui plaça sa paume sur le front en remuant les lèvres sans toutefois émettre un seul son audible.

Alors, la licorne se releva et, guidée par Lucy, descendit de ses genoux puis se dressa tant bien que mal sur la paille, fouettant l'air de sa queue et s'efforçant de marcher. Et durant tout ce temps, sa lumière intérieure gagna en intensité, éclairant progressivement les visages autour d'elle. Tous souriaient.

Sous leurs yeux, une corne d'ambre se mit à pousser sur le front de l'animal. Et Mme Noyes de penser : Après tant d'années passées auprès de Noé Noyes, j'aurai enfin vu un miracle.

Mais le miracle fut hélas de courte durée.

La licorne de plus en plus chancelante se tourna vers Lucy comme pour implorer son aide.

Lucy lui tendit la main et dit : *"Hoda'ah tam."* Et encore : "Au revoir."

Mme Noyes leva les yeux, inquiète. *Au revoir ?*

Avant même qu'elle pût s'étonner à voix haute, la licorne tomba à genoux et se coucha sur le flanc dans la paille où, sur un profond soupir que Mme Noyes jugea cependant dénué de tristesse, elle expira.

Tous – les hommes, les animaux et l'ange – se penchèrent vers le corps minuscule dont la lumière s'éteignait peu à peu, plongeant de nouveau l'étable dans l'obscurité.

Cette fois, leur amie était bel et bien morte. Elle avait été vivante, puis morte, puis de nouveau vivante. Puis morte. Et comme le dirait Lucy, il en serait ainsi pour l'éternité, selon que chacun avait le désir ou la possibilité d'évoquer le souvenir de l'époque où la licorne était un être de chair et de sang que l'on pouvait croiser dans le bois au pied de la montagne de Noé.

"Puisque tu lui as donné la vie, pourquoi n'as-tu pas pu l'empêcher de la perdre ? demanda Mme Noyes.

— Je pourrais te poser la même question au sujet de tous tes enfants morts, mère", répliqua Lucy.

La tête de la licorne reposait sur les genoux de Lucy qui, toujours assise dans la paille, se tenait légèrement inclinée de côté en soutenant son poids d'une main. Mme Noyes, dont le corps n'aspirait qu'à tomber d'épuisement, ne bougeait pas. Elle se trouvait tour à tour dans le cercle de lumière projeté par la lampe de Lucy, accrochée près de l'enclos à moutons, et dans le noir quand l'arche se cabrait, faisant se balancer la lanterne d'avant en arrière.

Mottyl, que la longue séparation d'avec ses chatons mettait de plus en plus mal à l'aise, tentait de se représenter la scène à partir des sons et des odeurs dont elle était environnée. La senteur riche et sucrée du foin ; la toux discrète d'un mouton de temps à autre ; le souffle des vaches proches, parfumé à la luzerne, et les mouvements pesants de leurs corps lorsqu'elles se déplaçaient ; les émanations vaguement troublantes de l'encens sur la queue de Cornella ; l'éternel tambourinement de la pluie ; et la proximité de Mme Noyes – tous ces éléments formaient dans l'esprit de la chatte une image cernée par des ténèbres sans fin. Au milieu de ce tableau figurait la silhouette de Lucy, toute de soufre et de soie bruissante, et le souvenir d'un visage blanc flottant haut dans les airs, telle la lune.

Lentement, de façon presque imperceptible au début, cette silhouette présente simultanément dans la tête d'un chat aveugle et au milieu de l'étable commença à parler. Mais elle s'exprimait d'une voix que ses compagnons n'avaient jamais entendue auparavant : sombre, teintée d'une rudesse étrangère à la femme qu'ils avaient connue.

"Il y a fort longtemps, dit-elle, dans une contrée que j'ai presque oubliée aujourd'hui, j'ai entendu une rumeur à propos d'un autre monde. Et parce que je ne supportais plus cette contrée, j'ai souhaité de tout mon cœur le découvrir un jour. Je voulais aller le voir, m'y installer, y vivre. Quand je suis née, les arbres étaient toujours au soleil. Je m'en souviens. Cette lumière impitoyable… Il ne pleuvait jamais mais nous ne manquions jamais d'eau. *Il faisait toujours beau !* Quel ennui… Je voulais des tempêtes. Je voulais connaître la différence. Et j'avais entendu cette rumeur… au sujet d'un autre monde. Je me suis demandé : Est-ce qu'il pleut, là-bas ? Y a-t-il des nuages, dans cet autre monde ? De l'ombre, peut-être ? J'avais envie de contempler les déserts et la neige. Désespérément envie. Et aussi de rencontrer quelqu'un avec qui débattre. Quelqu'un à contredire, juste une fois. Et j'avais entendu cette rumeur au sujet d'un autre monde… Alors je me suis demandé : Y aurait-il des gens, dans cet autre monde, pour me dire que le ciel est vert ? Que le sec est mouillé, que le noir est blanc ? Et si je devais leur dire : *Je ne suis pas moi, mais qui je désire être*, me croirait-on, dans cet autre monde ?"

A cet instant, Lucy retira de sa poche un bout de coton dont elle se servit pour ôter son maquillage – sa poudre blanche, son fard à joues, le fin trait de ses sourcils et le khôl qui soulignait ses yeux.

Même Mottyl, malgré sa cécité, percevait un changement chez Lucy. Elle la sentait s'effacer, s'éloigner.

"Tout à l'heure, quand j'ai compris que je ne pourrais pas sauver la licorne et qu'elle allait mourir, j'ai éprouvé une grande colère, reprit Lucy. Pourquoi pourrait-on ressusciter seulement ceux qui gisent dans une contrée où il ne pleut jamais ? Où il n'y a pas d'ombre mais juste du soleil ? Pourquoi chacun n'aurait-il pas le droit de vivre, que ce soit au milieu des orages, ou caché dans les ténèbres comme nous le sommes ici ? Pourquoi ?"

Lucy enleva son opulente perruque noire et la posa à côté d'elle. La nouvelle peau sous l'ancienne avait une nuance cireuse, presque grise. La bouche était plus large, les lèvres plus charnues, le nez plus long, plus pointu, plus fort – plus marqué. Le visage qu'il scindait, anguleux et austère, n'était pas fait pour rire ni même pour sourire. Il était surmonté d'une courte chevelure cuivrée au milieu de laquelle se détachait une mèche blanche.

Avec beaucoup de douceur et de délicatesse, Lucy écarta la licorne puis se leva.

Après avoir dénoué les rubans qui maintenaient son kimono et ôté la large ceinture à sa taille, elle se défit de cette tenue pour apparaître déjà vêtue d'une autre : sa robe de longues plumes couleur bronze.

Sa haute taille paraissait encore plus haute à présent, et ses mains dégantées encore plus larges.

"Nous nous sommes retrouvés à faire ce voyage ensemble, dit-elle encore. Avant de l'entreprendre, j'avais entendu une autre rumeur – pas vous ? – au sujet d'une autre terre promise. Eh bien, cette terre promise est ici même, mes amis. C'est tout ce que nous avons, et il est bien possible que ce soit la seule terre promise que nous connaîtrons jamais. La licorne y est morte. Et regardez, la flamme de la lanterne tremble. A tout moment, elle risque de mourir elle aussi." Elle marqua une pause puis ajouta : "C'est un lieu dénué de magie. Tout ce qui était magique et mer- veilleux a été abandonné derrière nous, noyé, dans le monde qui était le mien avant le vôtre, et le vôtre avant de devenir ce qu'il est aujour- d'hui…"

La chandelle, censée brûler éternellement, vacilla et s'éteignit.

Dans l'obscurité, Lucy reprit : "… où je suis née, les arbres étaient toujours au soleil. Et j'ai quitté cette contrée parce qu'elle ne voulait pas de la pluie. Aujourd'hui, nous sommes dans un endroit où il n'y a pas d'arbres et seulement de la pluie. Et j'ai l'intention de le quitter parce qu'il ne veut pas de la lumière. Quelque part, il doit bien exister un pays où l'ombre et la lumière sont ré- conciliées. Alors je lance une rumeur, ici et main- tenant, au sujet d'un autre monde. Je ne sais pas quand il se présentera, je ne sais pas non plus où il sera. Mais, ainsi qu'avec tous ces autres mondes aujourd'hui disparus, quand il sera prêt, j'ai l'in- tention d'y aller."

Et comme si elle avait décidé de s'y rendre sur-le-champ Lucy se leva et s'éloigna.

Certains, dont Mottyl, perçurent le mouvement de l'air sur son passage vers la coursive.

"Ne fais pas ça !" cria Mme Noyes.

Lucy s'arrêta.

"Attends encore un peu. S'il te plaît…"

Lucy patienta.

Mme Noyes fourrageait dans ses poches remplies de la multitude d'objets utiles qu'elle y avait entreposés : ficelle, élastiques, morceaux de tissu, résilles, pépins de pomme et bouts de chandelle…

Tous entendirent l'allumette s'enflammer, puis s'éteindre.

Tous attendirent, le souffle court.

Une deuxième allumette fut craquée.

Et s'éteignit.

La troisième tentative donna naissance à une grande auréole brillante qui dégageait l'odeur du soufre.

Les bouts de chandelle furent allumés et passés de main en main.

"Même s'il nous faut mille ans, nous voulons venir avec toi, dit Mme Noyes à Lucy. Où que tu ailles.

— Eh bien, répliqua Lucy en souriant, tu commences à comprendre la signification de ton signe…"

L'infini.

LIVRE QUATRE

... Vous serez un sujet de crainte et d'effroi pour tout animal de la terre, pour tout oiseau du ciel, pour tout ce qui se meut sur la terre... ils sont livrés entre vos mains.

Genèse, IX, 2.

Les œufs, le lait et le beurre se faisaient rares, et les réserves de fromage avaient beaucoup diminué. Or il s'agissait là d'ingrédients essentiels à la préparation des plats préférés du docteur Noyes. Compte tenu de son état, sœur Hannah avait besoin d'un supplément de fruits et de légumes, ainsi que d'une ration supplémentaire de lait.

Au début, ce fut donc elle que l'on envoya dans les étages inférieurs, munie d'une liste de courses, pour réquisitionner les denrées désirées. Son panier en osier au bras et son châle ramené sur les cheveux, elle se présentait devant Mme Noyes comme l'on se rend à l'épicerie, à cette différence près qu'elle n'apportait aucune sacoche remplie de monnaie – rien à vider sur le comptoir en demandant : "Alors, ma bonne dame, ça nous fait combien ?"

Sa belle-mère disait : "Mais tu as déjà pris deux douzaines d'œufs hier seulement…" ou : "Nous aussi nous rationnons le lait, tu sais. Quant au beurre, je n'ai pas eu le temps de le baratter. N'oublie pas, nous manquons de bras depuis que vous nous avez enlevé Emma. Aujourd'hui, chacune de ses tâches m'incombe. Et justement, tant que j'y suis, as-tu la moindre idée de la somme de travail que nous devons abattre ? Des efforts exigés pour nourrir tous ces animaux ? Tous les jours, deux fois par jour ? Et tu as l'audace de descendre me réclamer du beurre ? Tu devrais avoir honte ! Oui, tu devrais avoir honte !"

Or le sentiment de honte n'était pas étranger à Hannah, même si elle préférait l'appeler modestie. Il s'enracinait dans la peur qui la hantait – l'impression dérangeante d'avoir trop donné d'elle-même en espérant gagner la sécurité et l'estime. Ce malaise était comme un second bébé dans son ventre, qui remuait chaque fois qu'elle bougeait, rôdait à côté d'elle chaque fois qu'elle faisait une pause, se couchait auprès d'elle chaque fois qu'elle s'endormait. Pour autant, son ambition personnelle ne l'aurait pas autorisée à renoncer au moindre de ses acquis, même si elle commençait à regretter amèrement de ne pas les avoir obtenus au sein d'une société différente.

Aussi, au bout de quelques jours, cessa-t-elle de descendre dans les étages inférieurs chercher de quoi répondre aux besoins de Noé et aux siens propres. Elle prétendit que son état lui interdisait d'effectuer la traversée périlleuse du pont à découvert et d'emprunter l'escalier raide menant à la cale. Au même moment, elle prit l'habitude de se retirer de plus en plus souvent dans sa cabine, où elle passait de longues heures de contemplation et de lecture derrière une porte verrouillée pour empêcher Sem – et accessoirement, Japhet et Noé – de la rejoindre. Ce fut à cette époque qu'elle recopia dans vingt marges distinctes de son cahier la citation suivante tirée du recueil de contes devenu son unique compagnon de réclusion : *Que Dieu m'en soit témoin*, nota-t-elle, *si les femmes avaient écrit les histoires, elles auraient prêté aux hommes plus de torts que le sexe d'Adam ne saurait jamais en réparer.*

Il lui arrivait également de pleurer, elle que personne ne se rappelait avoir jamais vue verser une larme.

Ce fut Sem qui se présenta à la place d'Hannah, sans toutefois apporter le panier d'osier.

Mme Noyes ne chercha pas à dissimuler sa stupeur en le voyant ; en vérité, elle reconnaissait à peine son fils aîné. "Que t'est-il arrivé ? demanda-t-elle. Est-ce bien toi, là-dessous ?" Elle enfonça l'index dans la région où le nombril de Sem flottait à la surface de plusieurs nouvelles couches de graisse. "Tu as l'air bien mal en point, si je puis me permettre… Un garçon sain comme toi, sans une once de muscle ! Et ton visage n'a plus de couleur ! Et tu perds tes cheveux ! C'est incontestablement le signe d'une alimentation déséquilibrée…" Mme Noyes s'interrompit net. Mais il était trop tard : l'allusion aux repas avait ouvert une porte à travers laquelle le Bœuf put lancer sa première requête : "Il nous faut des légumes verts, mère. Nous savons que tu en as. Des choux-fleurs et des choux de Bruxelles. Je suis venu en chercher."

L'indignation gagna Mme Noyes. "Des choux-fleurs ? Des choux de Bruxelles ? J'ignore de quoi tu parles. Qu'est-ce qui te fait penser que nous avons de tels mets ? Des choux ! Des choux de Bruxelles ! Et puis quoi encore ?

— Nous sentons l'odeur lorsque tu les mets à cuire, s'entêta Sem. D'ailleurs, je la sens en ce moment même."

Sa mère vira au cramoisi.

"Oh, eh bien…, bredouilla-t-elle. C'était le dernier, un tout petit." Puis, sous le coup d'une inspiration subite, elle usa d'une remontrance qui remontait à l'enfance de Sem. "Je ne peux pas croire que, toi, tu aies l'audace de réclamer un chou ! Quand je pense à tes larmes, à tes cris et à tes grincements de dents chaque fois que j'essayais de t'en faire manger une feuille ! Une simple feuille de chou – et tu l'expédiais à travers la pièce ! Et aujourd'hui, tu viens ici en affirmant que les choux sont des mets de rois et que tu vas mourir si on ne t'en donne pas un sur-le-champ ! Franchement, laisse-moi te dire, Semmy…" Elle avait employé à dessein ce surnom qu'il ne supportait pas. "… tu n'obtiendras pas de chou de ma part ! Flûte, c'est tout ce que nous avons ! Aurais-tu l'intention d'en ôter le dernier morceau de la bouche de ta propre mère ? Tu devrais avoir honte ! Oui, tu devrais avoir honte !"

Sem n'osa pas formuler la seule réponse qui lui venait à l'esprit : Oui, à ce stade, il n'aurait pas hésité à ôter le dernier morceau de la bouche de *n'importe qui*, pour peu que ce fût du chou.

Enfin, il songea à un moyen de ne pas repartir bredouille. "Mais ce n'est pas pour moi, maman. C'est pour Hannah et le bébé."

Oh, Seigneur, songea Mme Noyes. Le bébé. Oui, oui, le bébé. D'abord le bébé. Dans la hiérarchie des besoins, l'enfant à naître venait en premier, le nouveau-né en second. Et rien ne devait s'interposer entre eux et la vie.

"D'accord, déclara-t-elle. Tu auras un chou et douze choux de Bruxelles, mais uniquement si tu t'engages à les remettre à Hannah.

— Oui, maman."

Mme Noyes s'en alla remuer les profondeurs de la sciure dans laquelle étaient entreposés choux-fleurs et choux de Bruxelles – en fort petit nombre, constata-t-elle avec inquiétude –, puis rapporta les trésors promis.

"Voilà, dit-elle d'un ton sec. Un chou-fleur, douze choux de Bruxelles."

Le Bœuf les tourna et les retourna entre ses énormes mains.

"Ils ne sont pas très gros, observa-t-il.

— La belle affaire ! répliqua sa mère.

— Et je vois un ver !" Horrifié, Sem faillit lâcher le légume. (C'était la crainte des vers qui, à l'époque, avait causé sa phobie des choux.)

"Parfait, dit Mme Noyes. Maintenant, au moins, je suis sûre que ce chou finira où il doit aller : dans l'assiette de sœur Hannah, pas dans la tienne."

Par la suite, Sem le Bœuf ne retourna plus faire le marché. Puisqu'il n'avait lui-même aucune envie de chou et qu'il restait encore des réserves de ses gourmandises préférées – essentiellement des fruits séchés et des friandises de toutes sortes –, il n'était que trop heureux de vider le garde-manger de son père ou d'avaler les nouilles et la soupe de poisson qu'Hannah servait désormais presque invariablement. Durant ses heures de repos, à savoir celles qui n'étaient pas consacrées aux repas, il se souciait maintenant de sa propreté personnelle. Il commença à changer de sous-vêtements deux fois par jour et insista pour que les cols de ses tuniques fussent amidonnés et tout son linge blanchi. Ces corvées revinrent à Emma. Lui-même avait déjà fort à faire pour assurer l'entretien de son corps : il y avait la taille de la moustache qu'il laissait pousser ; le lavage et le coiffage interminable de ses cheveux de plus en plus clairsemés ; le brossage et le blanchissage de ses dents négligées depuis des lustres ; le limage et le polissage de ses ongles. Une fois ces tâches exécutées, Sem, tout récuré, brillant et amidonné, logeait sa masse au creux du fauteuil le plus moelleux qu'il pouvait trouver et laissait son regard se perdre dans le vague en rêvant de chauds après-midi d'été sur la montagne, quand résonnait le bruit de vingt, trente ou cent faux et les chants d'autant de paysans. Mais il ne pouvait évoquer ni ces sons ni l'odeur du foin nouvellement coupé. Leur souvenir avait disparu à jamais sous l'excès de sa chair.

Japhet se présenta ensuite, de la sueur dans les yeux et une épée dans la main.

"Oui ? demanda Mme Noyes, déterminée à ne pas se laisser intimider. Qu'est-ce que tu veux ?"

Sans se soucier d'elle, son fils se dirigea droit vers l'étable.

Elle s'élança à sa suite.

"Quoi ? Qu'y a-t-il ? s'écria-t-elle, affolée. Pourquoi vas-tu là-bas ?"

A l'entrée de l'étable, Japhet se retourna : "Recule, ordonna-t-il.

— Pas question ! Comment oses-tu ? Que fais-tu ici avec cette épée ?"

Japhet se remit en marche, passa devant l'endroit où la licorne avait péri et s'approcha des enclos à moutons.

"Non ! cria Mme Noyes. Arrête !"

Déjà, son fils s'appuyait d'une main sur la barrière, la franchissait d'un bond et atterrissait parmi les ovins.

Mme Noyes demeura un instant saisie lorsqu'elle entendit le premier cri, puis elle pivota et se précipita dans la coursive en appelant Cham et Lucy.

Mais Cham se trouvait au fond du puits auprès d'Une Défense et d'Hippo, et Lucy était partie un peu plus loin nourrir le griffon.

"Au secours ! hurla Mme Noyes. Au secours !"

Tout le monde l'entendit, y compris Mottyl et Cornella, mais comme elles se cachaient toutes les deux, elles hésitèrent à se montrer. Quant aux autres animaux, enfermés dans leurs enclos et leurs cages, ils ne pouvaient lui porter assistance.

Par chance, Lucy la rejoignit avant qu'elle ne fût blessée.

Persuadée que personne ne lui viendrait en aide, Mme Noyes s'était ruée sur Japhet quand il était ressorti de l'étable, pensant le faire trébucher avec une fourche. Mais Japhet n'était plus l'enfant guerrier maladroit qui, des mois plus tôt, avait pris sa lanterne pour une épée. Depuis les combats qu'il avait menés contre les pirates et l'exécution de la licorne, il était devenu un chef militaire efficace et un boucher accompli. Aussi, au moment d'émerger de l'étable, avait-il la maîtrise de tous ses réflexes, et lorsque la fourche se présenta devant lui, dirigée entre ses genoux, se contenta-t-il de la frapper d'un revers de son épée, sectionnant net le manche.

La violence du coup eut pour effet d'expédier Mme Noyes contre la cloison, où elle se cogna durement l'épaule avant de tomber par terre. Japhet se tenait devant elle, son épée toujours à la main, lorsque Lucy apparut.

"Qui es-tu ? demanda-t-il, ne l'ayant jamais vue ainsi incarnée.

— Moi, je le sais. A toi de le deviner."

Ils se regardèrent – Japhet les yeux plissés, Lucy les yeux grands ouverts.

L'un d'eux devait céder et ce ne serait pas elle.

"Je m'en vais, maintenant, déclara enfin Japhet. N'essaie pas de me suivre.

— Je n'oserais même pas en rêver."

Il pointa son épée vers sa mère. "Ne te jette plus jamais sur moi de cette façon ou je te tue."

Mme Noyes garda le silence. *Son propre fils...*

Japhet se détourna et s'éloigna dans la coursive mal éclairée, son butin sur le dos.

En découvrant cette image, sa mère fut submergée d'une horreur telle qu'elle recouvra enfin l'usage de sa voix et se mit à hurler à pleins poumons.

Lucy s'agenouilla sur le plancher devant elle, la prit dans ses bras et la berça doucement jusqu'au moment où les cris cessèrent, où Mme Noyes se contenta de sangloter en silence, les mains crispées.

En guise de trophées, Japhet avait emporté les têtes de quatre veaux dont le sang coulait le long de ses jambes et dont la gueule, quand il les avait tués, était encore pleine de lait.

Ce soir-là, Noé se régala de cervelle de veau et de langue en gelée. Au moment où il plongeait ses doigts dans le plat puis les baissait vers ses genoux pour les donner à lécher à deux petites bouches impatientes, il pensa : *Si la pierre de l'autel était plus grande, je pourrais sacrifier ce bouvillon que j'ai épargné jusque-là. Il reste toujours le bélier, cela dit, et s'il est devenu trop gros pour servir nos desseins, alors nous ferons une nouvelle offrande d'agneaux...*

Les bouches s'activèrent de plus belle.

"Oh, cette idée vous plaît à vous aussi, n'est-ce pas ? murmura Noé. Alors, mes chéris, il y a toutes les chances pour qu'elle plaise également à Yahvé. Et lorsqu'Il sentira l'agréable odeur de notre holocauste, nous parviendrons peut-être par nos prières à Le convaincre de nous sourire à nouveau. Et de choisir de nous revenir au terme de..."

... de Son grand sommeil, pensa Noé. *Ou de Son grand voyage, ou de Son long séjour au pays de Nod.*

Noé demeura immobile devant son assiette, les doigts toujours sur ses genoux, la bouche toujours ouverte. Son esprit se trouvait devant un mur infranchissable – la tombe de Yahvé – et se heurtait à la pierre en bredouillant : *Non, non, non. Tu ne peux pas être mort.*

Plus tard ce même soir, Mottyl se préparait à nourrir ses chatons dans le nid lorsqu'elle s'aperçut que le mâle gris argent manquait à l'appel.

Elle l'appela tout doucement, en poussant de petits cris, mais sans obtenir de réponse.

"Vous allez devoir attendre, dit-elle aux autres. Votre frère est parti se promener et il faut que je le retrouve avant Japhet…"

Le nom de Japhet était synonyme de mort violente, et tous les chatons, qui l'avaient compris, allèrent aussitôt se cacher sous la paille dans le recoin le plus éloigné, comme leur mère le leur avait appris.

Après avoir écarté le rideau de camouflage confectionné par Mme Noyes et Lucy, Mottyl s'aventura sur le grillage de la cage des licornes en dessous d'elle.

Par inadvertance, et bien malgré elle – car il convenait de respecter l'intimité de tout animal malade ou en deuil –, Mottyl jeta un coup d'œil à l'intérieur de la cage. Elle n'aurait pu dire si elle était occupée. Depuis la mort du mâle, sa dame semblait prisonnière d'un sortilège : elle refusait de parler, de manger et de boire.

Mottyl huma l'air, et si elle décela bien la faible odeur du mâle à l'endroit où il avait frotté sa corne sur le grillage, elle ne perçut en revanche aucune trace de celle de la dame, ni de ses déjections, ni d'aucun autre indice attestant sa présence. Elle ne tarda pas non plus à reconnaître celle de son propre fils, familière entre toutes.

"Es-tu là ?

— Oui, maman.

— Eh bien, sors. Tout de suite. Il ne faut pas déranger la dame, je te l'ai déjà dit. Allez, sors.

— Oui, maman.

— Ne sais-tu pas que c'est l'heure de dîner ?

— Si, maman.

— Alors, viens ici. Je t'ai déjà dit de ne pas t'éloigner.

— Oui, maman."

Le chaton gris argent s'avança sur ses pattes fla-geolantes en direction de la silhouette de sa mère agrippée au grillage.

"Comment es-tu entré ?

— Par le coin.

— Arriveras-tu à ressortir tout seul ?

— Oui, maman.

— As-tu vu la dame ? chuchota Mottyl quand son petit atteignit l'angle de la cage et commença à se hisser vers elle. Est-ce qu'elle t'a parlé ?

— Non, maman.

— Elle est sûrement très triste…

— Peut-être, maman. Mais à mon avis elle ne peut plus éprouver de tristesse. Ni rien d'autre, d'ailleurs.

— Pardon ? Que veux-tu dire par là ? *Elle ne peut plus…*"

Mottyl descendit encore un peu pour se rap-procher du chaton.

"C'est tout, expliqua-t-il. Il ne reste pratique-ment plus rien d'elle."

Sa mère sentit un grand froid l'envahir.

"D'accord. Je vais te ramener auprès de tes frères et sœurs, et ensuite je crois que je ferais mieux d'aller chercher Mme Noyes."

Elle prit le chaton dans sa gueule pour l'emporter vers son nid, où elle lui dit d'aller se cacher. Dès qu'il fut en sécurité, elle redescendit vers la cage.

"Ma dame ?"

Pas de réponse. Pourtant, il lui sembla entendre un bruit.

Les mouches.

Avaient-elles toujours été là ? Pourquoi ne les avait-elle pas entendues plus tôt ?

"Parle, ma dame. Parle. Es-tu là ?"

Mottyl regrettait d'être trop grosse pour pouvoir se faufiler à travers le grillage, comme l'avait fait son fils. Si la dame était morte…

Elle se laissa tomber sur le sol puis se hâta le long de la coursive en se repérant aux courants d'air. Arrivée au pied de l'escalier, elle s'arrêta, rejeta la tête en arrière et cria de toutes ses forces.

Mme Noyes accourut d'une direction, Lucy d'une autre et Cham d'une troisième. Ils se rassemblèrent sur les marches et Mmes Noyes faillit tomber en se penchant vers la chatte.

"Quoi ? Que se passe-t-il ?

— Vite ! Vite ! dit Mottyl. Vite !" Et de filer vers la cage de la licorne et son propre nid.

Mme Noyes, Cham et Lucy, qui l'avaient suivie, la virent escalader le grillage en chuchotant : "Là…"

Après avoir soulevé la chatte, Mme Noyes regarda Cham et Lucy déverrouiller la porte de la cage et l'ouvrir.

Puis Lucy tendit le bras le plus loin possible : "Des mouches, murmura-t-elle.

— Je sais, intervint Mottyl. Ça signifie…

— Chut, murmura Mme Noyes en la berçant contre sa poitrine. Tout va bien, maintenant. Lucy s'occupe d'elle."

En la soulevant aussi délicatement que si elle était faite de verre, Lucy approcha la dame le plus près possible du groupe. Il n'y avait cependant plus aucun doute sur ce qui lui était arrivé : elle s'était laissée mourir de faim et il ne subsistait d'elle que de la peau et des os – un festin pour les mouches.

Lucy retira ses mains et ses compagnons reculèrent.

"Est-elle morte ? s'enquit Mottyl.

— Oui, répondit Mme Noyes. A présent, ils sont tous les deux retournés dans le bois."

De l'autre côté, la renarde, le raton laveur, Bip, Ding et les autres virent la couronne de mouches descendre et la dame disparaître.

Soudain, tous prirent conscience de l'étroitesse des cages, de la proximité du plafond et de la rareté de l'air. "Allons-nous tous mourir ainsi ?" demanda le griffon.

Durant un moment, personne ne souffla mot. Enfin, Lucy répondit tout doucement : "Oui, nous allons tous mourir ainsi. Mais pas ici."

"Où vas-tu ?" cria Mme Noyes en s'engageant à la suite de Lucy dans les profondeurs de l'arche.

Il était plus de minuit et elle aurait aimé aller se coucher, mais sa belle-fille avait décrété que personne ne dormirait cette nuit-là. Alors, pendant que Cham rassemblait tout un arsenal composé de fourches, de balais et de couteaux de cuisine, les deux femmes descendirent dans la fosse, chacune chargée d'un sac de toile, Lucy portant en plus une lanterne. Dans l'escalier, Mme Noyes ne voyait d'elle que ses cheveux cuivrés.

"Nous allons capturer un couple d'alliés, répondit Lucy.

— Si ce sont des alliés, pourquoi faut-il les capturer ? s'enquit Mme Noyes, toujours pragmatique.

— Parce qu'ils ne savent pas qu'ils sont nos alliés. Pas encore, du moins."

Mme Noyes n'allait pas très souvent dans la fosse, même si c'était là qu'elle rendait visite aux ours. En ces occasions, elle choisissait le plus court chemin vers leur cage, se bornant à agiter la main par-dessus son épaule pour saluer Une Défense et Hippo, dont elle n'avait pas trop peur, et ignorant toutes les autres créatures autour d'elle : dragons, crocodiles, rhinocéros...

A présent, au risque de marcher sur les plumes de Lucy tant elle la suivait de près, Mme Noyes priait en silence pour que sa belle-fille n'eût pas décidé de solliciter l'aide des crocodiles. Dans tous les cas, il ne pouvait s'agir d'une alliance avec les rhinocéros ou les dragons, puisqu'ils ne tiendraient jamais dans un sac de toile.

"Je t'en prie, dis-moi ce que nous sommes venues faire ici...

— Ce n'est pas la peine, répliqua sa belle-fille. Il te suffit de regarder autour de toi."

Ce que fit Mme Noyes.

Là, dans le coin d'une cage, se trouvaient des passagers de l'arche qu'elle avait complètement oubliés (selon toute vraisemblance parce qu'elle ne se réjouissait pas de les savoir à bord). Quatre démons, deux de l'espèce à une tête et deux de l'autre, l'observaient de leurs yeux rougeoyants ; vingt-six yeux au total, tous d'une riche couleur orange foncé.

L'odeur alentour était celle des poils brûlés et des feux de forêt, et en voyant les deux visiteuses devant la porte, les créatures se massèrent tout près des barreaux et commencèrent à tendre les bras vers la viande de pirate que Lucy avait apportée dans son sac de toile.

"Bon, dit-elle à sa belle-mère, prends les deux sacs et trempe-les complètement dans le tonneau d'eau."

Mme Noyes s'exécuta consciencieusement, ce qui l'obligea à passer deux bonnes minutes à côté des crocodiles.

Pour sa part, Lucy cajolait les démons, les apaisait, les flattait, les grattait sous le menton et leur parlait dans une langue inconnue qu'ils semblaient comprendre.

"Pourquoi veux-tu faire d'eux des alliés ? demanda Mme Noyes.

— Tu verras.

— Il y a chez nous une pièce entière remplie de meubles saccagés par leurs semblables", déclara Mme Noyes, exagérant grandement la vérité puisque les dégâts se limitaient à la chaise sur laquelle le démon ramené par Japhet s'était assis pendant qu'elle-même lui servait son déjeuner. L'incident lui avait cependant fourni un sujet de conversation bien commode. "Devinez qui a laissé ces marques…" disait-elle. Personne n'en avait la moindre idée, évidemment, car ce n'était pas la coutume d'inviter les démons à sa table.

Quand les sacs de toile furent bien mouillés et partiellement essorés – selon les instructions de Lucy –, Mme Noyes longea sur la pointe des pieds l'enclos où les crocodiles bâillaient, à peine curieux de ce qui se passait autour d'eux. "Et maintenant ? s'enquit-elle.

— Tiens les sacs ouverts afin que je puisse y mettre les démons, répondit Lucy.

— Tu veux dire que tu vas les toucher ?

— Oui. Je suis protégée. Vite, il nous faut profiter des dernières heures de la nuit."

Mme Noyes ouvrit le premier sac le plus largement possible, et, le tenant à bout de bras, le tendit vers Lucy.

"Nous serons peut-être obligées de les arroser de nouveau avant d'arriver", l'avertit sa belle-fille en y fourrant les démons monocéphales, dociles comme des lapins. Aussitôt, une odeur de feu éteint monta de la toile mouillée.

Le second couple se montra moins coopératif, se plaignant (pour autant que Mme Noyes pût en juger) du manque de place à l'intérieur du sac, où ils avaient du mal à loger toutes leurs têtes et autres appendices. Mme Noyes, qui ne comprenait pas bien la raison de ces piaillements, faillit tout lâcher et s'enfuir, mais Lucy réussit à la persuader qu'il s'agissait d'un différend mineur auquel elle ne devait pas prêter attention.

"Tu n'as qu'à porter les monocéphales, si tu préfères, l'encouragea Lucy en échangeant les sacs.

— Merci, dit Mme Noyes. Juste une question : comment fait-on pour porter un sac de démons ?

— C'est simple. Tu le charges sur ton dos, comme n'importe quel sac plein. Tu vois ? Ils adorent."

Lucy balança son propre fardeau sur son épaule – une initiative qui fut accueillie par un chœur de gloussements ravis.

"Dieu du ciel ! s'exclama Mme Noyes. Tu avais raison, ça leur plaît…" A son tour, elle souleva le sac puis le fit passer par-dessus son épaule.

"Youpiii ! s'écrièrent les monocéphales à l'adresse de Lucy. Dis-lui de recommencer !

— Non, le temps presse, déclara-t-elle. Quand tout sera terminé, vous aurez le droit d'être balancés sur nos épaules autant que vous le voudrez. Mais pour le moment nous avons du travail."

Transporter des démons procurait à Mme Noyes une sensation pour le moins étrange. La chaleur qu'ils dégageaient n'était pas désagréable, et comme le sac était mouillé ils ne risquaient pas d'y mettre le feu. "Ils seraient très utiles pour réchauffer le lit le soir, dit-elle à Lucy. Ou pour apaiser une crise d'arthrite."

Les deux femmes sortirent de la fosse, longèrent les coursives et remontèrent l'escalier, ne s'arrêtant qu'une fois en cours de route pour arroser les démons. Lorsqu'elles rejoignirent Cham et son arsenal, Mme Noyes avait les joues rosies par l'excitation.

"Je porte des démons ! s'exclama-t-elle. Tu as vu ? Je porte des démons !" Son enthousiasme n'était pas sans rappeler celui d'un enfant qui, pour la première fois, a réussi à attraper un cobra.

Mais Cham ne fut guère impressionné ; toute son attention se concentrait sur la suite des événements.

Le plan était relativement simple : avec l'assistance des démons, Lucy avait l'intention de brûler la porte en bois au sommet de l'escalier – celle qui donnait sur le pont supérieur –, et, une fois dehors, de vaincre Japhet dans l'armurerie.

"Si nous parvenons à le maîtriser, les autres seront réduits à l'impuissance, expliqua-t-elle. Sœur Hannah n'est pas en état de se battre, le docteur Noyes est trop âgé et Sem trop paresseux. Emma, bien sûr, ne manquera pas de prendre notre parti et de nous aider. Mais le plus important c'est de créer un effet de surprise. Voilà pourquoi nous avons besoin des démons : pour ouvrir la porte en toute discrétion. Pas de marteaux, pas de burins, pas de scies – juste une belle brûlure bien nette."

Cham avait rassemblé une maigre réserve d'armes, qui lui permit cependant de donner à chacun un couteau et une fourche. Il avait également fabriqué des épées à partir de balais – six au total, qu'il garderait avec lui ; elles s'achevaient toutes par un couteau de cuisine choisi parmi les plus petits, car Cham n'avait pu se résoudre à utiliser les modèles de boucher aux énormes lames aiguisées. Les blessures qu'ils risquaient d'infliger seraient trop effroyables.

Lucy déclara qu'il s'agissait de lâcheté de la pire espèce : la "lâcheté intellectuelle". "Une blessure par arme blanche reste une blessure par arme blanche, affirma-t-elle. Et le sang de ton frère reste le sang de ton frère même si tu le frappes avec une lame minuscule, Cham. Quelles bêtises tu racontes, parfois !

— Peut-être, mais je ne veux pas les tuer ! protesta Cham.

— Eh bien, mon cher, je suis au regret de te dire que si tu n'es pas prêt à les tuer tu ne gagneras pas.

— Mais je ne peux tout de même pas tuer mon propre frère !

— Oh. Maintenant, réponds-moi : imagines-tu ces mêmes paroles dans la bouche de Japhet ?"

Comme Cham gardait le silence, Mme Noyes revit son plus jeune fils dans la coursive, brandissant son épée et menaçant : *Ne te jette plus jamais sur moi de cette façon ou je te tue...*

"Non, décréta-t-elle. Japhet n'aurait pas autant de scrupules.

— C'est facile pour vous deux de parler ainsi, rétorqua Cham. En attendant, c'est moi qui devrai le tuer.

— Pourquoi ne pas franchir ce pont lorsque tu l'auras atteint ?" demanda Lucy.

Peu à peu, Cham se calma. Il aurait préféré que le sujet n'eût jamais été abordé et, en secret, refusait d'envisager la mort de quiconque. Il savait néanmoins inutile toute discussion sur ce point avec Lucy. Elle possédait un fond de dureté qu'il ne comprendrait jamais et ne serait peut-être même jamais capable d'affronter. Mais il reconnaissait au moins une chose : sans ce trait de caractère, il n'y aurait pas de révolte à bord de l'arche, car la dureté résiderait alors uniquement dans l'autre camp, derrière la porte qu'ils s'apprêtaient à détruire.

Lucy gravit les marches puis, arrivée au sommet, adressa un signe à Mme Noyes pour l'inviter à la rejoindre. Cham leur emboîta le pas et se posta un peu à l'écart. Lorsqu'ils auraient brûlé le bois autour des serrures et des verrous, il serait le premier à s'élancer, et il suait déjà à grosses gouttes malgré le courant d'air glacé qui s'insinuait sous le battant et faisait vaciller les chandelles.

"Pose ton chargement par là", ordonna Lucy à sa belle-mère.

Lucy s'accroupit près du chambranle, séparée de Mme Noyes par les sacs de démons.

"Je crois qu'il faudrait aller chercher un seau d'eau, dit-elle soudain. La toile commence à se consumer. Vite !"

Mme Noyes dévala l'escalier pour se ruer vers l'étable, où se trouvaient seaux et tonneaux. Pendant ce temps, Lucy plongea la main dans le premier sac, dont elle retira un démon.

Cham, à la fois fasciné et alarmé, la regarda s'adresser à la créature dans une langue inconnue, puis lui offrir un petit morceau de foie sorti de sa poche.

Le démon n'en fit qu'une bouchée, le cuisant en même temps qu'il l'avalait, et presque aussitôt la région inférieure de son corps se mit à briller d'un éclat plus vif. Un nouvel échange de paroles incompréhensibles donna lieu à un spectacle extraordinaire : le démon présenta son derrière flamboyant à Lucy, qui l'éventa de sa grande main palmée.

Lorsque le souffle d'air ainsi créé eut fait rougeoyer le postérieur de la créature, Lucy lui ordonna de se placer contre la porte. Elle l'aida en la guidant avec ses doigts.

Ainsi, le démon incandescent se retrouva en position accroupie, le derrière appuyé contre le chambranle, pendant que Lucy lui tenait les pattes comme une mère tiendrait les mains d'un enfant qui vit un moment difficile sur le pot.

Si elle évoquait un univers domestique, cette scène n'en produisit pas moins l'effet annoncé par Lucy : le bois s'enflamma et brûla, et quelques instants plus tard apparaissait dans le battant un trou de la circonférence d'un manche à balai.

Lorsque Mme Noyes rapporta son seau d'eau, Lucy avait déjà sorti le deuxième démon ; le premier, épuisé, s'était couché sur une marche en prenant bien soin de s'allonger sur le ventre pour ne pas mettre le feu à l'escalier. Le sac de toile abritant leurs congénères fumait, aussi Mme Noyes s'empressa-t-elle de le plonger dans le seau, d'où s'éleva alors un sifflement satisfaisant.

Chaque démon dut se presser deux fois contre la porte avant de dégager une ouverture assez large pour permettre à Lucy non seulement d'y passer le bras, mais aussi de le tendre afin d'atteindre les verrous de l'autre côté. La manœuvre posa un certain nombre de difficultés, liées essentiellement aux efforts qu'elle déployait pour procéder en silence. Comme les verrous rouillés ne demandaient qu'à grincer, elle devait les manipuler très doucement. Enfin, elle parvint à les tirer presque sans bruit.

"C'est fait ! murmura-t-elle en ramenant son bras d'un air triomphant. Vous êtes libres !"

La Révolte des ordres inférieurs était en marche.

Après avoir fait glisser les sacs de démons sur leur dos, très lentement de façon à ne pas leur arracher des cris de plaisir, Lucy et Mme Noyes saisirent leur couteau de cuisine puis se postèrent à côté de la porte.

Cham, qui avait drapé sur ses épaules une cape de grosse toile, s'avança, tenant d'une main ses épées et de l'autre sa fourche. Il avait coincé fermement un couteau dans sa ceinture.

"C'est parti", dit-il. Et, de la pointe du pied, il poussa le battant.

Ils furent accueillis par une scène qu'aucun n'aurait crue possible.

Il neigeait.

"Oh, comme c'est beau ! chuchota Mme Noyes en ouvrant de grands yeux.

— Ce le sera moins quand nous devrons sortir, l'avertit Lucy. Fais attention, ajouta-t-elle à l'intention de Cham. Il gèle sûrement." Mais déjà son époux s'élançait.

Une lumière laiteuse baignait l'arche, alors qu'il était deux ou trois heures du matin et qu'une profonde obscurité régnait alentour. Chaque centimètre du pont, dont le château, la pagode et l'armurerie, disparaissait sous un épais manteau blanc, et il n'y avait aucun souffle de vent. La neige tombait dru, en flocons gros comme des pièces de cuivre, dans un silence étrange mais apaisant.

Les démons, intrigués par l'odeur de la neige, passèrent la tête par l'ouverture des sacs et tendirent la langue pour attraper des flocons qui, en les touchant, produisirent un grésillement semblable à celui de gouttes d'eau jetées dans une poêle à frire.

Alors qu'elle se tournait vers l'armurerie, Mme Noyes aperçut sur le bastingage tous les oiseaux blottis sous leur cape blanche ; certains avaient le bec allongé par les petites stalactites de glace qui s'étaient formées à l'extrémité. De fait, elle ne tarda pas elle-même à sentir la pointe de ses cheveux geler à mesure que la neige fondait et lui dégoulinait dans le cou.

Comme convenu, Cham s'était déjà allongé sur le toit de l'armurerie, juste au-dessus de l'entrée, d'où il pourrait prendre Japhet par surprise. Lucy, chargée de son sac rougeoyant, marcha droit vers la porte, sur laquelle elle frappa un coup sonore avec le manche de sa fourche.

Aucune réponse. Quelques oiseaux réveillés en sursaut se déplacèrent le long du bastingage afin de mieux voir ce qui se passait, se dépouillant de leur habit neigeux en même temps qu'ils bousculaient leurs semblables moins curieux.

Lucy assena un second coup sur le battant.

Deux ou trois oiseaux levèrent la tête, fâchés d'avoir été dérangés dans leur sommeil. Sans leur prêter attention, Lucy tapa trois fois de suite à la porte.

Toujours rien.

Soudain, il y eut un mouvement près du château et une silhouette s'avança derrière les conspirateurs.

"Est-ce moi que vous cherchez ?"

C'était Japhet, armé jusqu'aux dents et revêtu de sa tenue de combat à laquelle il avait ajouté une cape rouge vif pour se protéger du froid.

Il tenait en outre deux loups au bout d'une chaîne en cuivre.

Lucy, qui n'avait peur que des loups et des chiens, demeura figée sur place lorsque Japhet lâcha les chaînes et cria : "Attaque !"

Mais les loups, saisis de terreur, observèrent une immobilité absolue, les yeux rivés sur Lucy. Durant plusieurs longues secondes, personne ne bougea. Puis Japhet fit encore un pas et leva son épée.

Quinze minutes plus tard, Lucy, Cham et Mme Noyes étaient assis sur le pont, le dos contre le mur de l'armurerie, les sacs de démons sifflant dans la neige à côté d'eux.

Cham était inconsolable.

"Aucun de nous n'a pensé qu'il risquait de ne pas être là, dit-il. Aucun de nous n'y a pensé !

— La prochaine fois, nous y penserons, affirma Lucy.

— Comment ?" En un geste d'impuissance, Cham leva ses poignets entravés. "Quelle prochaine fois ?

— La suivante, celle d'après et celle d'encore après, répondit Lucy. Toutes celles qui seront nécessaires pour remporter la victoire. Si tu es raisonnable, tu considéreras ce qui s'est passé ce soir non comme un échec mais comme une répétition. Qu'il est peut-être encore possible de tourner à notre avantage…

— Ah oui ? Et comment ?

— Je n'en sais encore rien. Mais je réfléchis – ce qui, entre nous, serait une occupation plus utile pour toi que de ressasser la défaite, mon canard."

Au même moment, Japhet émergea du château, suivi par Sem et le docteur Noyes.

"Par ici, dit-il. Ils sont là-bas."

Noé paraissait très âgé et, ainsi enveloppé de son châle, il avait l'air de sortir de la tombe dans son linceul plutôt que de la chaleur de son lit. Les yeux plissés, il s'avança sur le pont puis examina ses prisonniers à travers les flocons.

N'ayant pas revu sa femme depuis plus d'un mois, il la reconnut à peine tant elle était maigre et crasseuse. En aucun cas il ne reconnut Lucy chez cette créature aux cheveux cuivrés et au visage osseux si différent de celui – blanc, rond et magnifique – dont il gardait le souvenir. Quant à son fils – silhouette couverte de grosse toile et de neige fondue, aux longs cheveux emmêlés et aux poignets liés –, il lui était parfaitement étranger.

"Qui sont ces gens ? demanda-t-il à Japhet. S'agit-il encore d'un abordage ?

— Non, père. Je te l'ai dit, ce sont Cham, Lucy et mère."

Noé cilla. Puis huma l'air.

"Sont-ils en feu ? s'enquit-il.

— Non, père. Cette odeur vient des démons."

En proie à un mélange de dégoût et d'inquiétude, Noé considéra les sacs de toile et les yeux rougeoyants à l'intérieur.

"Sont-ils dangereux ?

— Non, répondit Sem en même temps que Japhet répondait : Oui.

— Alors, débarrasse-toi d'eux", ordonna Noé.

Japhet s'avança, saisit les sacs et les jeta par-dessus bord.

Tout se déroula si vite qu'aucun des conspirateurs n'eut le temps de protester. Les démons, ne se doutant pas un seul instant de ce qui les attendait, se crurent de nouveau soulevés pour être chargés sur un dos, si bien qu'au moment où ils s'envolaient par-delà le bastingage dans l'air empli de flocons grésillants ils poussèrent des cris de joie.

Longtemps après qu'ils eurent coulé sous la surface, Mme Noyes émergea de son hébétude et regarda Japhet comme s'il s'apprêtait encore à marcher vers les créatures – comme si l'acte n'était pas encore commis. "Je t'en prie, le supplia-t-elle, ne fais pas cela, ce sont nos amis..."

Lucy baissa la tête, suggérant qu'elle était accablée de chagrin alors qu'en réalité elle bouillait de colère. Peu à peu, les cordes autour de ses poignets commencèrent à se consumer, ce que personne à l'exception de Cham ne sembla remarquer.

Japhet s'était écarté du bastingage et essayait de démêler les chaînes de ses loups qui s'agitaient sans quitter Lucy des yeux.

"Qu'est-ce qui vous prend ? s'écria-t-il. Restez tranquilles, enfin !" Il leur en voulait toujours d'avoir refusé d'obéir quand il leur avait ordonné d'attaquer.

Mais les bêtes ne parurent pas l'entendre. De plus en plus nerveuses, manifestement, elles ne cessaient de renifler l'air. La femelle en particulier tirait fort sur sa chaîne, empêchant Japhet de les maîtriser. Le mâle, la queue basse, tentait de se dissimuler derrière lui, alors que la louve continuait de se démener.

De son côté, Cham contemplait les poignets de Lucy avec une fascination grandissante ; il regarda les cordes fumer et se teinter d'abord de rouge, puis d'orange, et enfin de jaune quand la chaleur augmenta. Les muscles saillaient sur les bras de sa femme qui, la tête toujours baissée, les épaules et le dos couverts de neige, serrait et desserrait les poings.

Mme Noyes, incapable ou peu désireuse de bouger, avait pour sa part presque disparu sous un amoncellement blanc, et Cham sentit l'inquiétude l'envahir. Elle semblait endormie, et il savait, pour avoir passé d'innombrables nuits d'hiver à observer les étoiles dans la cédraie, que l'association du sommeil et de la neige est parfois fatale ; il avait vu des tamarins périr de cette façon – et aussi des ichneumons, des wombats et d'autres animaux qui vivaient dans le bois mais s'étaient égarés sur la montagne où ils avaient été piégés par des blizzards. Il aurait voulu mettre en garde sa mère, l'appeler, mais il avait peur d'attirer l'attention sur Lucy, dont les liens pouvaient céder à tout moment, auquel cas elle serait peut-être en mesure de tous les délivrer et de ranimer sa belle-mère.

Les loups de Japhet contribuèrent à apaiser les craintes de Cham. Sensibles à l'odeur des cordes en feu, ils refusaient de se calmer et emmêlèrent tant et si bien leurs chaînes qu'ils finirent par s'asseoir et par se mettre à hurler.

"Arrêtez ! cria Noé.

— Arrêtez ! cria Japhet.

— Arrêtez quoi ?" demanda Mme Noyes, revenue à elle d'un coup, avant de se redresser si brusquement que toute la neige tomba de son corps comme un vêtement dont l'on se dépouille.

Entre-temps, les hurlements des loups avaient fait apparaître Hannah, emmitouflée dans des couvertures blanches, à la porte du château. Elle venait de se réveiller, de toute évidence, et paraissait désorientée. Mais en découvrant la neige et la scène sur le pont elle battit aussitôt en retraite.

"Etait-ce Emma ? interrogea Mme Noyes.

— Non, maman, répondit Cham à voix basse. Et tâche de ne pas attirer l'attention sur nous.

— Pourquoi ? s'étonna-t-elle. Je veux attirer l'attention, au contraire ! Je suis frigorifiée, pas toi ?

— Euh oui, mais…"

Mme Noyes s'adressa à Sem : "Viens ici tout de suite et libère ta mère !"

Le Bœuf ne bougea pas d'un pouce, trop occupé qu'il était à rajuster sa tenue pour empêcher la neige de s'insinuer sous sa chemise.

Enfin, Japhet parvint à s'extraire – une jambe après l'autre – de l'entrelacs des chaînes dont les extrémités étaient toujours enroulées autour de son poignet et de son avant-bras droit.

"Qu'y a-t-il, là-bas ? demanda Noé.

— Quoi ? fit Japhet.

— Là. Là…" Noé esquissa un geste en direction des prisonniers en même temps qu'il essayait de maintenir en place son châle. "De la fumée…"

Japhet regarda.

Au même instant, Hannah apparut derrière eux, tenant innocemment le parapluie noir au-dessus d'elle.

Soudain, Lucy leva la tête et s'écria : "Attention !" en tendant le bras vers Japhet, Sem et Noé, qui se retournèrent tous les trois d'un coup comme si le ciel venait de chuter derrière eux.

"*Attention !*"

Prenant Hannah pour l'ange de la mort – blanche comme elle l'était, avec cette forme noire au-dessus d'elle –, Sem ramena son manteau sur son visage et poussa un cri étouffé derrière son bras. Noé dut y regarder de plus près pour voir de qui il s'agissait, mais Japhet n'eut pas l'occasion de s'interroger plus d'une fraction de seconde.

Au moment où Lucy criait "Attention !" pour la seconde fois, elle se rua sur lui malgré la présence des loups, et le jeta sur le pont.

Oh, si seulement elle avait commencé par me libérer ! songea Cham.

Mais il s'avéra que Lucy n'avait pas l'intention de poursuivre la révolution. Sinon, elle aurait libéré non seulement son époux mais aussi sa belle-mère. Tout ce qu'elle voulait, c'était une occasion de venger la mort de ses démons.

Japhet ne comprenait pas ce qui lui arrivait. Il savait juste que ses loups s'en étaient pris à lui, car il sentait leurs crocs lui déchirer les jambes et les pieds, alors qu'une autre créature (qui aurait pu se douter que c'était Lucy ?) assise sur ses épaules lui immobilisait les bras sur le pont. Et il avait conscience que sur son visage s'était abattue une grande paume couleur bronze dont les doigts palmés s'étaient enroulés autour de sa tête telle une feuille de chou, l'empêchant d'entendre, de voir et presque de respirer, tandis qu'une effroyable douleur fusait dans son corps.

Il ne fut pas nécessaire de lui porter secours.

Lucy se releva après avoir achevé son geste puis retourna de son plein gré, presque docilement, à sa place près de Mme Noyes et de Cham.

Lorsque Japhet réussit tant bien que mal à s'agenouiller, il pensait avoir perdu à jamais la vue et l'ouïe. Mais Lucy n'avait pas cherché à le rendre aveugle ni sourd. Non, elle avait simplement apposé son sceau sur une malédiction : *Que la chair de Japhet ne lui laisse pas un moment de répit jusqu'à la fin de ses jours.* Les morsures des loups suppureraient éternellement. Aucune blessure reçue lors d'un affrontement avec un ennemi animal ou humain ne cicatriserait jamais. Dorénavant, il prendrait aussi l'odeur de chaque mort qu'il infligerait, et de fait, pour avoir assassiné quatre démons, il sentait déjà le brûlé.

Sem, remis du choc causé par l'apparition d'Hannah et convaincu que sa vie n'était pas en danger, s'avança vers Japhet, le délivra des chaînes autour de ses poignets et écarta les loups gémissants.

Hannah, immobile derrière Noé, tenait le parapluie noir au-dessus de lui. Elle avait croisé les pans de son châle sur ses épaules et dissimulé sa bouche et son nez derrière l'étoffe, ne laissant voir que ses yeux. Ils demeuraient baissés.

Noé examina Lucy à travers la neige comme s'il s'agissait également d'une apparition (Yahvé ?). "Qui est cet homme ?

— Ce n'est pas un homme, père, répondit Sem. C'est Lucy. Lucy, la femme de Cham.

— Comment cela, pas un homme ? se récria Noé. Tu crois que je ne suis pas capable de reconnaître un homme quand j'en vois un ?"

Sem regarda Hannah. De toute évidence, son père imaginait des choses ou avait sombré dans la sénilité.

"Permets-moi de te contredire, père, répliqua-t-il avec une solennité due à l'épuisement et à la peur. Peut-être la lumière te joue-t-elle des tours… ou la neige… ou l'heure tardive…

— C'est un homme", affirma Noé.

Hannah lui toucha l'épaule. "Viens, père. Tu dois retourner te coucher. Tu vas attraper la mort ici."

Noé se détourna. "C'est un homme, répéta-t-il d'une voix moins forte.

— Oui, oui, déclara Hannah en le prenant par le coude pour le guider vers le château. Probablement. Tu as raison.

— Un autre abordage…

— Oui, oui.

416

— Des pirates.

— Oui.

— Mais nous les avons vaincus encore une fois, n'est-ce pas ?

— Oui. Nous les avons vaincus. Encore une fois. Maintenant, il faut aller te coucher.

— Est-ce que tu…

— Oui, je resterai avec toi jusqu'à ce que tu t'endormes."

A l'entrée du château, Noé s'adressa à ses deux fils : "Occupez-vous d'eux.

— Bien, père", répondit Sem.

Japhet garda le silence.

Noé disparut. Hannah baissa le parapluie, le secoua puis entra dans le château à la suite de son beau-père et referma la porte.

Il neigeait toujours quand le vent se leva. A l'aube, l'arche se retrouva au cœur d'un blizzard terrible – peut-être la pire tempête que ses passagers eussent essuyée depuis leur départ.

Japhet et Sem avaient conduit les prisonniers en bas, et Sem montait la garde avec les loups pendant que Japhet faisait le tour des trois étages inférieurs, brisant toutes les lanternes et fourrant toutes les chandelles dans un sac.

"A partir de maintenant, vous n'aurez plus de lumière, avait-il décrété. Vous vivrez dans une perpétuelle obscurité jusqu'à ce que nous touchions terre."

Arrivé dans l'étable, il saisit plusieurs agneaux et, après les avoir attachés par les pattes arrière, il les chargea sur son dos. Son épée à la main, il les emporta, ainsi que le sac de chandelles, jusqu'en haut de l'escalier.

"Cette porte sera barricadée de telle sorte que vous ne pourrez jamais sortir, dit-il. Vous mourrez peut-être de faim, et nous aussi, mais nous au moins nous ne serons pas dans le noir."

Sur ces mots, il disparut, laissant son frère fermer la marche avec les loups.

Lorsque Sem s'immobilisa en haut de l'escalier, il offrait l'image incongrue d'un homme aux vêtements immaculés, environné de tourbillons de neige et flanqué de deux loups. Peut-être en prit-il conscience, car il baissa les yeux et froissa le bas de sa chemise de nuit comme pour gâcher à dessein son apparence soignée. Enfin, il jeta un coup d'œil plutôt penaud à sa mère, à son frère et à Lucy en disant : "Je suis désolé…"

Sur ces mots, il sortit. Durant les quelques instants où la porte resta ouverte, la neige s'engouffra dans l'escalier, descendant jusqu'aux pieds de Mme Noyes qui regardait le petit carré de ciel au-dessus d'eux. Puis, brusquement, ce fut l'obscurité, accompagnée d'un grand bang et suivie de bruits de marteaux, de clous et de chaînes.

Dans les ténèbres, pendant que Lucy ôtait les cordes aux poignets de Cham et de Mme Noyes, Mottyl s'approcha de sa maîtresse et se mit à gémir.

Mme Noyes en conçut de l'inquiétude.

"Tu n'aurais jamais dû quitter ton nid alors que Japhet rôdait dans les parages, la sermonna-t-elle. Je te l'avais bien dit."

Mais Japhet n'était pas le problème.

Non, le problème concernait Vif-Argent, le chaton préféré de Mottyl et de Mme Noyes.

Durant tout le temps où les révolutionnaires se trouvaient sur le pont, la porte était restée ouverte et, à un moment ou à un autre, Vif-Argent avait disparu.

Noé, assis à la grande table du salon, attendait que sœur Hannah lui apportât un bol de flocons d'avoine chauds. Il était transi après une aventure qu'il s'obstinait à considérer comme un abordage "sous la conduite d'un boucanier aux cheveux rouges". Mais il se sentait également euphorique et, malgré l'absence de son dentier, parlait à sa belle-fille qui vaquait dans la cambuse pour lui préparer son porridge.

De leur côté, Japhet et Sem s'employaient à sceller l'immense porte à double battant, la couvrant de barres et de chaînes par-dessus lesquelles ils clouèrent des planches croisées.

Sarah avait déjà grimpé sur les genoux de Noé mais Abraham, pour le moment du moins, manquait à l'appel. Sans doute était-il parti faire ses besoins dans le coffre de sciure installé à l'entrée des latrines.

Les dents en bois de Noé étaient posées sur le mouchoir devant lui. Repeintes de frais deux jours plus tôt, elles dégageaient une impression de jeunesse pimpante tout en évoquant irrésistiblement les vestiges d'un crâne humain.

"Sur quel genre de navire voguaient-ils ? demanda-t-il. Un trois-mâts ? Deux ? Gréé carré ?"

Hannah ne répondit pas, bien qu'elle l'eût entendu. Mieux valait le laisser continuer à discourir. Le nourrir, le coucher, l'endormir et prier pour que la raison lui revînt avec les rêves.

"Il n'existe sur les sept mers aucun vaisseau pirate que nous ne puissions vaincre, affirma Noé. Crois-moi. Avec Yahvé à nos côtés, nous ne craignons rien ni personne ! Pas même cette tempête. Yahvé a promis…"

L'arche fit une brusque embardée qui secoua les lanternes et expédia les dents du vieil homme sur le sol tandis que plusieurs marmites tombaient avec fracas dans la cambuse. Noé manqua dé-gringoler de sa chaise, et Sarah, en voulant se rac-crocher à quelque chose, lui enfonça ses griffes dans le dos de la main, ce qu'il remarqua à peine, peut-être à cause du mouvement violent des meubles et des lampes autour de lui.

Sa première pensée fut que Yahvé annonçait peut-être ainsi Sa présence. Pouvait-Il choisir meilleure façon de revenir dans leurs vies que de soulever l'arche dans Ses mains et de l'agiter pour les saluer ?

Lorsque Hannah s'approcha de la porte pour voir si son beau-père allait bien, elle le découvrit à quatre pattes sur le sol, en train de chercher son dentier.

"Es-tu tombé ? demanda-t-elle. Es-tu blessé ?

— Je prie, répondit Noé. Je prie. N'as-tu pas remarqué ? Yahvé vient de nous parler…"

Hannah n'osa pas le contrarier. Elle avait beau savoir que seule la tempête avait malmené l'arche, elle ne se faisait aucune illusion : jamais Noé n'ac-cepterait d'entendre que Dieu n'était pas à l'ori-gine de tout.

Enfin, il retrouva ses dents et les plaça dans sa paume.

"Aide-moi à me relever", dit-il.

Sa belle-fille s'exécuta puis le guida jusqu'à sa chaise.

"Je vais t'apporter tes flocons d'avoine, annonça-t-elle avant de retourner dans la cambuse.

— Où est l'enfant ?"

Silence.

"Sœur Hannah ? Ma fille ?"

Elle se tenait pétrifiée au-dessus de la casserole de porridge dans sa main, la cuillère en bois im-mobilisée contre ses lèvres, la cambuse oscillant autour d'elle. *Qu'avait-il dit ?*

"Vas-tu me répondre ? Où est l'enfant ?" répéta le vieil homme.

Hannah abaissa lentement la cuillère et appuya le dos de sa main contre son front en fermant les yeux.

"Emma ! rugit Noé. Où est-elle ?"

Les paupières d'Hannah se soulevèrent.

Emma.

"Oh", murmura-t-elle. Et d'ajouter d'une voix plus forte : "Emma est dans sa cabine. Malade." (Elle n'osa pas préciser de quel mal souffrait au juste sa belle-sœur – expliquer qu'elle s'était murée dans son silence et refusait de manger, comme un animal en deuil.)

"Tu travailles trop dur", déclara Noé, dont l'esprit avait délaissé la tempête et les vaisseaux pirates pour se concentrer sur les images d'un avenir radieux (peut-être main dans la main avec Yahvé), empli à nouveau de maisons, de cuisines grandes comme une arche et de nurseries grouillant d'enfants – une belle façon de finir ses jours –, où régnerait Hannah toute de blanc vêtue. Lui-même prendrait place sous le noyer planté depuis peu mais déjà haut de dix mètres ; et le verger planté depuis peu mais déjà ancien derrière sa porte sacrée répandrait dans l'air les effluves de la sagesse et des fleurs – pommes, poires… ; et l'ange entré en fonction depuis peu serait assis lui aussi mais dans les branches de…

"Ma fille ?

— Oui, père ?

— Etait-ce ma femme sur le pont, cette créature aux cheveux blancs tout habillée de toile de jute ?

— Oui, père.

— Ce n'étaient pas des pirates, alors ?

— Non, père.

— Et qui était cet homme à côté d'elle ?" *(Un ange. N'était-ce pas un visage d'ange à côté d'elle ? Une peau d'ange et des cheveux d'ange ?)*

"Cham, père. C'était Cham, ton fils."

La vision vacillait, oscillant en même temps que les lampes, tour à tour accessible et inaccessible. Un visage différent s'imposait à lui, pas celui de Cham mais…

"Non, l'autre homme."

Hannah vint se poster sur le seuil, sa casserole à la main, prête à servir le porridge.

"Qui ?

— C'était un ange, ma fille." Noé posa sur elle un regard aussi vacillant que la vision. "Tu crois que je ne suis pas capable de reconnaître un ange quand j'en vois un ?"

Homme. Pirate. Ange. Qu'aurait-elle pu dire ? Expliquer au vieil homme qu'il s'agissait de Lucy ne ferait que déclencher ses foudres.

"Oui, murmura-t-elle. C'était peut-être un ange. Oui…" Et de retourner dans la cambuse où elle commença à remplir deux bols de porridge, auquel elle ajouta du sucre brun et le reste de crème aigre.

Après avoir enveloppé deux cuillères en argent dans deux grandes serviettes blanches, elle les emporta au salon en même temps que les bols, consciente soudain d'un courant d'air.

Noé, debout, regardait la porte donnant sur le pont, que la tempête avait dû ouvrir. Elle se balançait sur ses gonds sans jamais se refermer tout à fait ni s'ouvrir complètement.

Hannah posa les deux bols sur la table, qu'elle longea ensuite pour aller tirer la porte. Mais à mi-parcours elle repéra le chat, Abraham, qui émergeait de l'obscurité, le dos moucheté de neige, en tenant quelque chose dans sa gueule.

422

Elle s'efforça de dominer sa répulsion – et y parvint, en apparence du moins – à l'idée de découvrir un nouveau rat capturé par l'aventureux Abraham. Il ne les dévorait jamais, se bornant à les décapiter et à laisser traîner leurs restes ; à elle ensuite de les ramasser et de les jeter par-dessus bord. Parfois, elle découvrait les têtes sur les chaises, dans les tiroirs des meubles et au milieu des couvertures de son lit. Elle avait beau verrouiller toutes les portes entre elle et le reste de l'arche, Abraham se débrouillait toujours pour trouver un moyen d'entrer.

Cette fois elle le contourna et ferma la porte avant de pivoter pour affronter l'inévitable, espérant néanmoins ne pas avoir à s'occuper du rat avant d'avoir avalé son porridge.

Entre-temps, Noé s'était déjà rendu compte que la chose dans la gueule d'Abraham n'était pas un rat mais une autre créature au poil gris argent.

Abraham s'approcha des pieds de Noé, devant lesquels il s'inclina sans lâcher la proie dans sa gueule. Puis il bondit – tout de grâce et d'assurance malgré les secousses imprimées par la tempête –, d'abord sur la chaise du vieil homme, où il s'inclina devant Sarah, puis sur la table, où il déposa la créature inerte dont il avait brisé le cou, afin que Noé pût l'examiner.

Enfin, il s'assit devant son trophée.

Noé était moins intimidé par les morts que sœur Hannah. Alors qu'elle reculait, il avança, la main tendue.

"C'est un chaton gris argent", dit-il en prononçant chaque mot d'une voix ébahie.

Il regarda ensuite Hannah de l'autre côté de la table, l'esprit déjà affolé par la perspective d'un miracle.

"A qui pourrait-il appartenir sinon à Dieu ? Sarah attendait-elle des petits ? Non. Et avons-nous d'autres chats à bord avec nous ?" D'un geste ample, il balaya toute l'étendue de la pièce autour de lui. "Pas le moindre, nulle part ! A qui est ce jeune, alors ? A qui est cet enfant ?"

De nouveau, il contempla la dépouille parfaitement immobile devant lui.

"Un miracle, chuchota-t-il. Un véritable et authentique miracle..." Il tomba à genoux, tenant la table à deux mains, puis approcha trois fois son front du plateau, et encore trois fois. "Oh, par tous les noms de Dieu, pria-t-il. Oh, par chacun de Tes dix mille noms, entends-moi, regarde-moi, sois témoin de ma gratitude. Sois témoin aussi de mes efforts pour étouffer le nom explicite..." A ces mots, il assena sur la table des coups de poing si furieux qu'Hannah en vint à craindre pour ses mains. Mais elle ne parvint pas à distinguer le nom explicite – que personne n'avait le droit de prononcer à part Yahvé Lui-même – lorsque son beau-père, dans ses transports d'extase, l'énonça sans cesse de se cogner la tête contre le bord de la table où gisait le chaton gris argent.

En fin de compte, Hannah tomba à genoux elle aussi, convaincue par le fanatisme du docteur Noyes : c'était forcément un miracle, puisque Sarah n'avait jamais été pleine, qu'il n'y avait pas d'autres chats sur l'arche et que les mâles n'ont pas pour habitude de mettre bas ou de se subdi-viser...

Pouvait-il en être autrement ?

Un miracle.

Abraham le confirma en se couchant devant le chaton gris argent. Sans lui toucher ne serait-ce que la tête.

Après la disparition du petit mâle gris argent, des recherches furent organisées dans les étages inférieurs. De leur côté, Cornella et Mottyl s'arrêtèrent devant chaque cage et enclos pour demander aux animaux s'ils avaient vu le chaton, et Mottyl l'appela près de toutes les rigoles et autres conduites de déversement. Elle explora aussi les endroits les plus redoutables : citernes, latrines et tonneaux remplis d'eau de pluie.

Pendant ce temps, la tempête gagnait encore en force, perturbant de plus en plus les bêtes incapables de maintenir leur équilibre. Un tel blizzard aurait déjà été en soi difficile à supporter mais pour des créatures affamées, affaiblies et plongées dans le noir, c'était un cauchemar. L'humidité constante, le froid dû à la chute brutale des températures et le vent glacé qui s'insinuait par toutes les fentes et fissures du vaisseau, hurlant le long des tuyaux, se révélaient particulièrement éprouvants pour les nouveau-nés et les très âgés. L'ennemi le plus redoutable n'en restait pas moins l'obscurité.

Cornella, pourtant douée d'une bonne vue, se retrouvait privée de ses pouvoirs dans les ténèbres, aussi ses envolées dans les coursives et les divers passages étaient-elles pour le moins hasardeuses. A force de se prendre dans le grillage des cages ou d'enfoncer des portes ouvertes, elle finit par avoir un terrible mal de tête.

Mottyl n'avait presque plus d'énergie. Elle avait fouillé de fond en comble les étages inférieurs, s'aventurant même jusqu'à la fosse tant redoutée, et, ce faisant, avait laissé passer l'heure de nourrir sa portée. Depuis quelque temps, elle trouvait au mieux les tétées pénibles. Normalement, les petits auraient dû être sevrés depuis un bon moment – peut-être déjà trois semaines –, mais à cause de la pénurie grandissante de souris, de rats et de gros insectes elle avait été obligée de compléter leur alimentation par du lait qu'elle avait toutes les peines du monde à produire. Ses mamelles desséchées étaient presque à vif tant les chatons devaient tirer fort pour boire. De plus, ils avaient maintenant de petites dents pointues contre lesquelles Mottyl devait se battre, leur mordant les oreilles ou les lèvres ou leur griffant le menton. Et l'absence de souris dans sa propre alimentation la rendait faible, sujette aux rhumes et aux infections.

Au terme de quatre ou cinq heures de recherches ininterrompues, elle avait le cerveau en ébullition mais le corps presque totalement paralysé par la fatigue. Elle devait s'allonger de plus en plus souvent pour se reposer, jusqu'au moment où elle fut incapable de retourner dans sa coursive.

"Si tu nous faisais sortir, nous pourrions t'aider", fit remarquer Bip.

Mais Mottyl n'avait même plus la force de se lever. Bip et Ding se trouvaient de l'autre côté du puits, et la perspective de la longue marche qu'elle devrait s'imposer pour les délivrer lui paraissait insurmontable.

Pourquoi ne puis-je plus bouger ?

Tu as vingt ans. Tu es affamée. Tu as des vers, des puces, des parasites, un abcès derrière l'oreille et un autre à la hanche. Tu es affligée d'une côte brisée, d'un tendon déchiré, d'un intestin en pelote et d'une importante carence en vitamines. Tu es aveugle. Tu deviens sourde. Tu as marché sur un clou. Ne t'entends-tu pas respirer ? Tu as peut-être attrapé une pneumonie. Tu es partiellement déshydratée et nous ne saurions trop te conseiller, si tu parviens à te redresser, de commencer par boire de l'eau. Tu es angoissée, abattue, et tu n'as pas assez de globules rouges. Tu souffres aussi d'un manque d'oxygène et tu as des problèmes cardiaques. Sans parler du rhumatisme dans ta patte arrière gauche et d'une maladie du foie dont nous ne pouvons rien te dire parce qu'elle ne s'est pas encore complètement déclarée. Et tu t'étonnes de ne plus pouvoir bouger ? Nous en venons à nous demander si tu n'es pas également folle.

Merci pour votre exposé. Maintenant, dites-moi comment faire pour me lever.

Impossible. Parce que tu ne peux pas, tout simplement. En revanche, tu peux appeler Cornella.

Pourquoi ?

Ne pose pas de questions inutiles. Appelle-la.

"Cornella !"
La voix de Mottyl était beaucoup trop faible pour être perçue à plus de un mètre à la ronde mais elle parvint néanmoins jusqu'à Bip, de l'autre côté du puits.
"Cornella !" appela-t-il à son tour, et, grâce à sa capacité innée de se faire entendre de loin, ses cris résonnèrent bientôt dans toute l'arche. Lorsqu'elle en distingua l'écho, Mme Noyes se crut revenue dans sa véranda au-dessus de la vallée.
"Cornella ! Cornella ! Cornella !"
Celle-ci ne tarda pas à arriver, les ailes grinçantes.
"Fais-nous sortir d'ici, lui dit Bip. Juste Ding et moi. Nous pouvons vous aider, tout comme les animaux capables de voir dans le noir."

Cornella s'attaqua aussitôt à la cage des lémuriens. Quelques serpents, les wombats et les engoulevents furent également libérés, et peu après les coursives se remplissaient de bruits de pattes et de battements d'ailes. Les chouettes, que leur vision nocturne désignait comme des détectives hors pair étant donné les circonstances, ne furent cependant pas sollicitées en raison de leur appétit féroce ; sans doute le grand duc ou le harfang des neiges auraient-ils pu retrouver le chaton gris argent, mais Mottyl et Cornella ne voulaient pas qu'on leur rapportât un cadavre.

Pendant ce temps, Lucy, Cham et Mme Noyes s'étaient rassemblés dans la cambuse, où les lueurs rougeoyantes du fourneau fournissaient un peu de lumière et pas mal de chaleur. Ils avaient mis leurs manteaux de toile grossière à sécher sur le dossier de chaises disposées devant le feu. La cambuse sentait comme n'importe quelle cuisine en hiver : thé mis à infuser, semoule de maïs mijotant dans une grosse casserole, odeurs de chanvre et de laine mouillée auxquelles se mêlaient des relents de coton brûlé.

Au fil des semaines, Lucy avait développé un intérêt grandissant pour les ruches des abeilles en sommeil. Façonnées par Hannah, elles étaient faites de tresses de paille aussi épaisses qu'une corde et se présentaient comme des cônes d'environ un mètre de haut, dotés à leur base d'une petite ouverture semi-circulaire qui permettait aux abeilles d'entrer ou de sortir. A l'intérieur, elles avaient elles-mêmes aménagé plusieurs couches d'alvéoles à miel et conçu différents niveaux pour les œufs, les pupes et les nurseries où les jeunes devaient être élevés en attendant qu'ils fussent en âge de sortir de leur cellule et d'assumer leur rôle dans l'ordre des choses. Chaque ruche avait sa propre reine et sa propre réserve de vivres. Mais Lucy était surtout intriguée par la chaleur que dégageaient les insectes et par le bourdonnement grave et insistant qui accompagnait leur réveil.

Cham avait suggéré de les installer dans la cambuse car les abeilles risquaient de mourir de froid. Lucy, qui les avait posées sur la table, en approchait son oreille de temps à autre et se mettait alors à fredonner. "C'est très stimulant, disait-elle. Tout à fait extraordinaire…" Et son expression devenait alors extrêmement concentrée.

Peu à peu, les recherches pour retrouver le chaton furent abandonnées, et les participants, contraints de reconnaître leur échec, se rassemblèrent, un par un ou en couple, auprès des hommes.

De son côté, Bip avait lui-même porté Mottyl jusqu'à la cambuse comme s'il s'agissait d'un autre lémurien. Couchée près du fourneau, la respiration sifflante, la chatte sombra dans un demi-sommeil pendant que Ding retournait au nid secret et ramenait les petits, à qui Mme Noyes avait préparé un bol de lait de chèvre additionné d'eau.

Les wombats et les engoulevents s'étaient réfugiés en hauteur pour éviter la fumée du fourneau, et les serpents avaient rampé jusque dans le recoin le plus éloigné de la source de chaleur. Quant à Cornella, elle était perchée sur la corde à linge que Mme Noyes avait tendue en des jours plus heureux pour y faire sécher lavettes et serviettes de table de couleur vive en attendant le retour d'Emma.

Durant un long moment, seuls des bruits de repas troublèrent le silence : cuillères plongées dans les bols de porridge et les tasses de thé ; lapements de lait ; tapements émis par Cornella qui picorait la semoule de maïs crue offerte à pleines poignées par Cham et Mme Noyes. Les engoulevents et les wombats mangeaient des mouches, alors que les serpents assoupis, tout comme Mottyl, se contentaient de rêver de leurs proies dans leur sommeil.

Pour sa part, l'oreille toujours pressée contre une ruche, sa cuillère immobile entre ses doigts, son bol s'inclinant dangereusement, Lucy semblait en transe. Cham, qui venait de se détourner de Cornella et allait se rasseoir pour terminer son porridge, se rendit compte de la situation et lui prit doucement le bol des mains. Sa femme ne lâcha cependant pas la cuillère lorsqu'il voulut s'en emparer, allant même jusqu'à la serrer plus fort mais sans dire un mot ni même le regarder. Cham reprit place sur sa chaise, d'où il l'observa intensément tout en se restaurant.

Lucy était en nage, mais la sueur avait beau perler sur son front et dégouliner le long de son visage, goutter de son menton et de son nez, elle refusait obstinément de s'écarter du fourneau, même lorsque ses vêtements commencèrent à dégager de la vapeur. Alors qu'elle écoutait les ruches, ses yeux étaient grands ouverts et ses lèvres formaient parfois des mots qui faisaient naître frémissements et spasmes autour de sa bouche et sous la peau de sa mâchoire.

"Ecoutes-tu les abeilles ?" demanda Mme Noyes.

Comme Lucy ne répondait pas, Cham expliqua : "Ce n'est pas la première fois que cela se produit. Tout a commencé lorsqu'elle nourrissait les autres insectes. Un jour, ne la voyant pas revenir près des mangeoires alors qu'elle était partie depuis déjà plus d'une heure, je suis allé m'enquérir de ce qui se passait. Je l'ai découverte ainsi, accroupie près des ruches, et sur le coup j'ai cru qu'elle s'était endormie. Je lui ai parlé comme tu viens de le faire, mais elle n'a pas réagi. Je lui ai parlé encore, toujours sans résultat. Ensuite, je me suis placé devant elle en l'appelant et j'ai constaté qu'elle avait les yeux ouverts, qu'elle était bien réveillée et dans une sorte de transe…

— Cet état me rappelle celui de Mottyl, dit sa mère. Tu sais, la transe des chats… Il lui arrive de se tenir exactement de cette façon, le regard fixe, comme si elle contemplait ou écoutait quelque chose que je ne perçois pas. Mais je n'avais jamais assisté à ce phénomène chez une personne. Pas avant Lucy, en tout cas."

Mme Noyes et son fils chuchotaient, leurs voix résonnant doucement dans la cambuse chaude, produisant un léger sifflement semblable à celui de l'eau mise à bouillir.

"Elle semble pétrifiée, reprit Cham. C'est ce qui m'a inquiété la première fois. Même lorsque j'ai prononcé son nom, elle n'a pas parlé, comme si elle était ailleurs. Et lorsque je l'ai répété, elle a regardé à travers moi en disant juste : «Attends. Ce n'est pas encore fini…» Plus tard, je lui ai demandé ce qu'elle entendait par là et elle m'a répondu : «Les voix.»

— Quelles voix ? demanda Mme Noyes. Celles des abeilles ?

— Je ne crois pas, non", répondit Cham. Il reporta son attention sur Lucy, maintenant si tendue qu'elle était trempée. Et la vapeur s'élevait toujours de ses vêtements, semblable à la fumée de l'encens, montant vers le plafond en fines volutes…

Quand elle prit enfin la parole, ce ne fut pas sa voix qui s'exprima par sa bouche mais une autre, plus grave.

"*Cornella*, dit-elle. *Cornella va nous sauver.*

— Comment ? interrogea la voix de Lucy.

— *Cornella a libéré les lémuriens. Elle a libéré de leurs cages tous les animaux ici présents pour qu'ils puissent chercher Vif-Argent.*

— Oui. Continue.

— *Ce qu'il nous faut, c'est une autre Cornella sur le pont supérieur. Une autre Cornella pour nous délivrer, ouvrir les serrures qui nous retiennent prisonniers de nos cages...*

— Oui ?"

Mais la voix étrangère s'était tue. Lucy, toujours en transe, gardait désormais le silence elle aussi. Soudain, elle s'écarta des ruches et commença à taper sur sa chaise avec sa cuillère. Ce n'était pas un acte conscient, juste un réflexe ; peut-être espérait-elle ainsi rendre sa vivacité à son esprit éreinté, l'inciter à l'action par la répétition du bruit, comme les armées se mettent en marche au son des tambours. Et des trompettes.

Toutes ses tentatives de révolte avaient avorté. Le paradis se trouvait derrière elle à jamais. La décision de se réfugier d'abord dans l'étoile du matin puis dans le cormoran lui avait seulement apporté la preuve de son incapacité à s'accomplir dans une incarnation différente de celle qui lui avait été donnée. De même, son séjour dans le verger n'avait fait que la conforter dans ses soupçons : il n'existait rien d'autre en ce lieu qu'une peur injuste de la beauté et la tyrannie des pommes. Sa seule victoire avait été son mariage avec Cham, qui avait assuré sa survie à bord de l'arche mais s'était finalement révélé désastreux lui aussi. Elle se retrouvait aujourd'hui enfermée dans ce cachot – consignée une nouvelle fois dans les profondeurs –, et elle n'avait pas réussi à ressusciter la licorne, ni à inventer la lumière électrique, ni à sauver les démons. Elle avait également échoué à vaincre les forces du mal qui régnaient sur le pont supérieur sous la protection de Japhet Noyes, tout comme elle avait échoué à vaincre dans les cieux les forces du mal qui régnaient, toutes-puissantes, sous la protection de l'archange Michel. Tout était perdu. Ses pouvoirs la désertaient les uns après les autres. Elle n'avait pu brûler le château. Elle n'avait pu que consumer ses liens et lancer sur Japhet une malédiction mineure.

Elle se sentait pitoyable.

La cuillère tambourinait toujours sur la chaise quand Mme Noyes entreprit de rassembler assiettes, casserole de porridge, tasses à thé et bol des chatons pour les porter jusqu'au bac à vaisselle…

Le bac à vaisselle.

Tap, tap.

Le bac à vaisselle.

Emma.

Lucy se leva d'un bond, si brusquement qu'elle renversa son siège, puis s'écria de son autre voix : *"Emma ! Emma sera notre Cornella."*

Une conduite d'évacuation fut enlevée, dégageant ainsi suffisamment d'espace pour permettre à Cornella de s'y faufiler afin d'atteindre l'extérieur. Sa mission était simple : trouver Emma et la persuader de débloquer au plus vite la porte donnant sur le pont supérieur.

Cette fois, ils n'échoueraient pas ; ils ne pouvaient pas se le permettre.

Privés de lumière, d'armes et de forces, promis à un échec presque certain, ils allaient au combat animés seulement par la volonté et le désir de vaincre.

Dans la chapelle, Noé avait placé le chaton gris argent sur l'autel.

Sœur Hannah, agenouillée, s'enveloppa dans ses châles.

Abraham et Sarah étaient couchés sur le seuil.

Noé remercia Yahvé de leur accorder des miracles puis plongea la lame de son couteau dans la chair sans vie de l'animal. Après avoir recueilli sur ses doigts quelques minuscules gouttes de sang, il les présenta à sa belle-fille en lui ordonnant de boire.

Lorsqu'elle se fut exécutée, il trempa de nouveau ses doigts dans le sang avant de les porter à ses propres lèvres.

Enfin il s'allongea par terre et, le visage pressé contre le sol, accompagné par les hurlements du vent, il commença à réciter les prières du sacrifice et de la rédemption.

De son côté, Hannah s'apprêtait à l'imiter quand une douleur terrible l'en empêcha.

"Je ne me sens pas bien, murmura-t-elle. Je ne me sens pas bien du tout. Aide-moi."

Mais Noé, tout occupé qu'il était à prier son Dieu, ne l'entendit pas.

Trouver Emma s'avéra relativement simple.

Pour avoir vécu longtemps dans la pagode, Cornella connaissait bien la disposition de toutes les cabines du château et tous les moyens d'y entrer, les plus évidents comme les plus secrets. A l'instar d'Abraham, elle avait en particulier repéré le loquet défaillant sur la porte du salon.

Japhet – à l'abri des barrières qu'il avait érigées, souffrant de la crise d'urticaire provoquée par la malédiction de Lucy et de toutes ses autres plaies suppurantes – essayait en vain de s'endormir dans l'armurerie. Sem n'était nulle part en vue. En se glissant dans la coursive derrière le salon, Cornella vit le docteur Noyes et sœur Hannah en prière et, hélas, elle aperçut également l'objet de leur adoration sur l'autel : le fils gris argent de Mottyl, dont elle était si fière. Mais l'heure n'était pas au chagrin, ni même à la colère, et elle s'envola jusqu'à l'arrière du château, où la cabine d'Emma jouxtait les latrines.

Elle tapa à la porte avec ses ailes.

"Va-t'en", dit Emma.

Cornella continua de battre des ailes sans prononcer une parole de peur que Sem ne l'entendît s'il rôdait dans les parages.

"Tu vas t'en aller, oui ?" s'écria Emma.

Cette fois, Cornella s'immobilisa. Que faire ?

Puisqu'elle ne pouvait élever la voix, il lui fallait trouver un autre moyen d'alerter Emma.

Songeuse, elle considéra la porte. Une fente s'ouvrait au bas, large d'environ deux ou trois centimètres. Mais Cornella eut beau réfléchir, elle n'en tira aucune conclusion sinon la plus évidente : l'espace n'était pas suffisant pour lui permettre de passer.

Dans la chapelle, la voix de Noé résonnait toujours, monotone, récitant une prière interminable, et Cornella tenta de ne pas penser à la dépouille sur l'autel. L'odeur de l'encens réveilla cependant en elle d'autres souvenirs amers qui la ramenèrent au jour où elle avait été chassée de sa cachette au-dessus de la cheminée et...

Chassée de sa cachette au-dessus de la cheminée.

Encens.

Fumée.

Cornella s'en alla à la recherche d'une chandelle allumée ou d'une autre source de feu qu'elle finit par découvrir dans la cambuse.

Lorsque Emma vit la fumée s'insinuer sous la porte, elle essaya aussitôt de sortir par le hublot.

"Oh, oh, oh ! répétait-elle, mais d'une toute petite voix, car son horreur du feu la rendait presque muette. Oh, oh, oh..." Elle tenta ensuite de secouer la poignée de la porte.

Quand, enfin, elle parvint à l'ouvrir, elle avait déjà jeté une couverture sur sa tête en prévision de la fournaise qu'elle s'attendait à affronter. Mais ne percevant ni le grondement ni la chaleur des flammes, elle repoussa lentement le tissu pour examiner la coursive.

"Pourquoi es-tu là ?" demanda-t-elle.

Cornella n'avait pas de temps à perdre en explications. Elle se contenta de lui faire signe de la suivre.

De la glace s'était formée sur la neige accumulée dans les coins, créant un paysage aux reliefs des plus traîtres. Les oiseaux avaient gelé sur les bastingages. Le pont ressemblait ainsi à des montagnes russes verglacées, surplombées par une chape de nuages d'un noir de jais, impossibles à différencier les uns des autres. Il en tombait maintenant de la neige fondue balayée par un vent impitoyable.

Cornella dut monter haut dans le ciel pour pouvoir se maintenir au-dessus de l'arche. Quant à Emma, terrifiée à l'idée de mourir brusquement, elle agrippa la corde à deux mains, et, les yeux fermés, se lança.

Telle une skieuse sur un versant montagneux, elle glissa le long du pont sans jamais lâcher la corde ni changer la position de ses pieds. A mi-parcours, elle souleva les paupières, et, voyant approcher le portique au-dessus de la porte barricadée, elle se mit à crier pour tenter de couvrir

436

le fracas de la tempête : "Attention ! Attention ! J'arrive !" Comme si l'obstacle allait s'écarter de son propre chef.

Mais la traversée des glaces se révéla également grisante, si bien qu'au moment où elle se relevait Emma espéra avoir le temps de faire une autre descente.

C'était cependant peu probable compte tenu de la tâche qui l'attendait.

Cornella, réfugiée dans un angle du portique plus ou moins abrité du vent, lui répéta en grelottant : "Vite, vite."

Emma regarda la masse de planches, de barres et de chaînes sans avoir la moindre idée de la façon dont elle devrait s'y prendre pour les ôter. Quand elle leva les yeux vers Cornella, en quête d'un conseil, elle n'obtint qu'un : "Vite, vite" tout à fait inutile.

Le vent ne faisait rien non plus pour arranger les choses, ramenant sans cesse sur son visage la couverture dont elle s'était enveloppée, soulevant ses jupes au point que ses jambes commençaient à geler. Enfin, la précieuse étoffe censée lui tenir chaud devint si gênante pour ses yeux qu'elle l'arracha de ses épaules, et elle s'apprêtait à la jeter de côté lorsqu'elle s'aperçut que les extrémités malmenées par les rafales étaient en lambeaux. L'idée lui vint alors de les arracher puis de les enrouler autour de ses mains pour les protéger.

La couverture, tissée il y avait bien longtemps par sœur Hannah dans la cour inondée de soleil sur la montagne, était résistante et difficile à déchirer pour une simple mortelle, alors que le vent n'avait eu aucun mal à la déchiqueter. La solidité même du tissu donna à Emma une autre idée, ou plutôt lui rappela un système utilisé autrefois par sa mère afin de porter des objets trop encombrants ou trop pointus pour être manipulés par des mains humaines : ainsi, des écharpes avaient été fabriquées, avec lesquelles Emma avait appris à charrier des pierres ou des seaux pleins d'eau brûlante dont les anses auraient blessé ses doigts d'enfant.

Emma regarda les planches qui constituaient l'extérieur de la barricade. Après avoir choisi un coin proche de l'endroit où les clous avaient été enfoncés, elle noua l'extrémité de la couverture autour du bois et, les pieds calés contre la porte, elle commença à tirer.

Au début, la planche ne bougea pas. Mais Emma avait acquis de la force durant toutes les années où elle avait joué à manier la hache pour imiter ses grands frères blonds. Encore et encore elle tira, s'appuyant de tout son poids contre le battant, sollicitant tous les muscles de ses bras, de ses épaules et de ses jambes jusqu'au moment où, enfin, un clou se détacha, et un autre, et encore un autre. L'un des côtés de la première latte céda et l'autre ne tarda pas à s'écarter lui aussi.

La seconde planche fut plus facile à ôter car, outre la couverture, Emma pouvait désormais se servir de la première comme d'un levier.

Ne restaient plus que les chaînes et les barres.

A l'intérieur de l'arche, Mme Noyes, Lucy et Cham se tenaient accroupis sur la marche du haut, prêts à pousser la porte dès qu'ils en recevraient l'ordre. Durant tout ce temps, ils prodiguaient leurs encouragements à Emma, qui criait en retour qu'elle "faisait son possible".

Mottyl, Bip, Ding et les autres occupaient la dernière marche, où ils attendaient leur délivrance. Peu leur importait désormais, au cas où cette nouvelle révolution s'achèverait encore par une défaite, d'être jetés par-dessus bord comme l'avaient été les démons. Quant à Mottyl, elle ne voyait plus l'intérêt de se cacher ou de cacher ses chatons. *Tu ne peux pas te dissimuler éternellement*, décida-t-elle. De toute façon, le docteur Noyes et Japhet seraient derrière cette porte lorsqu'elle s'ouvrirait ; alors autant ne plus différer l'heure de l'affrontement.

Bip et Ding, libres pour la première fois depuis le début du voyage, avaient été un peu intimidés au début. La taille gigantesque de l'arche en particulier les déconcertait. "On pourrait presque faire pousser des arbres ici, observa Bip. Recréer un bois à bord.

— Je préférerais me promener dans un vrai bois, merci, répliqua Ding. Je préférerais voir le soleil."

Emma s'attaquait maintenant aux chaînes, utilisant l'une des barres en fer comme une sorte de treuil pour les enrouler. Enfin, à force de tourner, elle sentit bouger les pointes qui les retenaient à chaque extrémité.

"C'est bon ! cria-t-elle à travers la porte. Elles se détachent !"

A cet instant précis, alors qu'elle se voyait déjà lancer les chaînes au-dessus des eaux, le malheur frappa.

Japhet, tiré de sa couche ensanglantée et irritante par le besoin pressant d'uriner, était sorti en tunique crasseuse et soulevait déjà sa jupe pour arroser le vent lorsqu'il aperçut Emma. Aussitôt, il se rua sur le pont verglacé.

En d'autres circonstances, ses mains – les seules armes dont il disposait – lui auraient suffi à maîtriser sa jeune épouse. Mais, compte tenu de la tempête, de la neige fondue, de la glace sous ses pieds et de sa quasi-nudité, il n'avait pas l'avantage.

Néanmoins, il tenta de la plaquer au sol et de l'entraîner loin de la porte. Il ne réussit cependant pas à l'attraper et, emporté par son élan, glissa jusqu'au bord de l'arche, manquant de peu tomber à l'eau. Ses jambes blessées et ses bras couverts d'urticaire lui arrachèrent des cris de douleur lorsqu'ils heurtèrent le bastingage et les cordages.

Il lui fallut déployer des efforts immenses pour retourner vers la porte afin de préparer une nouvelle offensive. En cours de route, il trouva l'une des planches jetées par Emma et, une fois debout, s'approcha d'elle par-derrière avec l'intention de lui frapper les épaules.

Au même moment, Cornella quitta son refuge pour voler droit vers les yeux de Japhet, battant des ailes et levant les pattes de façon à pouvoir l'attaquer à coups de griffes et de bec. Mais le vent était contre elle et la ramena vers Emma.

Japhet s'avança alors en tenant la planche sur le côté, comme les frères d'Emma lorsqu'ils maniaient la hache, offrant ainsi à Cornella une seconde chance de fondre sur son visage exposé. Le jeune homme poussait toujours des cris démentiels, à la fois de douleur et de colère.

Cornella s'éleva au-dessus de lui, cette fois, puis se laissa tomber comme une grosse pierre noire, les ailes repliées, toutes griffes dehors.

Vlan !

La planche la frappa.

Cornella.

Emma hurla en même temps qu'elle brandissait au-dessus de sa tête la chaîne qu'elle avait réussi à dégager. Elle lui fit ensuite décrire un large cercle autour d'elle, atteignant Japhet au flanc gauche et l'expédiant sur le pont où il se mit de nouveau à glisser vers le bastingage. "AU SECOURS !" s'époumona-t-il.

Déjà, Emma se précipitait vers la porte et ouvrait en grand les battants sans même avoir conscience de ses propres gémissements ni des blessures qu'elle ne se rappelait pas avoir reçues lors de ses assauts contre la barricade. Une seule chose lui importait : elle se retrouvait enfin en sécurité parmi les seules personnes au monde qu'elle aimait.

Cham et Lucy parvinrent à sauver Japhet de la noyade et l'enfermèrent dans l'armurerie avec toutes ses armes et sa souffrance. Ils rejoignirent ensuite Mme Noyes qui tenait Cornella dans ses bras. Elle replia doucement les ailes de l'oiseau, ramena contre lui ses pattes jaunes et lui ferma les yeux.

"Laissez-moi l'emmener auprès de Mottyl, dit-elle. Je vous en prie."

Après avoir constaté qu'il n'y avait aucun signe d'activité dans le château, Lucy hocha la tête à l'adresse de sa belle-mère. "Mais dépêche-toi, ajouta-t-elle. Nous ne devons pas perdre notre avantage."

Pendant que Lucy et Cham suivaient la corde vers le château, Mme Noyes et Emma descendirent dans la cale et s'assirent sur la dernière marche.

"Est-elle morte ? demanda tristement Mottyl.

— Oui, répondit Mme Noyes.

— Alors veux-tu bien nous la confier ?

— Oui."

Mme Noyes se leva puis emporta Cornella dans la paix et la chaleur relatives de l'étable.

"Je suis navrée, dit-elle. Je ne peux pas rester ici pour pleurer avec vous, mais d'une façon ou d'une autre, et quelle que soit l'issue de ce conflit, je reviendrai, Mottyl. Nous reviendrons tous."

Elle s'agenouilla sur la mince couche de paille pour déposer Cornella près des vaches, pensant que celles-ci lui tiendraient chaud – tout comme certains pensent parfois, de manière étrange et irrationnelle, que les morts ont besoin de chaleur et de douceur.

Guidée par Bip et suivie par Ding et les wombats, Mottyl s'approcha de son amie, qui aurait pu tout aussi bien se trouver dans son nid, ne laissant dépasser que sa queue pour signaler sa présence. Mme Noyes caressa tendrement la tête de la chatte avant de s'éloigner.

"Quelles nouvelles de mon fils ? interrogea encore Mottyl d'une voix morne.

— Aucune.

— Je t'en prie, ramène-le, murmura Mottyl en fermant les yeux.

— Oui, dit Mme Noyes, je le ramènerai." Et elle se dépêcha de rejoindre les autres.

"Viendras-tu avec moi ? demanda-t-elle à Emma. Ou préfères-tu attendre ici ?

— Je préférerais attendre ici, déclara Emma. Mais je viendrai quand même avec toi."

Mottyl souhaitait ardemment voir son amie une dernière fois. Las ! Ouverts ou fermés, ses yeux ne lui montraient que les ténèbres de la cécité.

"Bip ? Est-ce qu'elle est là ?

— Oui.

— Est-elle vraiment morte ?

— Oui.

— Lui ont-ils fait beaucoup de mal ?

— Il y a une marque sur le côté de sa tête."

Mottyl réfléchit.

"Ses ailes sont-elles intactes ?

— Oui.

— Et sa queue ? Est-elle dressée ?

— Oui. Oui.

— Ses yeux sont-ils toujours dans sa tête ?

— Ils le sont.

— Et son bec ? Est-il brisé ?

— Non."

Alors seulement, Mottyl se coucha en face de son amie défunte.

"Il y a eu beaucoup de morts, murmura-t-elle. N'est-ce pas ?

— Oui, répondit Bip dans un souffle.

— Crois-tu que mon fils est encore vivant ?

— Je ne saurais le dire. Je l'ignore.

— Je pense qu'il est mort.

— Je suis désolé.

— Ne le sois pas, répliqua Mottyl. C'est notre lot à tous ici. Après tout, nous ne sommes que des animaux."

Puis elle entra en transe, échappant à l'emprise de son corps et de son esprit pour mieux pleurer Cornella.

Dans le château, la Révolte des ordres inférieurs remporta la victoire d'un seul geste.

Lucy, entrée la première, découvrit Noé et Hannah toujours dans la chapelle en compagnie des chats de Yahvé.

Elle n'eut qu'à fermer la porte et à la verrouiller.

Quant à Sem, il semblait avoir disparu.

Lucy annonça la nouvelle à Mme Noyes, qui l'annonça à Mottyl : le chaton gris argent était mort.

La seule pensée de la chatte fut : *Une nouvelle expérience, merci...*, en même temps qu'elle revoyait la main du docteur Noyes s'approcher de son nid – de tous ses nids, toujours –, pour saisir celui-ci et celui-là, cet œil-ci et cet œil-là, ces oreilles-ci et cette queue-là, le cerveau de celui-ci et les testicules de celui-là, la tête de celui-ci et les intestins de celui-là, cette couleur-ci, cette couleur-là, blanc et jaune, gris argent et tricolore… à jamais…

A jamais.

Elle se leva, lentement, péniblement, comme quelqu'un qui est resté trop longtemps endormi.

"Où vas-tu ?" demanda Mme Noyes d'une voix douce, seulement teintée d'inquiétude.

Mottyl s'arrêta, perdue, déconcertée soudain par l'étrangeté de l'espace autour d'elle.

Où était la véranda ? Où était la cour ? Le pré ? Le bois ?

Nous venons de quitter Cornella dans son nid. Où sommes-nous ?

Rien.

Je disais, où sommes-nous, mes voix ? Ne sommes-nous pas dans le bois ?

Rien.

"MES VOIX ? hurla Mottyl. MES VOIX !"

Rien. Pas de réponse. Elles l'avaient abandonnée.

"Mottyl ? appela Mme Noyes. Mottyl ?" Elle était plus qu'inquiète, à présent. Elle était affolée.

Bip contourna la femme pour aller s'asseoir à côté de la chatte.

"Est-ce toi, Bip ?
— Oui.

444

— J'essaie de sortir du bois pour remonter sur la montagne. J'ai des chatons à nourrir.

— Oui, je comprends. Tu les allaites.

— Quelle direction dois-je prendre, alors ? Je dois me hâter.

— Je peux t'emmener, proposa Bip. Viens, je vais te montrer."

Il la précéda, la queue dressée pour permettre à Mottyl de le suivre à son odeur.

Avant de s'éloigner, Mme Noyes leva un peu plus haut la lanterne volée dans le salon et vit l'étable remplie d'animaux silencieux qui l'observaient.

Mottyl était dans son nid.

Ses chatons dormaient.

Bip et Ding, assis près d'elle, attendaient.

Ding chuchota : "Crois-tu qu'elle va mourir ?

— Peut-être.

— Ne vaudrait-il pas mieux la laisser, dans ce cas ?

— Non, nous devons veiller avec elle, parce qu'elle est aveugle. Et je ne pense pas qu'elle sache où elle se trouve."

La chatte entendait les mots mais ils ne la touchaient pas. Elle dérivait peu à peu, comme tous les animaux à l'approche de la mort – du moins quand il s'agit d'une mort sans violence, qui leur laisse de l'espace et du temps à travers lesquels dériver.

Elle était couchée dans la position du sphinx, les pattes tendues, la tête légèrement levée, les yeux ouverts et le regard fixe. Elle avait ramené sa queue le long de son flanc, et son corps était tendu comme un arc pour mieux sentir les voix lorsqu'elles se manifesteraient le long de ses nerfs et des passages internes qu'elles empruntaient auparavant pour circuler. Mottyl attendait leur retour mais elles ne revenaient pas.

Au lieu de quoi, toujours dans cet état de dérive, elle était agitée de tressaillements et de frissons. Bip distinguait leurs mouvements sous la peau de Mottyl : certains étaient brusques – des spasmes –, d'autres prenaient la forme de longs frémissements à peine perceptibles qui la parcouraient tout entière. Soudain, sur une dernière contraction des muscles de son dos, comme si elle se débarrassait d'un insecte agaçant, elle se figea et se mit à chanter.

Ses inflexions étaient gutturales et riches, et sa chanson comportait une mélodie ainsi que de nombreuses notes. Bip et Ding n'en avait jamais entendu de pareille mais ils en comprirent aussitôt la signification, car presque tous les animaux chantent au moment de leur mort – d'aucuns disent même qu'ils chantent pour la mort.

Seule Mottyl en connaissait le contenu. Ses enfants, Cornella et ses voix avaient tous péri avant elle, et aujourd'hui le monde allait périr à son tour. Sa chanson célébrait ce monde – celui dans lequel elle était née et dans lequel elle avait vécu. Elle évoquait tous les chatons nés au fil du temps, leurs couleurs, leurs signes distinctifs. Ainsi que la mère de Mottyl, la propre naissance de Mottyl, Mme Noyes et la véranda où elles s'étaient assises les soirs d'été. Elle décrivait le fauteuil à bascule, sa taille, son odeur, son âge et le bruit qu'il faisait. Et aussi l'endroit où Mottyl s'était couchée presque tous les soirs, dans l'ombre du bignonia, environnée d'odeurs familières : poussière, gin, fleurs et herbes aromatiques... La chanson parlait de toutes les souris que Mottyl avait tuées et mangées. Elle parlait du lait qu'elle avait bu, du bouillon et de l'eau. Elle parlait du bois, des touffes d'herbe à chat plus hautes que la camomille, des piquets de clôture cassés ou intacts, des lieux à éviter et des chemins pour entrer sous le couvert ou en sortir. Elle parlait de Cornella. De Marmottin. De la renarde et du porc-épic. Des loups de Japhet à la grille. Elle parlait des démons, des dragons et d'autres périls, dont le plus grand de tous : le docteur Noyes.

Ce monde auquel elle adressait ainsi une litanie de louanges et de regrets était aussi celui qu'elle contemplait dans son esprit sans le voile de la cécité. Inondé de lumière et envahi par les ombres, c'était le paysage teinté d'émeraude et d'or qu'elle voyait depuis le jour de sa naissance, où se mêlaient cours poussiéreuses, prés verdoyants et champs fauchés devenus jaunes. Tout était blanc au-dessus du bois, qui déclinait des tons de gris, de bleu et de brun. Tout n'était que vie, énergie et mouvement, accompagné d'un cri :

N'était-ce pas merveilleux ?

Au revoir. Au revoir.

L'herbe haute se scinda, lui révélant la totalité d'un univers connu, vivant. Personne ne saurait jamais ce qu'elle avait vu : la dernière image du monde existant – celui qui ne pourrait plus jamais être. Son esprit de chat aveugle emporterait l'ultime vision du monde avant qu'il ne fût submergé par les eaux.

Aujourd'hui, il avait disparu.

Sombré.

A jamais.

"Mottyl ?"

C'était Lucy.

"Mottyl ?"

Bip et Ding, suspendus quelque part dans l'ombre, l'observaient.

Lucy tendit la main vers le nid et toucha le flanc de la chatte.

"Réveille-toi."

Il y eut un léger mouvement.

"Du bouillon de poulet, Mottyl. Tiens.

— Bonjour", murmura Mottyl.

Bip s'assit.

"Eh bien, dit-il, elle est toujours parmi nous."

Ding se recroquevilla sur elle-même et s'endormit.

Très lentement, Mottyl baissa le museau vers le bol. Elle but.

C'était fort bon.

La tempête se calma peu à peu, ne laissant subsister que des vents fuyants et de gros nuages jaunes s'éloignant furtivement dans la direction où, en d'autres temps, les montagnes d'Aleph, de Beth et de Gimel formaient un horizon distinct. Aujourd'hui, où que le regard se portât, il n'y avait au loin qu'une fine ligne d'un gris sale oscillant entre les eaux et les cieux, comme si l'horizon lui-même cherchait à se définir.

Dans les étages inférieurs, les lanternes qui n'avaient pas été éclairées depuis tant de jours furent de nouveau accrochées aux plafonds, et Lucy alla de l'une à l'autre avec une chandelle, créant des auréoles jaunes poussiéreuses au cœur de l'obscurité.

Mme Noyes, à qui Emma avait raconté son histoire avant de s'endormir, referma la porte de la minuscule cabine derrière elle puis longea la passerelle étroite, une main plaquée sur chaque cloison pour assurer son équilibre. L'euphorie de la victoire cédait rapidement la place en elle à l'ancienne fatigue, et elle n'avait qu'une envie : se laisser tomber là où elle était, glisser le long de la paroi jusqu'au sol et dormir pendant toute une semaine. Mais ce n'était pas possible. Elle se savait tenue de rester debout, tous les sens en éveil. Il n'y avait toujours aucun signe de Sem nulle part, et tant qu'il demeurerait introuvable les autres seraient encore en danger, même si elle se demandait bien ce qu'ils pouvaient craindre tant le Bœuf était devenu docile.

Pourtant : *la sécurité avant tout.*

Quel que fût le sens donné à ce mot.

Eh bien, au moins, nous pouvons allumer les lampes, pensa-t-elle en regardant Lucy. Et boire de l'eau fraîche, respirer de nouveau de l'air, nous promener sur le pont supérieur et nous parler à voix haute.

Quant à Mottyl… Elle a beau se cacher, ce n'est plus nécessaire. Nous devons garder un œil sur elle, décida Mme Noyes. Il ne faudrait pas que le chagrin l'emporte, comme il a emporté la dame.

Lorsque Mme Noyes s'engagea pesamment dans la coursive, elle leva le bras pour effleurer toutes les lampes sur son passage, juste par plaisir. "Bonjour ! Bonjour, bonjour !" disait-elle.

Aux lampes. A la lumière.

L'obscurité du dernier pont était totale, comme toujours, et en longeant les différents enclos et stalles Mme Noyes tendait la main aux animaux pour leur permettre de flairer son odeur. "Ce n'est que moi, disait-elle de sa voix la plus légère. Ce n'est que moi…"

Elle ne voyait pas grand-chose, même avec sa lanterne, mais peu importait. Après tant de temps et de visites, tant d'heures passées à nourrir les bêtes, à les rassurer, à leur raconter des histoires et à les écouter parler de leurs souffrances et de leurs peurs, elle les connaissait par cœur.

"Lucy va apporter de la lumière pour tout le monde", dit-elle encore. Elle présenta sa main aux bêtes les plus proches et sentit le souffle des singes sur ses poignets. "Après, il y aura une distribution spéciale de repas ; tout le monde aura droit à des cacahouètes et à du foin frais. Et nous ouvrirons les réserves pour y puiser de l'avoine, du maïs et des graines de tournesol…"

Au détour de la dernière coursive, elle ralentit. Mottyl se trouvait tout près.

"Tu es là ? demanda-t-elle en grimpant sur des caisses pour essayer d'apercevoir l'intérieur du nid.

— Ouiiiii…

— Tu es très fatiguée ?

— Ouiiii…

— Je me demandais si tu aimerais que je t'emmène sur le pont. Pour que tu puisses respirer de l'air, sentir la brise. La tempête se calme, maintenant."

La chatte, toujours couchée dans la position du sphinx, avait le regard fixe et les babines retroussées.

"Désolée, reprit Mme Noyes. Je sais que tu préférerais sans doute être seule, mais ce n'est pas bon pour toi de rester ainsi dans le noir. Tu comprends ?

— Ouiiii…"

Pourtant, Mottyl ne bougeait toujours pas.

De sa paume, Mme Noyes lui caressa les flancs.

Enfin, Mottyl se redressa laborieusement, arrondit le dos et étira tous ses muscles endoloris.

"Tiens, je vais fabriquer une sorte d'écharpe, dit Mme Noyes. Je la passerai autour de mon cou pour te porter, et ainsi tu n'auras pas besoin de t'accrocher à moi."

La chatte garda le silence. Elle laissa Mme Noyes la soulever puis la glisser dans l'écharpe formée par le châle, où elle se blottit contre le sein de sa maîtresse comme elle l'avait fait toute sa vie. Elle avait tant de mal à respirer que Mme Noyes dut lutter de toutes ses forces pour repousser la pensée de la mort.

Lorsqu'elles atteignirent le pont supérieur, ce fut pour découvrir une mer aussi calme qu'une mare de ferme. Surtout, dans le ciel qui se dégageait peu à peu, brillait une étoile – la première que Mme Noyes voyait depuis leur départ.

"Une étoile, Mottyl."

Elle n'en croyait pas ses yeux.

Le vent chassa d'autres nuages, et soudain, presque directement au-dessus d'elles, la lune apparut.

Lentement, Mottyl leva la tête au milieu des replis laineux de l'écharpe puis huma l'air.

"La lune, Mottyl. La lune…"

Mme Noyes souleva la chatte.

"Ouiiii…" Mottyl sentait l'astre.

Elles demeurèrent ainsi jusqu'à l'aube.

Durant toutes ces nuits en mer, jamais la lune et les étoiles n'avaient été visibles. Et alors que l'astre se couchait et que les étoiles disparaissaient à l'ouest, l'étoile-loup se leva comme pour annoncer le soleil.

Elle était rouge.

Mme Noyes se rappelait encore l'excitation de Cham, une éternité plus tôt, quand il avait passé la nuit dans la cédraie par-delà la terrasse de tournesols et dévalait la pente aux premières lueurs du jour pour venir étaler tous ses papiers sur la table de la cuisine – dansant presque sur place tant il avait du mal à contenir son enthousiasme.

"Je l'observe tous les jours depuis une semaine, maman, et tous les jours depuis une semaine elle est pareille ! Rouge ! Rouge ! Rouge ! Plus belle que tout ce que tu as pu voir. Et tous les jours, tous les matins, alors qu'elle s'embrase à l'est, les loups de Japhet se mettent à chanter ! Alors je l'ai appelée l'étoile-loup.

— Oh, c'est donc pour cette raison qu'ils chantent ?" avait répliqué Mme Noyes, amusée par ces nouveaux débordements qui avaient remplacé ceux de la semaine précédente, lorsque Cham avait finalement décidé que la lune avait des cycles et que l'on pouvait les calculer. La semaine suivante... le soleil se lèverait au sud, sans aucun doute ! Ou quelque chose de tout aussi extravagant. Néanmoins, il était impossible d'ignorer le plaisir de l'enfant, de ne pas se laisser contaminer par sa joie exubérante, de ne pas s'émerveiller de son émerveillement. Chaque feuille d'arbre qui tombait, chaque nouvel œuf déniché dans la montagne et déposé délicatement sur la table de la cuisine ("S'il te plaît, n'y touche pas ! Il faut que je le rapporte où je l'ai trouvé !") donnait lieu au récit des circonstances de sa découverte... Tout, absolument tout était raconté – le monde entier – puis couché sur le papier.

Et là, en ce moment même, exactement comme Cham l'avait raconté et écrit, la lune descendait et l'étoile-loup montait.

"L'étoile-loup, Mottyl. Rouge..."

Mais la chatte dormait.

Puis vint le soleil.

452

Il n'eut pas à se lever, sembla-t-il.

Au lieu de quoi, les eaux refluèrent, et il émergea de leurs profondeurs comme les morts se lèvent de leurs tombes.

Mottyl se réveilla.

"Oui, dit Mme Noyes. Il est revenu."

Lorsque Lucy eut fini d'allumer les lampes, elle gravit l'escalier et parcourut du regard le pont. Mme Noyes, la plus petite femme qu'elle eût jamais vue, s'appuyait sur le bastingage, Mottyl logée contre elle dans un berceau d'étoffe accroché à son cou, et de temps à autre elle pointait le doigt vers le ciel en remuant les lèvres.

Le soleil, la lune et les étoiles, songea Lucy. *Eh bien, tout recommence.*

Elle se détourna pour s'engager dans la coursive qui menait à sa cabine. Une fois à l'intérieur, elle ferma la porte à clé et s'assit sur sa couchette. Emma ronflait de l'autre côté de la cloison.

Lucy contempla le petit espace autour d'elle, d'abord d'un œil morne puis avec une certaine tendresse. C'était ici qu'elle avait dormi avec Cham. Un homme. Un humain. Ses tenues pendaient dans un coin – déchirées, usées, comme abandonnées. Les vêtements d'une personne ont toujours l'air abandonné quand on ne les porte pas, pensa Lucy. Il n'en allait pas ainsi au ciel, se souvint-elle. Au ciel, les vêtements étaient toujours chez le teinturier. Pour avoir meilleur aspect. Elle sourit. Ou alors, c'était leur propriétaire qui se rendait chez le teinturier, pour avoir meilleur aspect.

Cham était un garçon plutôt agréable. Immature, enthousiaste, brillant. Mozart l'aurait apprécié, songea-t-elle ; il en aurait fait un compagnon de jeu. Shelley l'aurait apprécié parce qu'il avait toujours les poches pleines de livres. Whitman l'aurait apprécié parce qu'ils auraient pu se promener ensemble. Einstein l'aurait adoré : quel élève ! Capable de toujours répondre par *Oui* ou par *Non*, et de toujours formuler des questions tout aussi laconiques : *Pourquoi ?* disait-il, et *A quoi ça sert ?*

Rien de plus.

Il a été mon "époux" ici. J'ai partagé les jeux, les poches pleines de livres, les promenades, les réponses et les questions... pendant un temps.

Et maintenant ?

A quoi ça sert – l'humanité ?

Et *pourquoi ?*

J'ai entendu une rumeur – pas vous ? – au sujet d'un autre monde...

Où ? se demanda-t-elle. Quand ?

Quand ?

Quand ?

Cham entendit des bruits dans la chapelle.

Son père et sœur Hannah y étaient enfermés depuis de nombreuses heures et il lui vint à l'esprit qu'ils avaient besoin de manger. Et aussi de boire, d'aller aux latrines, de respirer de l'air frais.

Mais il devait se montrer prudent. Surtout, ne pas commettre d'erreurs, ne pas ouvrir de portes par lesquelles les prisonniers pourraient s'enfuir. S'ils voulaient utiliser les latrines, ils le feraient sous son œil vigilant. S'ils voulaient manger, il les nourrirait avec modération. S'ils voulaient prendre l'air, alors il allait devoir y réfléchir...

"Oh !" s'écria Hannah, élevant la voix peut-être sous l'effet de la douleur.

Et si le bébé arrivait ? songea Cham. Ce ne serait pas bien de causer sa mort en privant sœur Hannah de l'assistance d'une autre femme.

Il avait déjà quitté le fauteuil de son père, couvert de coussins en peaux de mouton et de châles en laine, et il s'engagea dans la coursive desservant la cambuse, ainsi que la cabine et l'étude paternelles.

Parvenu devant la porte de la chapelle, il entendit distinctement sœur Hannah geindre.

Il frappa.

Le silence se fit aussitôt.

"Tout va bien ? demanda-t-il.

— Oui, répondit son père. Oui."

Des chuchotements résonnèrent derrière la porte, et encore des chuchotements, jusqu'au moment où, enfin, Hannah prit la parole : "Oui, dit-elle à son tour.

— Avez-vous besoin d'aller aux latrines ?

— Pas encore, déclara Noé. Non.

— Voulez-vous manger quelque chose ?

— Non.

— De l'eau ?

— Non.

— Rien, alors ?

— Non, non. Rien du tout."

Seul Noé parlait. Sœur Hannah s'était tue.

Cham s'éloigna et se rendit lui-même aux latrines. Ensuite, il revint coller son oreille au battant – sans rien entendre, cette fois –, puis alla dans la cambuse se préparer un en-cas avec fromage et pain de seigle.

Hannah était allongée par terre, au milieu des eaux qu'elle avait perdues.

Le chaton gris argent gisait toujours sur l'autel mais son corps se flétrissait peu à peu sous la chaleur de l'encens que Noé avait disposé autour de lui en l'honneur de son apparition miraculeuse.

La flamme des lumières de l'autel, rouge et doré, s'amenuisait ; bientôt, il faudrait changer les chandelles.

Noé se tenait entre l'autel et la femme sur le sol, appuyé contre le repose-tête en velours d'un *prie-Dieu** ouvragé comme s'il chevauchait en amazone, une jambe ramenée par-dessus l'autre.

Hannah, en sueur, les bras rejetés derrière la tête, agrippait les pieds d'une chaise.

"J'ai besoin d'aide, dit-elle. Je ne peux pas y arriver seule.

— Je demanderai de l'aide dès que l'enfant sera là, répliqua Noé.

— Mais il est mort. Il est mort ! Et je ne peux pas m'en délivrer seule…

— Mme Noyes a donné naissance à une dizaine d'enfants mort-nés, ma fille. Je sais que c'est possible. Alors fais-le.

— Je veux quelqu'un auprès de moi.

— Tu as quelqu'un auprès de toi.

— J'ai peur…

— Comme toutes les femmes.

— Mais s'il est mort, pourquoi ne puis-je pas avoir de l'aide ?

— Parce que nous devons le voir d'abord.

— Je ne comprends pas.

— C'est très simple : nous devons voir cet enfant avant de demander de l'aide."

Hannah se résigna. Le vieil homme était inflexible. Elle n'aurait droit à aucune assistance, même si elle risquait de mourir. Elle allait devoir se débrouiller toute seule, puis elle lui présenterait le corps et s'en irait – du moins, si elle survivait.

"Je vais prier pour toi, maintenant, reprit Noé. Pendant que tu accouches."

Il affichait une telle froideur, se comportait avec une telle cruauté ! Pourtant, Hannah le devinait aussi effrayé qu'elle. Pourquoi ? Peut-être redoutait-il

* En français dans le texte. *(N.d.T.)*

456

de découvrir une marque sur le bébé ? Un signe révélateur de sa véritable ascendance ? Une preuve qu'il en était le père ?

Elle poussa.

Noé pria.

Issus d'un même désir ardent, leurs efforts furent couronnés de succès.

Lorsque Hannah put enfin regarder son enfant, elle hurla. Pas parce qu'il était mort ; elle le savait depuis longtemps et avait déjà fait son deuil. Rien en revanche ne l'avait préparée à la vue de l'être qu'elle avait porté durant des mois, à l'horreur qui s'empara d'elle en découvrant l'objet de toutes ses ambitions et de tout son amour secret.

Pour sa part, Noé avait bien sûr décidé de rendre la mère seule responsable de la difformité du bébé. Alors qu'il coupait le cordon ombilical à l'aide du couteau de l'autel, il déclara : "Je le craignais. J'ai prié pour qu'il n'en aille pas ainsi, pour que tu sois épargnée par la malédiction…"

Sur ces mots, il entreprit d'envelopper les membres de l'enfant dans un linge d'autel pour les cacher. Mais il eut beau les replier l'un après l'autre et prendre un autre linge, rien n'y faisait ; il était apparemment impossible de dissimuler la forme monstrueuse.

Hannah venait juste de recouvrer ses forces et se redressait en position assiste lorsque la porte s'ouvrit à la volée, livrant passage à Cham, couteau en main.

"Je t'ai entendue crier, dit-il. Mais je n'ai pas pu venir avant d'avoir trouvé une arme…"

Il s'interrompit au beau milieu de sa phrase, les yeux fixés sur son père et le petit corps dans ses bras, toujours visible malgré les linges.

Noé s'était figé.

Hannah se leva lentement en prenant appui sur la chaise. Sa robe jusque-là immaculée était souillée de poussière et de sang, et le bébé n'était plus dans son ventre.

Elle se laissa choir sur le siège en disant à Noé : "Donne-le-moi. Je vais le mettre dans son linceul…"

Cham avait perdu l'usage de la parole.

Au même moment, Sem sortit enfin de sa cachette dans le garde-manger de son père. Mais il ne vit pas l'enfant qui n'était pas le sien. Il était trop occupé à frapper Cham, trop occupé à répéter à Noé : "Tu es libre, père."

Les yeux de Noé survolèrent brièvement la créature posée sur les genoux d'Hannah.

Il sourit.

C'était vrai.

Il était libre.

Le petit singe avait disparu à jamais sous son linceul.

"Prions", ordonna-t-il.

Mais Hannah s'y refusa.

En dépit de sa faiblesse et de sa fureur, elle parvint à se redresser, puis elle sortit en emportant son enfant.

Le calme s'étendait maintenant au-delà de l'horizon, et dans le ciel dégagé seul le soleil était visible. Deux jours plus tôt, il neigeait encore et tous les oiseaux avaient gelé sur les bastingages. Aujourd'hui, ils décrivaient des cercles étourdissants autour de l'arche, criant, piaillant, faisant entendre une myriade de cris de joie. Certains s'étaient posés sur les eaux et se laissaient flotter en toute sérénité, sans craindre de perdre leur place sur l'arche puisque celle-ci n'avait ni sillage ni vague d'étrave.

A l'entrée de la cale résonna soudain un bruit que personne ne reconnut de prime abord. Quelque chose ou quelqu'un fredonnait en montant l'escalier.

Une grande femme émaciée, vêtue d'une robe de coton brut à lourds plis, émergea lentement tout en regardant la fosse par-dessus son épaule comme un acteur ferait son entrée sur scène par une trappe, sous le feu des projecteurs.

Le son qui l'accompagnait gagna en intensité, et quand elle souleva deux grosses ruches tressées pour les poser ensuite sur le pont, il n'y eut plus aucun doute sur sa source.

Durant un moment la femme parut sur le point d'aller les placer ailleurs mais, après les avoir poussées très légèrement pour les écarter de la porte, elle décida de les laisser où elles étaient et recula pour les admirer.

Jusque-là, rien ne permettait d'affirmer qu'il s'agissait de Lucy. Seule sa haute taille rappelait ses précédentes incarnations. Ses cheveux n'étaient plus ni noirs ni rouges mais couleur de miel, et ils n'étaient ni roulés et rassemblés au sommet de la tête, ni courts et bouclés. Longs et raides, ils lui descendaient jusqu'aux omoplates. Son visage, désormais large et plat, et non plus rond ou anguleux, se distinguait en outre par des yeux extraordinaires d'une nuance presque dorée : c'étaient les yeux d'un animal, à la fois farouches et tendres ; ou les yeux d'un prophète dont les paroles, comme les cris d'alarme lancés par les bêtes, resteraient ignorées.

Lorsqu'elle s'estima satisfaite de l'endroit choisi pour les abeilles, Lucy ôta les couvercles tressés. Après avoir libéré les insectes, elle s'éleva haut dans le ciel jusqu'au portique surplombant l'escalier qui menait à la cale. Une fois assise, elle devint une sorte de fanal pour les abeilles, qui montèrent jusqu'à elle en colonne et parurent tout d'abord l'engloutir. Mais bientôt elles s'envolèrent au-dessus d'elle et formèrent un nuage pour la protéger du soleil.

Alors une autre silhouette tout aussi blanche, bien qu'ensanglantée, émergea du château et se dirigea vers le bord de l'arche, à environ dix pas de l'endroit où se tenait Lucy.

Elles n'échangèrent pas un mot. Lucy ne manifesta ni colère ni surprise en voyant l'un de ses prisonniers marcher librement sur le pont, et Hannah ne donna aucun signe d'inquiétude en découvrant des abeilles en si grand nombre. Elles ne se saluèrent pas, trop habituées qu'elles étaient à se maîtriser en toutes circonstances. Ce fut à peine si elles parurent prendre conscience l'une de l'autre tant elles réagirent discrètement – une inclinaison de la tête presque imperceptible, une brève pause avant un mouvement.

Hannah, qui en avait fini avec les larmes, portait l'enfant dans son linceul. Son maintien était si rigide et guindé qu'elle aurait pu tout aussi bien porter un paquet – un simple objet –, et non un être qui avait été un jour vivant ou lui-même un vaisseau de la vie. Mais Hannah n'aurait pu ignorer qu'elle avait été ce vaisseau pour lui. Qu'elle le voulût ou non, la créature était sienne. Aussi décida-t-elle de lui accorder l'honneur de la serrer brièvement contre son sein, de lui déposer un baiser sur la tête et de lui caresser le dos comme si elle était humaine. Elle la jeta ensuite dans les eaux, sur lesquelles elle flotta un bon moment avant de dériver loin de l'arche et de disparaître, sans doute sous la surface, bien que Lucy crût l'apercevoir encore un instant. Ce n'était peut-être toutefois qu'un oiseau de mer, car il y en avait plusieurs dans cette direction.

Enfin, Hannah retourna très lentement au château, sans un regard en arrière ni même une hésitation au moment de passer sous le dais ; elle se contenta de marcher en ligne droite et d'entrer.

Puisque Lucy avait monté les abeilles sur le pont, pourquoi ne pas faire pareil avec les autres animaux ?

C'est ainsi que Mme Noyes décida de libérer ses moutons afin qu'ils pussent voir le ciel, respirer l'air et peut-être chanter une chanson.

Le bélier, toutes les brebis et tous les agneaux titubèrent dans l'escalier, aveuglés par l'éclat du soleil et intimidés par l'immensité du ciel, qu'ils avaient oubliée. Certains agneaux nés à bord de l'arche, dans l'étable enténébrée, n'avaient même jamais vu le monde.

Pour tous, ce fut une révélation – l'air, l'eau, le vaste pont –, et tous ouvrirent de grands yeux.

Mme Noyes prit dans ses bras le plus petit et le plus jeune des agneaux puis adressa quelques mots à ses parents et à tous les moutons dont le nombre était passé de sept à vingt sur l'arche – et ce, malgré le nombre de victimes sacrifiées ou offertes aux lions.

"Il est temps que cette créature apprenne à chanter, dit-elle. Et quel meilleur choix, pour commencer, qu'*Agneau de Dieu* ?"

A peine eut-elle formulé cette suggestion qu'elle le regretta. *Agneau de Dieu* avait pris une signification si terrible depuis qu'ils l'avaient répété juste avant l'arrivée de Yahvé… "Non, rectifia-t-elle. Pas *Agneau de Dieu*. Une autre, plus joyeuse. Oui, je sais ! *Je te ramènerai chez nous, Kathleen*. Nous la chantions tous ensemble, avant…" Et d'entonner la chanson à l'adresse de l'agneau dans ses bras.

> *Oh, je te ramènerai chez nous, Kathleen,*
> *Là où…*

Elle s'interrompit. "Tiens, c'est drôle, j'ai oublié les paroles…

— *Bêêê*…, fit l'un des moutons à ses pieds.

— Comment ?

— *Bêêê*…"

Mme Noyes éclata de rire. "Quel son étrange ! Bêêê…

— *Bêêê*…, répéta le mouton.

— J'ai compris, déclara Mme Noyes. Bon, j'ai une bien meilleure idée. Nous allons chanter *La Chanson du bateau de Skye*. D'accord ?" Aussitôt dit, aussitôt fait :

> *File, joli bateau,*
> *Comme un oiseau en vol,*
> *En avant, crient les marins !*

"Allez, chantez !"

> *Fort le vent hurle,*
> *Fort la vague rugit,*
> *Les nuages noirs fendent l'air…*

"Vous ne voulez pas chanter avec moi ?

— *Bêêê*…"

Mme Noyes se tourna vers le bélier.

"Tu te rappelles cette chanson, n'est-ce pas ? Nous la chantions en duo autrefois. Allez…"

> *Apeurés, nos ennemis*
> *Demeurent sur la grève.*
> *Jamais ils n'oseront nous suivre…*

"*Bêêê* !

— *Bêêê* !

— *Bêêê* !"

Tous poussaient ce cri insolite. Tous – le bélier, les brebis, les agneaux…

"*Bêêê* !"

Et aucun ne chantait.

Mme Noyes posa l'agneau sur le pont et s'age-nouilla près de lui.

"Je t'en prie, chante, murmura-t-elle. Je t'en prie."

Elle alla se placer devant le plus vieux mouton du troupeau – une brebis nommée Daisy. Autre-fois, Daisy l'avait aidée à enseigner le chant aux autres, dans les champs où naissaient les agneaux. Elle connaissait tout le répertoire de Mme Noyes.

"D'accord, Daisy. Toi et moi ensemble. Allons-y."

File, joli bateau,
Comme un oiseau en vol,

"*Bêêê* !"

En avant, crient les marins !

"*Bêêê* !"

Emporte le jeune homme,
Né pour être roi…

Mme Noyes souleva le petit, qu'elle serra contre son cœur. Elle pleurait.

"Je t'en prie, dit-elle. *Par-delà la mer jusqu'à…*
Skye…"

Silence.

Pas un mot.

Elle se laissa choir sur le pont. Les larmes ruis-selaient sur ses joues.

"Oh non… Je vous en prie, chantez. Je vous en prie…

— *Bêêê.*"

Elle les regarda, renifla et se servit de son tablier comme d'un mouchoir. L'agneau voulait descendre, aussi le libéra-t-elle. Il rejoignit aussitôt le reste du troupeau.

Mme Noyes les regarda encore – moutons et agneaux blottis les uns contre les autres, l'excluant de leur groupe. Elle n'en revenait pas. Il n'y avait plus de chansons.

"Bêêê."

Juste *Bêêê*.

Les moutons ne chanteraient plus jamais.

Il fallut longtemps à Cham pour se remettre du coup qu'il avait reçu, à cause de la force de Sem autant que de l'instrument utilisé – le plat dans lequel son frère mangeait.

Techniquement, les deux factions se retrouvaient à égalité. Comme Japhet était encore incarcéré dans l'armurerie et que seul Cham savait comment le libérer (il avait conçu une ingénieuse série de nœuds), il n'y avait personne pour livrer bataille. Or sans bataille, il ne pouvait y avoir de victoire décisive.

Chaque camp déplorait en revanche une défaite. Cham, vaincu, avait perdu le contrôle de ses prisonniers. Sem, Hannah et le docteur Noyes étaient libres. Mais de même que Cham, sa mère, Lucy et Emma.

Noé se méfiait désormais grandement (et à juste titre) de Cham, certain que son fils avait non seulement vu l'enfant-singe mais également tiré les conclusions qui s'imposaient sur son ascendance. S'ils n'en parlaient pas, le fait était cependant comme un couteau brandi entre eux.

Pour reprendre l'avantage, Noé décida de réaffirmer la suprématie inébranlable de l'édit.

Yahvé avait ordonné ceci ou cela.

Deux à deux ils avaient embarqué sur l'arche.

Deux à deux ils avaient jusque-là survécu à la traversée, et de toute évidence, compte tenu de l'état du ciel et du retour du soleil, le pire était désormais derrière eux.

Deux à deux ils devaient se conformer aux ordonnances divines. Dans le cas contraire, tout serait perdu : l'arche et les animaux ne pourraient survivre sans Cham, Lucy, Mme Noyes et Emma ; et Mme Noyes, Emma, Lucy et Cham ne pourraient survivre sans le docteur Noyes et sœur Hannah, dont les prières, l'intelligence et l'intimité avec Yahvé avaient garanti la survie de tous. (Etrangement, ni Sem ni Japhet ne furent mentionnés dans cette litanie.)

Après avoir écouté ce discours en présence de Sem et d'Hannah, Cham alla s'asseoir dans l'ombre du portique, derrière les ruches et en dessous de sa femme. Elle lui demanda ce qu'il se passait et il lui répondit. Il ne fit cependant aucune allusion au singe, se contentant de dire que l'enfant d'Hannah était mort-né.

"En effet, déclara Lucy. Et elle l'a passé par-dessus bord. Tout comme ils continueront à passer par-dessus bord tous les singes, tous les démons et toutes les licornes aussi longtemps que durera ce voyage…"

Les yeux plissés, Cham leva la tête mais ne vit que les pieds palmés de Lucy, l'ourlet de sa robe et le linteau du portique grouillant d'abeilles.

"A t'entendre, ce voyage risque de durer éternellement, observa-t-il.

— Ce sera peut-être le cas."

Cham garda le silence quelques instants. Pour finir, il céda à la tentation de poser la question qui lui brûlait les lèvres : "Pourquoi as-tu dit qu'ils continueraient à passer tous les singes par-dessus bord, en plus des licornes et des démons ?

— Parce qu'ils le feront.

— Mais… pourquoi les singes ?

— Parce que Hannah en a jeté un à l'eau… sous mes yeux.

— Comment sais-tu que c'était un singe ?

— Je l'ai su dès sa conception."

Cham renonça à l'interroger sur le singe, de peur d'être obligé de tenir des propos qu'il n'avait aucune envie de tenir.

"Aimes-tu ton père, Cham ?"

(Elle avait tout compris !)

"Je le respecte, répondit-il. Je le dois."

Les abeilles bourdonnaient autour de Lucy, qui ajouta : "Si seulement je pouvais t'apprendre à avoir davantage peur.

— Toi, tu n'as pas peur, répliqua Cham.

— Oh si.

— C'est vrai ?

— Oui. De tout mon cœur."

Mme Noyes sortit sous le portique et s'avança vers Cham.

"Où est ton père ? demanda-t-elle.

— Je crois qu'il est allé prier."

Sans un mot, sa mère alla s'asseoir sur la marche qui menait à la poupe puis amena son tablier sur sa tête pour se protéger du soleil.

Emma sortit à son tour et s'assit en silence en haut de l'escalier de la cale. Elle tenait dans ses bras une grosse colombe blanche.

Personne ne parla.

Tout le monde regardait le château en s'interrogeant.

Que dirait Yahvé à Noé ?

Que leur dirait ensuite Noé ?

Dans la chapelle, Noé ferma la porte et se retrouva complètement seul.

Le chaton gris argent était toujours sur l'autel.

Un miracle, mon cul !

C'était la fichue chatte de Mme Noyes, depuis le début !

Il jeta un regard furieux aux icônes, à l'autel, aux grands coffres rouges de la sagesse.

"Où es-Tu ? s'écria-t-il. OÙ ES-TU ?"

Les icônes, l'autel, les coffres étaient silencieux. Seul l'encens faisait un minimum d'effort pour répondre ; il se désagrégeait lentement et ne fumait presque plus.

"Tous les autres sont morts, chuchota Noé. Pourquoi pas Yahvé ?"

Il regarda les icônes.

Là.

Très bien. Si c'est là qu'Il est allé, c'est là qu'Il doit rester. Un vieux barbu aux yeux rouges, au teint doré et à la robe noire. Parfumé à l'encens réduit en poudre. Environné du son des cloches et de la prière. Laissant Ses vieux amis pourrir seuls...

Noé s'assit et rassembla autour de lui les plis de sa robe.

Il attendit une demi-heure.

Au terme de ce délai, il se leva.

Il s'approcha de la première icône, qui montrait Yahvé les yeux exorbités et l'air furieux. Il l'emporta sur l'autel, repoussa le chaton et la posa à sa place.

Puis il alla chercher encore de l'encens, l'alluma, jeta de la poudre chinoise sur l'icône et l'enflamma avant de se préparer à faire sonner la cloche.

Enfin, il sortit rapporter aux autres ce que Yahvé lui avait dit.

Tout le monde était rassemblé sur le pont ensoleillé.

Un corbeau sur le bras, Noé parla de l'alliance établie entre Yahvé et lui : la promesse qu'il n'y aurait pas d'autre déluge ; l'ordonnance disant qu'ils devraient tous se répandre et se multiplier à la surface de la terre ; et que tout ce qui vivait, respirait et se mouvait avait été livré entre leurs mains, *pour toujours*. Il montra le symbole de l'alliance et commanda au corbeau : "Va et vole librement. Quand tu auras trouvé ce que nous cherchons, reviens."

Tous regardaient, tous écoutaient, et si certains étaient sceptiques, d'autres croyaient.

"J'ai trouvé l'arc-en-ciel bien joli, dit Emma. Pas toi ?

— Oui, répondit Lucy. Aussi joli qu'une baleine en papier."

Le corbeau ne revint pas.
Ils attendirent.
Une semaine entière.
Il ne revenait toujours pas.
Noé envoya une colombe.
Et ils attendirent.
C'était la colombe d'Emma.
De nouveau, ils attendirent une semaine entière.
Et elle ne revint pas.
Alors Noé envoya une autre colombe. Et une autre. Et encore une autre.
Aucune ne revint.
Une semaine passa, puis deux, puis trois.
Enfin, il envoya l'une de ses colombes, mieux entraînées que les autres.
Cette colombe-là revint. Tenant dans son bec un rameau d'olivier.

"Vous voyez ? demanda Noé.

— Oui, répondit Lucy. Nous voyons."

Mme Noyes emmena Mottyl sur le pont de l'arche où elles s'assirent un soir sous la lune. La vieille chatte couchée sur les genoux de la vieille femme était silencieuse. Sept cent vingt et un ans les séparaient.

Mme Noyes songeait à l'arc-en-ciel en papier de Noé, à l'alliance établie avec Dieu, au rameau d'olivier sur lequel la colombe s'était posée dans sa cage, où Emma la nourrissait. Et elle se disait : Cela ne finira jamais. Ce voyage n'aura jamais, jamais de fin. Et au cas où il s'achèverait…

Elle plaça la main sur la tête de Mottyl. Là se trouvait une chatte privée de la vue par le docteur Noyes, alors que loin sous les flots s'étendait un monde détruit par ce même docteur (avec l'aide de son illustre Ami), et dont il ne restait plus que des souvenirs dans leur esprit – des souvenirs d'une époque où elles s'installaient toutes les deux sous leur véranda au-dessus de la vallée. Et aujourd'hui, Noé voulait un nouveau monde et d'autres chats à aveugler. Ah non, qu'il aille au diable ! pensa-t-elle.

"Non !" s'exclama-t-elle.

Mottyl, qui l'avait entendue, remua.

"Je ne voulais pas te réveiller. Je regrette. Et en même temps je ne regrette pas. Veille avec moi sous la lune, Mottyl, toi sans tes yeux et moi avec. Nous sommes là, très chère. Quoi qu'il advienne, nous sommes là. Et bon sang de bonsoir, crois-moi, nous allons y rester !"

Mme Noyes scruta le ciel.

Pas l'ombre d'un nuage.

Elle se mit à prier. Mais elle n'adresserait pas ses prières au Dieu absent – plus jamais elle ne les adresserait au Dieu absent. Non, elle les adressait aux nuages disparus. Et au ciel vide.

Elle priait pour le retour de la pluie.

REMERCIEMENTS

Parmi tant d'autres, j'aimerais remercier tout spécialement David Staines, dont l'aide et les connaissances
ont été cruciales dans l'élaboration de ce roman ;
Phyllis Webb, dont le poème *Leaning* est à l'origine
de ce livre et qui, avec E. D. Blodgett, m'a écouté discourir sur des sujets tels que les chats et les licornes ;
et Keith et Catherine Griffin, qui m'ont laissé faire de
leur grange mon arche et de leurs animaux ma multitude. Comme toujours, un immense merci à Stanley
et Nancy Colbert, et tous mes remerciements et bien
plus encore à William Whitehead. Toute ma gratitude
également au Canada Council pour le soutien reçu
pendant la rédaction de cet ouvrage.

TABLE

OUVRAGE RÉALISÉ
PAR L'ATELIER GRAPHIQUE ACTES SUD
ACHEVÉ D'IMPRIMER
SUR ROTO-PAGE
EN OCTOBRE 2008
PAR L'IMPRIMERIE FLOCH
A MAYENNE
POUR LE COMPTE DES ÉDITIONS
ACTES SUD
LE MÉJAN
PLACE NINA-BERBEROVA
13200 ARLES

DÉPÔT LÉGAL
1re ÉDITION : NOVEMBRE 2008
N° impr. : 72290
(Imprimé en France)